D0476829

Powys
37218 00459318 7

CYFRES Y CEWRI

1. DAFYDD IWAN
2. *AROGLAU GWAIR,* W. H. ROBERTS
3. ALUN WILLIAMS
4. *BYWYD CYMRO,* GWYNFOR EVANS
5. WIL SAM
6. *NEB,* R. S. THOMAS
7. *AR DRAWS AC AR HYD,* JOHN GWILYM JONES
8. *OS HOFFECH WYBOD,* DIC JONES
9. *CAE MARGED,* LYN EBENEZER
10. *O DDIFRI,* DAFYDD WIGLEY (Cyfrol 1)
    DAL ATI, DAFYDD WIGLEY (Cyfrol 2)
    Y MAEN I'R WAL, DAFYDD WIGLEY (Cyfrol 3)
11. *O GROTH Y DDAEAR,* GERAINT BOWEN
12. *ODDEUTU'R TÂN,* O. M. ROBERTS
13. *ANTURIAF YMLAEN,* R. GWYNN DAVIES
14. *GLAW AR ROSYN AWST,* ALAN LLWYD
15. *DIC TŶ CAPEL,* RICHARD JONES
16. *HOGYN O SLING,* JOHN OGWEN
17. *FI DAI SY' 'MA,* DAI JONES
18. *BAGLU 'MLAEN,* PAUL FLYNN
19. *JONSI,* EIFION JONES
20. *C'MON REFF,* GWYN PIERCE OWEN
21. *COFIO'N ÔL,* GRUFFUDD PARRY
22. *Y STORI TU ÔL I'R GÂN*, ARWEL JONES
23. *CNONYN AFLONYDD*, ANGHARAD TOMOS
24. *DWI'N DEUD DIM, DEUD YDW I…*
    STEWART WHYTE McEWAN JONES
25. *MEICAL DDRWG O DWLL Y MWG,* MICI PLWM
26. *THELERI THŴP,* DEWI PWS MORRIS
27. *CRYCH DROS DRO,* GWILYM OWEN
28. *Y DYN 'I HUN,* HYWEL GWYNFRYN
29. *AR LWYFAN AMSER,* J. O. ROBERTS
30. *BYWYD BACH,* GWYN THOMAS
31. *Y CRWT O'R WAUN,* GARETH EDWARDS
32. *HYD YN HYN,* GILLIAN ELISA
33. *SULWYN,* SULWYN THOMAS
34. SIÂN JAMES
35. *TANNAU TYNION*, ELINOR BENNETT WIGLEY

CYFRES Y CEWRI 35

Tannau Tynion

Elinor Bennett Wigley

Argraffiad cyntaf — Tachwedd 2011

ISBN 978 0 86074 277 7

Mae'r cyhoeddwyr yn cydnabod cefnogaeth ariannol Cyngor Llyfrau Cymru.

Cyhoeddwyd gan
Wasg Gwynedd, Pwllheli

Gyda diolch a chariad i

Dafydd

i'm hwyrion
Ana Gwen a Pegi Wyn, Cai Dafydd a Jac Ben

eu rhieni, Eluned a Dai, Hywel a Catrin

ac er cof am
Alun a Geraint

Cynnwys

Agorawd

Owen, nid Bennett, oedd fy nghyfenw cyn priodi. Cawsai fy nhaid y 'Bennett' ar ôl ei nain, Sarah Bennett, a'i llinach hithau. Coeliwch neu beidio, gallaf olrhain y llinach honno i ŵr o'r enw Nicholas Bennett a anwyd yn 1590 yn Llandinam, un genhedlaeth ar ddeg yn ôl!

Ar y dechrau fel hyn, dwi am fentro mynd â chithau ar wibdaith fer – wel, mor fer ag sydd bosib! – o amgylch y teidiau a'r neiniau, i drio ffeindio allan pwy ydw i.

Gwerin ucheldir canolbarth Cymru yn sir Drefaldwyn a de sir Feirionnydd oedd fy nghyn-neiniau a'm cyn-deidiau. Mae'r ardal i'r de o Dal-y-llyn ac i'r gogledd o Langurig yn annwyl iawn i mi gan mai ar y tir mynyddig yma y bu'r rhan fwyaf ohonynt yn amaethu am ganrifoedd. Roeddynt yn bobl a welodd gyni economaidd ac a ddioddefodd lawer o anawsterau na allaf i ddechrau eu deall na'u hamgyffred. Mae'r hen enwau ar y rhan hyfryd yma o ganolbarth Cymru yn llawn swyn a hud, a chymydau Arwystli a Chyfeiliog yn doreithiog o hanes.

Fy hoff olygfa yng Nghymru ydi'r un a geir ar ôl gadael Llyn Clywedog wrth deithio i lawr tua'r de. O ben y bryn, bydd ehangder ysblennydd y cymoedd a'r bryniau o bobtu'r ffordd i gyfeiriad Llanidloes a'r Fan yn fy nghyfareddu bob tro. Dyma Faldwyn ar ei mwynaf – a dyma gartref fy hynafiaid.

Ches i mo'r cyfle i adnabod William Davies, fy nhaid ar ochr fy mam. Ffermwr defaid yn Esgair Llywelyn ar y mynydd-dir uchel rhwng Llanwrin a Chorris oedd o. Bu farw'n ifanc o'r ffliw Sbaenaidd a laddodd filoedd o bobl trwy'r byd ar ddiwedd y Rhyfel Byd Cyntaf.

Roedd yn un o ddeuddeg plentyn Thomas Davies, Cae Adda, a Gwen Jones, Esgair Llywelyn. Wrth ymchwilio i hanes y teulu, mi ddes ar draws nodyn yn dweud i'm hen hen nain, Mary Jones, gael 'ei throi dros y drws', ac iddi ffoi i Lerpwl 'at berthnasau a oedd yn cadw hotel yno'. Yn Lerpwl cyfarfu ag Ellis Jones, Caegidog, Comins-coch, Machynlleth, a phriododd y ddau yn Eglwys St Paul, Lerpwl, yn 1840 a Gwen (mam fy nhaid, rhag ofn eich bod eisoes wedi mynd ar goll!) yn cael ei geni ar y 14eg o Ionawr 1841.

Mae gen i ryw frith gof o Nain, a fu farw yn 1947. Merch fferm y Faerdre Fawr, Llawr-y-glyn ym mhlwyf Trefeglwys – reit ar y top wrth deithio o Staylittle i Lanidloes – oedd Jane Evans. Fe'i cofiaf fel gwraig dawel, ddwys a oedd yn llawn ochneidiau. Pa ryfedd? Collodd dri o'i phlant o'r diciâu yn ystod y tridegau blin, a cholli'i gŵr a thad ei phum plentyn pan oeddynt yn ifanc iawn – hyn, wrth gwrs, cyn dyddiau'r Wladwriaeth Les. Ond yr hyn a'm dychrynodd hyd at fêr fy esgyrn wrth imi geisio darganfod mwy am fy nheulu oedd y trallod a ddaeth i ran ei rhieni hi, John a Sarah Evans – fy hen nain a'm hen daid. Rhwng 1888 ac 1897, bu farw pump o'u plant yn bobl ifanc rhwng 19 a 32 mlwydd oed. Y diciâu oedd yn gyfrifol am y trasedïau hyn hefyd, ac mae'r cardiau *In Memoriam* digalon a thrwm a gadwodd Mam i gofio am drallod ei theulu gen i o hyd fel rhyw fath o drysorau teuluol. Roedd colledion fel hyn yn gyfarwydd iawn yng Nghymru ac, yn wir, trwy'r byd yn y cyfnod hwnnw, ac mae'n dra phwysig inni gofio afiechyd mor ddychrynllyd oedd – ac ydi – TB. Meddyliaf am hen deulu'r Faerdre Fawr bob tro y clywaf am y rhai sy'n gwrthwynebu lladd moch daear i atal lledaenu'r afiechyd i anifeiliaid yng nghefn gwlad.

Roedd Nain yn un o efeilliaid a chafodd Mam ei henwi ar ôl y ddwy – Hannah a Jane. Bu raid aros tair cenhedlaeth cyn cael y pleser di-ben-draw o dderbyn efeilliaid eraill i'r teulu gan fy merch innau.

Wn i ddim rhyw lawer am aelodau eraill teulu Nain, ond gwn mai perthynas agos iddi oedd Thomas Richards a fu'n Aelod Seneddol Llafur dros Orllewin Mynwy rhwng 1904 ac 1918. Mae gen i lun ohono fo ac Aelodau Seneddol eraill o Gymru a ymddangosodd yn *Baner ac Amserau Cymru* yn 1906. Fo oedd ysgrifennydd cyntaf Ffederasiwn Glowyr De Cymru, ac yn ddiweddarach bu'n llywydd Ffederasiwn Glowyr Prydain.

Ar ôl priodi tua'r flwyddyn 1904, aeth fy nhaid a nain i fyw ar y dechrau yn Esgair Llywelyn, hen gartref teulu Taid. Mam oedd y person olaf i gael ei geni yno, yn y gwely wensgot, ar yr 21ain o Fai 1909. Saif yr hen fferm mewn gweirglodd ym mhen pellaf Cwm Ceirig a Choedwig Dyfi o'i chwmpas. Roedd tŷ Esgair Llywelyn yn batrwm o dŷ canoloesol ac yn fan gwych i enaid gael llonydd. Mae'n peri tristwch mawr i mi fod y ffermdy hynafol hwn bellach yn furddun. Yn ôl y stori, cafodd y fferm ei henw wedi i Lywelyn ein Llyw Olaf gymryd lloches yno tua 1280 pan oedd yn ceisio adennill y tir rhwng afonydd Dyfi a Dulas yn ardal Llanwrin. Arferai fy mam ddweud bod hen goel wedi dod i lawr yn y teulu mai mewn cornel y tu ôl i'r bwtri y bu Llywelyn yn cuddio tuag wyth ganrif yn ôl! Yn agos at Esgair

Llywelyn hefyd mae Nant y Floeddiast; mae'n debyg i ast Llywelyn udo am amser maith wedi i'w meistr ffoi a'i gadael hi yno. Yn ôl yr hanes, digwyddodd hyn rhyw ddwy flynedd cyn i'r Llyw Olaf gael ei lofruddio yng Nghilmeri.

Yn ddiweddarach mudodd Taid a'i deulu bach i Gae Cyno, Llanwrin, ac yno'n ŵr ifanc deugain oed y bu farw o'r ffliw Sbaenaidd. Wyth oed oedd Mam. Disgrifiai gyda dwyster fel yr arferai, cyn hynny, fynd gydag o i farchnad Machynlleth bob wythnos yn y poni a'r trap, ac eistedd ar ei lin i wrando ar ei lais bas cyfoethog. Cafodd ei gladdu gyda'i dylwyth o Gae Adda ym mynwent yr eglwys yn Llanwrin.

Doedd dim gobaith am addysg bellach ond cafodd Mam fynd i Ysgol Tywyn, gan aros efo'i modryb yn Aberdyfi. Wedi colli Taid, roedd gan Nain bump o blant o dan ddeuddeg oed i'w magu. Bu raid iddi adael Cae Cyno a mynd yn ôl i'r Faerdre Fawr i briodi gweddw un o'i chwiorydd, gŵr nad oedd yn ei garu (o leiaf, dyna'r hyn a ddeallwn o sylwadau prin a bachog fy mam). Felly 'priodas gyfleus' oedd hi er mwyn ceisio cael dau ben llinyn ynghyd. Fel amaethwyr eraill yr ardal, tenantiaid oeddynt ac yn ddibynnol ar y tirfeddiannwr i gael cadw'r denantiaeth. Os byddai tenant yn marw'n ifanc a heb fab a oedd yn ddigon hen i gymryd drosodd, byddai raid i'r teulu adael y fferm. Cyd-ddigwyddiad trist oedd y ffaith i nain Dafydd, fy ngŵr, gael yr un profiad yn union: gorfod gadael y fferm pan fu farw taid Dafydd ar ôl iddo syrthio o ben ysgol uchel ar fferm Hirnant, tua dwy filltir o'r Faerdre Fawr, yn yr un flwyddyn â'm taid i (1917).

Cyfnod o dlodi ac afiechyd blin oedd y dauddegau a'r tridegau, ac roedd bywyd ar diroedd uchel canolbarth Cymru'n galed ac yn anodd. Yn wir, ofnai Mam fod yn dlawd am weddill ei hoes. Yn y cyfnod llwm yma y daeth trychineb i ardal Llawr-y-glyn. Roedd prifathro newydd y pentref hefyd yn athro ysgol Sul ar bobl ifanc y capel. Yn anffodus roedd yn dioddef o'r TB, a thybid mai hyn a fu'n gyfrifol am don arall o'r salwch a drawodd yr ardal, gan achosi profedigaethau lu. Bu farw dwy fodryb ac ewythr i mi, ac mae'n amhosib dirnad yr anawsterau (heb sôn am y tristwch) a wynebai Nain wrth nyrsio'i theulu. Darganfu Mam flynyddoedd yn ddiweddarach ei bod hithau wedi cael twtsh o'r TB ond, diolch i'r drefn, fe gafodd hi iachâd. Ches i mo'r fraint o adnabod y tri ond credaf nad aeth eu dioddefaint hwy a'u ffrindiau yn ofer. Dim ond deuddeng mlynedd oedd yna rhwng y cyfnod pan gollon nhw eu bywydau a fy ngeni i, ond erbyn hynny roedd meddyginiaethau'n dechrau cael eu cynhyrchu i goncro'r afiechyd hunllefus. Beth bynnag ydi diffygion y Gwasanaeth Iechyd Cenedlaethol, mae'n dal i fod ar gael i bawb yn rhad ac am ddim ar amser angen. Hir y parhaed – ond mae angen ei warchod!

Yn nhiriogaeth Arwystli ym Maldwyn y bu teulu fy nhad yn ffermio ers canrifoedd, ac o fferm ac iddi'r enw hyfryd Llwyn y Gog y deuai ei dad yntau – fy nhaid arall.

Ganwyd Taid – Arthur Bennett Owen – yn 1884 yn fab i Evan Owen a Sarah Davies, Llwyn y Gog, Penffordd-las. Priododd â Mary Jane, un o ferched Thomas ac Elizabeth Jervis, y Felin Newydd – y fferm agosaf at Lwyn y Gog. Roedd George Hughes, ei thaid, yn un o ymddiriedolwyr cyntaf Capel y Graig, Penffordd-las, ac yn gyfyrder i'r bardd Ceiriog. Gwelais farwnad a gyfansoddwyd iddo gan y bardd Hyfreithon, lle mae'n disgrifio George fel 'cymwynaswr ardal' a 'meddyg anifeiliaid goreu'r wlad'. Mae gen i hefyd gwpwrdd a wnaed yn anrheg priodas i George ac Elizabeth Wigley (ie, Wigley!), a llawer o luniau o'r hen deulu. Welais i erioed mo Elizabeth, eu merch (fy hen nain i) – bu farw chwech wythnos cyn i mi gael fy ngeni a hithau wedi edrych ymlaen yn fawr at gael fy ngweld, medden nhw – ond mae'r hen gwpwrdd yn ddolen gyswllt ryfeddol rhyngom oll!

Capel y Graig oedd canolbwynt bywydau Taid a Nain hefyd ac roeddynt yn bobl ifanc yn ystod Diwygiad 04/05. Clywais Taid yn sôn lawer tro iddo fod yn gwrando ar Evan Roberts, y Diwygiwr. Ond, yn ôl pob sôn, aderyn brith oedd fy *hen* daid, Evan Owen, Llwyn y Gog; roedd yn hoff o'i gwrw ac yn gwsmer da iawn yn Nhafarn Jac y Mawn! Clywais Taid yn dweud yn llawn cywilydd iddo orfod nôl ei dad o'r dafarn lawer gwaith a'i gludo adref yn feddw yn y drol. Achosodd y profiad hwn yn ogystal â phrofiadau'r Diwygiad i Taid fod yn un o ddirwestwyr mwyaf pybyr Maldwyn! Fe fu o a Nain yn llwyrymwrthodwyr trwy gydol eu hoes, a fu yna erioed botelaid o win na chan o gwrw yn agos i'n tŷ ni hyd nes y bu'r ddau farw yn y chwedegau cynnar. Pan ges i fy ngeni, roedd y ddau'n byw gyda ni fel teulu, gan eu bod yn fethedig iawn ac yn gripil (fel yr arferid dweud bryd hynny) o ganlyniad i arthritis. Roedd hinsawdd oer a llaith ucheldir Maldwyn a'r gwaith caled, diflino ar y tir uchel wedi difetha'u cyhyrau.

Oherwydd y cysylltiad teuluol, dwi'n trysori dau lyfr sydd yn fy meddiant – 'coeden deulu' ydi cynnwys y naill, a'r llall ydi'r clasur *Alawon fy Ngwlad* gan Nicholas Bennett (1896).

Cyhoeddodd Richard Bennett o Lanbryn-mair goeden deulu yn 1922 i gofnodi rhai o deuluoedd sir Drefaldwyn – a rhoi'r teitl 'Y Pedigree' arno! Ymhlith yr enwau teuluol sydd ynddo ceir Vaughan, Breese, Owen, Bennett, Morgan, Lloyd – ie, a Wigley. Roedd teuluoedd yn y rhan hon o Bowys, fel ym mhobman arall ar y pryd, yn priodi i'w gilydd blithdraphlith o fewn eu milltir sgwâr. Ein galar ni, Dafydd a minnau, ydi'r ffaith inni etifeddu'r groes o gael dau blentyn a ddioddefai o gyflwr genetig a ddaethai i fod, mae'n debyg, o ganlyniad i'r mewnfridio yma.

Gyda llaw, rhyfedd oedd gweld yn y goeden deulu fod yna 'Elinor Bennett' wedi'i geni yn Llandinam ar y 4ydd o Fai 1651. O sôn am Landinam, yn fferm Llwydiarth yn y pentref hwnnw y ganwyd fy hen hen nain, Sarah Bennett; am ryw reswm fe'i claddwyd yng Nghaernarfon.

Bu enwau Seisnigedig ardal Llanidloes yn fater o gryn ddyfalu i lawer o bobl, a difyr iawn oedd cael eglurhad hanesyddol i'r ffenomen. Ar ôl Deddf Uno 1536, roedd Robert Dudley, iarll Leicester – 'Lord of the manors of Arwystli and Cyfeiliog', fel y'i gelwid – eisiau 'clirio'r tir' yn swydd Derby, a chytunodd y tirfeddiannwr lleol, George Talbot, iarll Amwythig, i dderbyn gwerin swydd Derby i'w diroedd yn ardal Arwystli. Mewn gweithred sy'n fy atgoffa o lanhau ethnig ein cyfnod ni, trowyd y bobl druan oedd yn byw yn ardal y Peak District o'u tyddynnod a'u cludo i ardal ddieithr Llanidloes. Dyma gyfnod *land clearances* tridegau'r unfed ganrif ar bymtheg, ac ar ôl 1550 gwelir enwau dieithr fel Ashton, Cleaton, Ingram a Jervis yn ymddangos yng nghofnodion llysoedd y Sesiwn Fawr. Cyn hynny, enwau megis David ap Ieuan, Llewelyn ap Howell a Cadwaladr ap David ap Gwilym oedd yn y cofnodion.

Yn y 'Pedigree', dyma sylwi wedyn ar enw teuluol arall mewn achos llys yn 1577: 'fine for Robert Jervis, indicted at the last'. Roedd yna hefyd ŵr o'r enw Nicholas Bennett yn dyst mewn achos o ddwyn defaid yn y llys yn Llanidloes yn 1573, ac yn 1577 cafodd merch o'r enw Gwen Bennett ei chyhuddo a'i chael yn euog o dorri i mewn i dŷ gŵr o'r enw Ieuan ap William a dwyn pâr o lewys oddi arno.

Nicholas Bennett arall – hen ewythr i mi a fu fyw o 1823 hyd 1899 – wnaeth y gymwynas fawr o gasglu cannoedd o'n halawon gwerin a'u cyhoeddi yn y Drenewydd mewn dwy gyfrol swmpus o dan y teitl *Alawon fy Ngwlad*. Yn anffodus, gofynnodd i'w gyfaill, y cerddor Emlyn Evans, drefnu'r alawon ar gyfer eu cyhoeddi, a gwnaeth hwnnw drefniannau mewn arddull lawer rhy emynyddol ar gyfer y piano yn hytrach na rhai syml i'r delyn. Cyflwynodd Nicholas Bennett y gwaith i'r tirfeddiannwr lleol, Syr Watkin Williams-Wynn, ac mae lluniau llawer iawn o hen delynorion Cymru yn y gyfrol, yn cynnwys y llun enwog o John Parry, telynor dall teulu Wynnstay. Roedd yn bleser arbennig cael trefnu Gŵyl Delynau Ryngwladol yng Nghaernarfon yn 2010 i ddathlu tair canrif geni'r hen 'Parri Ddall Rhiwabon'.

Roedd Nicholas Bennett yn gyfaill i'r *station master* yng Nghaersŵs, John Ceiriog Hughes, un arall o'm hen, hen ewyrthod.

A dyna i chi – mor gryno â phosib – fy 'mhedigri'!

Cân y Crud

Priododd fy nhad a'm mam ar y 6ed o Fawrth 1937. Y ddau enw a gofnodwyd ar y gofrestr y diwrnod hwnnw oedd Hannah Jane Davies, Faerdre Fawr, ac Emrys Bennett Owen, Aberbiga. Fferm fynyddig rhwng Llanidloes a Llanbryn-mair ar lan afon Clywedog ger Penffordd-las (hen enw Cymraeg hyfryd yr ardal wasgaredig yma cyn i bobl y goets fawr ei galw'n Staylittle) oedd Aberbiga, a dyna lle cartrefodd y ddau. Roedd Taid a Nain wedi symud oddi yno tua blwyddyn ynghynt i fferm ger Llanidloes.

Gyda llaw, digwyddodd tro trwstan ar y naw i'r pâr ifanc! Roeddynt wedi trefnu i briodi ddydd Mercher, y 3ydd o Fawrth, sef diwrnod pen-blwydd Taid, ond bu raid gohirio'r briodas am dridiau oherwydd storm ofnadwy o eira. Roedd yn amhosib hyd yn oed fynd allan trwy ddrws y cefn i gael dŵr o'r pwmp. Rywsut, llwyddodd Mam a dwy arall i gerdded trwy'r eira i Lawr-y-glyn a Threfeglwys i geisio ffonio, ond gwelwyd bod y ddau ffôn wedi torri. Aeth Dad ar gefn ei ferlen i Lanidloes i yrru teligramau i'r gwahoddedigion yn dweud y byddai'n rhaid gohirio'r briodas am dridiau. Fe'u priodwyd yn gyfreithlon ar y dydd Sadwrn yng nghapel bach Llawr-y-glyn. Roedd Dad eisiau cael diwrnod i'w gofio – ac fe'i cafodd!

Pan aethant i Lundain ar eu mis mêl, gwelsant hanes gohirio'r briodas yn y papurau newydd! 'Snow prevented a bride leaving home at Llanruglyn, Trefegliogs [*sic*] yesterday and the wedding was postponed.' Doedd newyddiadurwyr Llundain ddim yn trafferthu i sillafu enwau lleoedd Cymru yn gywir bryd hynny chwaith . . .

Arferai Mam ddweud iddi dreulio blynyddoedd hapusaf ei bywyd yn 'Stae', fel y gelwir Staylittle o hyd ar lafar gwlad. Mae fferm fechan Aberbiga bellach o dan gronfa ddŵr Clywedog yn cyflenwi dŵr i ddinas Birmingham a'i phobl. Er na fûm i'n byw yn Aberbiga roedd yn rhan annatod o'm magwraeth. Bu cyfnod adeiladu'r argae a boddi Clywedog yn y chwedegau yn un hunllefus i ni fel teulu, er mai teulu arall oedd yn byw yn Aberbiga ar y pryd. Gorchwyl taid a nain y tenor hyfryd o Lanbryn-mair, Aled Wyn Davies, oedd cau drws fferm Aberbiga am y tro olaf. Yn ystod sychdwr haf 1976, roedd lefelau dŵr y llyn yn isel iawn ac es am dro yno efo Mam i weld gweddillion yr hen fferm a oedd wedi dod i'r golwg yn y mwd ar waelod y llyn. Dwi'n cofio gweld Mam efo Hywel, fy mab tri mis oed, yn ei breichiau, yn eistedd yn agos i'r lle'r arferai carreg yr aelwyd fod cyn y dilyw mawr. Roedd Mam yn dal i allu nodi'r union le. Dyna beth oedd diffeithwch.

Erbyn 1941 daeth yn amlwg fod iechyd Nain yn dirywio'n fawr, ac roedd Taid yntau'n methu ffermio oherwydd ei fod yn dioddef mor ddrwg o'r cryd cymalau. Felly bu raid i'm rhieni symud o Aberbiga a mynd i fyw at Taid a Nain yn fferm Llwynderw, Hen Neuadd, yn nyffryn hyfryd afon Hafren, rhyw dair milltir o Lanidloes.

Mae'n rhaid ei bod yn sefyllfa anodd iawn i Mam gan ei bod mor hapus yn Aberbiga ond roedd ei hymdeimlad o gyfrifoldeb yn gryfach na'i dymuniadau personol ac, yn hollol anhunanol, cytunodd i'r trefniant. Fel y soniais eisoes, gwelsai gyni difrifol yn ystod y tridegau ond mae'n bosib i'r profiad o weithio'n galed efo'r anifeiliaid ac ati yn Llwynderw (yn ogystal â gweini ar ei dwy chwaer a'i brawd a fu farw o'r TB) fod o gymorth iddi yn ei bywyd newydd.

'Wnes i rioed gwestiynu'r peth,' meddai hi wrtha i yn ei henaint. 'Dyna oedd fy nyletswydd.'

Arhosodd fy rhieni dros chwe blynedd am eu plentyn cyntaf. Wedi cael hen ddigon o ymarfer, yn ôl Dad! Fi gafodd yr anrhydedd fawr o wneud Hannah Jane yn fam, a hynny yn ysbyty bychan Llanidloes ar yr 17eg o Ebrill 1943. Yno y gwelais i – a'm chwaer Menna bedwar mis ar ddeg yn ddiweddarach – olau dydd am y tro cyntaf. Pan farnai Mam fy mod yn ddigon aeddfed i sgwrsio am ddirgelion bywyd, mi ddes i'r casgliad na fu fy ngenedigaeth yn un hawdd oherwydd siâp fy mhen! Ni chafodd Mam godi o'i gwely am wythnos, fel oedd yn arferol bryd hynny, wrth gwrs.

Ganwyd fi, felly, pan oedd yr Ail Ryfel Byd yn ei anterth ond ychydig iawn o effaith gafodd y rhyfel ar fywyd tawel cefn gwlad canolbarth Cymru, yn enwedig yn yr ucheldiroedd. Roedd mydr bywyd yn dilyn patrwm hynafol, a theuluoedd yn helpu'i gilydd ac yn cymdeithasu yn y modd traddodiadol. Mae'n anodd i mi ddirnad sut gallai Dad feddwl mai 'rhyfel rhywun arall' oedd o, ond doedd erchyllterau Hitler ddim yn wybyddus yng nghyfnod y rhyfel ei hun.

Pan ges i fy ngeni roedd Nain a Taid Bennett Owen yn byw gyda ni yn Llwynderw, Hen Neuadd. Dyna oedd enw'r ardal bryd hynny ac mae'n ofid mawr i mi mai Old Hall ydi o erbyn hyn. Yr Hen Neuadd fydd o i mi am byth. Pam fod yn rhaid i siaradwyr yr iaith Saesneg ladd enwau hynafol ein hiaith hyfryd ni?

Yn ogystal ag edrych ar ôl ei mam-yng-nghyfraith, bu raid i Mam hefyd rannu'r gofal am *fam* ei mam-yng-nghyfraith! Ond nid am gyfnod hir iawn, oherwydd, fel y crybwyllais, bu fy hen nain farw ychydig cyn i mi gael fy ngeni. Yn ôl Mam roedd yna deimlad fod bywyd newydd yn dod i'r byd i gymryd lle'r un ddaeth i ben, a chasglaf i mi fod yn fodd i gynnal Nain yn ei thrallod o golli'i mam. Cyn i mi gyrraedd y byd, roedd hi wedi mynd yn rhy anabl i godi o'i gwely a'r *rheumatoid arthritis* yn ei llethu. Cyn hynny arferai fynd i Landrindod yn aml i yfed y dŵr. Er ei bod yn wraig lawen ac addfwyn, hawdd iawn dirnad ei bod hefyd yn dioddef yn dawel o iselder ysbryd yn sgil ei salwch a'r galar o golli ei mam. Roedd ei phoen yn esmwythach yn y gwely nag wrth geisio cerdded o gwmpas y tŷ. Mae'n debyg fod presenoldeb baban bach ar yr aelwyd wedi bod yn fodd iddi weld pwrpas mewn bywyd a gorchfygu'i hanabledd, ac yn raddol dechreuodd ymdrechu i godi o'r gwely. Er bod ei dwylo wedi mynd yn gwbl ddi-siâp a chnotiog gan boen, fyddai hyn ddim yn ei rhwystro rhag fy nghario o gwmpas y tŷ (gan roi ambell ffit i Mam!), newid fy nghlwt a gweu dillad i mi ac i'm chwaer yn ddiweddarach. Roedd Taid hefyd yn hynod o anabl a châi ei orfodi gan yr *osteoarthritis* i ddefnyddio dwy ffon.

Roedd gan Taid lais tenor hyfryd, ac fel lodes fach byddwn wrth fy modd yn ei glywed yn canu i Menna a minnau. Eisteddem ar ei lin yn y gegin fach yn gwrando arno'n canu 'Yr hen ŵr mwyn', 'Gee ceffyl bach' a chaneuon tebyg. Roedd cerddoriaeth – neu ganu, a bod yn fanwl gywir – yn hynod o bwysig i'r teulu i gyd. Un o'r atgofion cyntaf sydd gen i ydi gwrando ar Taid yn eistedd wrth y tân a chetyn yn ei geg yn solffeuo rhyw anthem neu'i gilydd, er mwyn gallu'i dysgu'n ddiweddarach i bobl ifanc y capel. Dro arall byddai'n darllen y Geiriadur Beiblaidd neu'r Esboniad i geisio deall rhyw agwedd ar yr ysgrythur. Byddai hefyd yn darllen hanes ei arwr mawr, David Lloyd George.

Er mai cyfyng oedd ein profiadau cynnar o gerddoriaeth – ac ynghlwm wrth y capel a'r Gymdeithas yn unig – roeddent yn rhai angerddol. Emynau, anthemau, ambell gân gan Handel, Bach, Schubert, Haydn a Mozart a chaneuon gwerin oedd hyd a lled ein profiad cerddorol. Canu â'r llais oedd y cyfrwng – er bod yna biano a harmoniwm yn y tŷ – a dwi'n siŵr nad oedd neb o'r teulu erioed wedi clywed cerddorfa fyw. Chlywais innau ddim seiniau cerddorfa na grŵp siambr nes oeddwn yn fy arddegau hwyr. Mam oedd y cerddor mwyaf naturiol o'm rhieni, a gallai chwarae unrhyw gân ar y piano o'i chlust neu o lyfr sol-ffa, ond Dad gafodd yr addysg gerddorol ac fe garai bopeth i'w wneud â chanu ac yn arbennig ganeuon gwerin Cymru.

Ie, cartref crefyddol, cerddorol, caredig a hapus iawn ges i a'm chwaer, gyda'r tair cenhedlaeth yn byw ynghyd dan yr unto.

'Capel Bach' y gelwid ein haddoldy ni yn yr Hen Neuadd. Taid oedd y codwr canu, Mam fyddai'n canu'r organ, roedd Dad yn athro ysgol Sul, a byddai Menna a minnau'n mynd i'r ysgol Sul ar gyfer y plantos bach. Does gen i ddim rhyw lawer o gof o'r cyrddau heblaw y byddai Menna'n dianc o afael Dad yn y côr (y sêt) yn ystod y bregeth bnawn Sul, ac yn rhedeg i lawr i helpu Mam efo'r organ! Mae'r hen gapel bach wedi cau erstalwm.

Byddai Nain yn smalio chwarae 'capel bach' efo fi a Menna ar nos Sul pan fyddai gweddill y teulu wedi mynd i'r capel go iawn. Byddai'n mynnu ein bod yn dysgu adnod ac yn canu emyn tra byddai hi'n gweddïo ac yn cymryd rhan y gweinidog. Mae'n rhaid mai rhyw dair neu bedair oed oeddwn i, ond byddwn yn sefyll ar ben cadair i ganu emynau fel 'Efengyl tangnefedd', 'Iesu, Iesu, rwyt ti'n ddigon', 'Iesu tirion' a 'Dod ar fy mhen'. Y dôn bwysicaf heb os oedd 'Tôn y Botel', gan mai hon fyddai Nain yn ei chanu i'm suo i gysgu bob nos. Dewis rhyfedd, ie (mae'r geiriau a'r dôn mor bruddglwyfus), ond byddai'n sicr o'm gyrru i gysgu. Fe genais innau'r un dôn i'm plant fy hun laweroedd o weithiau – ac i'm hwyrion!

Roedd gan Taid dyrbein trydan yng ngwaelod yr wtra a arweiniai i fyny at Lwynderw. Cynhyrchai drydan ar gyfer y fferm a'r tŷ o'r dŵr a lifai i lawr y nant o'r llyn bach oedd uwchlaw'r tŷ – llyn oedd yn hollol *out of bounds* i Menna a minnau. Dydw i ddim yn siŵr faint o drydan a gynhyrchid ond cofiaf yn dda am y lampau olew a ddefnyddiai Mam. Roedd rhai canhwyllau gennym hefyd, a haearn smwddio fyddai'n cael ei gynhesu yn y tân. Erbyn 1949, pan symudodd y teulu o Lwynderw, trydan oedd yn goleuo'r holl ystafelloedd er bod sychdwr yr haf a chaledi'r gaeaf yn creu problemau, mae'n siŵr. Ys gwn i sawl cartref allai fanteisio ar gynhyrchu trydan o ddŵr yr afon yn ein dyddiau ni?

'Mynw' oedd fy nghyfeilles fawr yn Llwynderw er ei bod bron ugain mlynedd yn hŷn na mi! Merch i gefnder Dad oedd hi a daeth atom fel morwyn i helpu Mam efo'r teulu a'r fferm. Morfudd Jervis oedd ei henw cyn priodi, ac roedd fel chwaer fawr i mi. 'Lala' fyddai hi a phawb arall yn fy ngalw gan na allwn ddweud fy enw. Menna oedd yr un a fynnodd fod pawb yn dechrau fy ngalw wrth fy enw iawn, ond 'Lal' fûm i i Morfudd hyd nes iddi farw yn 2003 – a minnau ar y pryd ar ymweliad â Phatagonia bell.

Mae gen i un atgof arall rhyfedd ar y naw: dwi'n sicr imi sefyll y tu allan i Lwynderw gyda'm rhieni a Nain a Taid a gweld yr awyr yn goch gan y bomio a fu ar Abertawe. Mae hyn yn hollol amhosib oherwydd digwyddodd y bomio yn 1941 – o leiaf ddwy flynedd cyn i mi gael fy ngeni. Peth rhyfeddol ydi dychymyg plentyn, yntê?

Mae'n siŵr gen i fod gan bob plentyn ryw guddfan fach ddirgel, a'r un yr hoffwn i fynd iddi i chwilio am dawelwch a llonyddwch oedd 'colîm colôm'. Does gen i ddim syniad o ble y daeth yr enw, oni bai fod sôn am ddinas Cologne ar y newyddion tua 1946. O dan lechen y *separator* llaeth roedd fy 'lle bach tlws' i – draw ym mhen pella'r bwtri ac wrth ymyl y fuddai gorddi. Dwi'n dal i allu ogleuo'r llaeth stêl oedd yn y gornel fach isel honno y treuliwn gymaint o amser ynddi gyda'm doli fach glwt! Achos llawer o ddagrau fu gweld rhan o wyneb y ddoli fach yn disgyn i ffwrdd yn llwyr, a thwll yn ymddangos lle bu'r ên a'r gwefusau bach del. Ceisio rhoi llaeth iddi o botel yr oen swci ('oen llywaeth' yn iaith y Gogledd) roeddwn i pan ddigwyddodd hyn. Wyddwn i ddim mai o bast meddal y gwnaed fy noli, ac nad oedd unrhyw hylif i fod yn agos ati.

Atgof cas ac annifyr iawn sydd gen i o ddiwrnod lladd mochyn yn Llwynderw. Fe redwn i colîm colôm a rhoi fy mysedd yn fy nghlustiau nes byddai'r sgrechfeydd annaearol yn peidio. Dwi'n dal i glywed y sŵn dychrynllyd yn fy mhen hyd heddiw; mae'n rhyfedd, yn wir, na throais i'n llysieuwraig.

Roedd diwrnodau dyrnu a chneifio, fodd bynnag, yn rhai cymdeithasol a hapus dros ben. Deuai'r injan ddyrnu i

Lwynderw am ddiwrnod cyfan a chawn fynd efo Menna i weld yr ŷd yn mynd i mewn i dop yr injan, a'r manus a'r grawn yn dod allan i'r sachau yn y gwaelod.

Diwrnod cneifio yng Nghwmbiga oedd un o uchafbwyntiau bywyd. Yn ogystal â Llwynderw, roedd Dad hefyd yn denant ar randir o faint sylweddol ar ochrau Pumlumon, ger tarddiad afon Hafren. O hen Abaty Cwm-hir, ger Rhaeadr, y daethai'r cerrig i adeiladu tŷ a fferm Cwmbiga, wedi i Harri VIII chwalu abatai a mynachlogydd y wlad yn 1536. Mae rhyw hud arbennig yn perthyn i'r hen fferm yng nghesail y mynydd. Dywedir i Lewys Glyn Cothi fod ar ffo yno yn 1462, ac mae'n sôn am yr hen le yn ei farddoniaeth:

> Llechu yng ngrug Cwmbuga,
> llwydwydd im yr allt oedd dda.

Arferai'n teulu ni fynd yno i aros dros amser cneifio; hwn oedd ein hafod, ac roedd yn nefoedd i mi. Roedd seiniau amrywiol dyddiau cneifio yn rhai arbennig iawn. Clywaf y funud yma frefiadau'r defaid hŷn yn ateb eu hŵyn yn atseinio trwy'r cwm, a hwyl y cneifwyr yn y sied ynghyd â chyfarth y cŵn yn gymysg ag ambell floedd a chwibaniad gan y dynion a chwerthiniad iach Mam a'i chyfeillion. Mwynhad pur oedd cael sefyll wrth feinciau'r cneifwyr – fel mainc fy Yncl Dafydd Huw a Taid – yn gwrando ar y straeon ac yn eu gwylio'n clymu traed y defaid cyn eu cneifio mor ddeheuig â'r gwellaif; wedyn gweld y cnu'n cael ei blygu'n dwt a thaclus a'i daflu i'r drol i fynd i'r felin wlân.

Doedd neb yn byw yn nhŷ Cwmbiga drwy gydol yr amser, felly ar ddiwrnod cneifio yno y byddai Mam a'r gwragedd eraill yn paratoi bwyd ac yn gweini ar y dynion. Roedd pawb yn helpu'i gilydd ond mae'n siŵr gen i fod yna hefyd dipyn o gystadleuaeth pwy fyddai wedi gwneud bara brith, tarten blât neu 'Welsh cakes' gorau'r ardal! Câi Menna a minnau ein siarsio byth a hefyd i beidio â bod o dan draed, ac fe ffeindiem fannau bach difyr i chwarae tŷ bach er mwyn osgoi'r oedolion a chael cic gan ddafad rwystredig!

Ieuan Rees o fferm gyfagos y Gwrdy oedd y bugail, ac roedd yn gyfaill mawr i'r teulu. Yn ddiweddarach creodd amgueddfa fechan yng Nghwmbiga i'n hatgoffa am ffordd o fyw sydd wedi hen ddiflannu. Tŵls cneifio a hen offer ffermio Dad a Taid sydd ar waliau'r ysgubor, ac mae'r tuniau a'r offer coginio wedi'u gosod yn dwt yn yr ystafell bobi wrth ochr y tŷ, yn edrych fel petaent yn disgwyl i Mam ddod yn ôl unrhyw funud i'w defnyddio.

Pan oeddwn i tua phedair oed cafodd Mam ddamwain mewn sefyllfa fyddai'n codi gwallt pen pobl iechyd a diogelwch ein cyfnod ni – ond fe'i goroesodd. Wrth hel wyau yn y daflod uwchben y beudy yn Llwynderw, camodd ar ystyllen wan a disgyn yn glep ar gefn tarw oedd yn byw oddi tani! Trwy drugaredd wnaeth y tarw ddim niwed iddi, a dim ond taflu ysgwydd Mam o'i hechel wnaeth y codwm.

Roedd dyddiau duon iawn i ddod yn ystod gaeaf gerwin 1947 a chafodd Dad golledion enfawr i'r stoc. Yn ffodus, cadwodd ddyddiadur gan ddechrau ar ddydd Calan 1947. Ynddo mae'n adrodd gyda chryn fanylder hanes yr eira mawr ac effaith andwyol y tywydd ar ffermydd ucheldir Pumlumon. Pedair oed oeddwn i ac ychydig iawn ydw i'n ei gofio am y tywydd anhygoel o arw a gafwyd ym mis Mawrth y flwyddyn honno – tywydd a fu'n ddigon i berswadio Dad i roi'r gorau i ffermio'n gyfan gwbl ac a fu'n fodd i newid ein bywydau fel teulu yn llwyr.

Ar ddechrau'r dyddiadur gwelir y gosodiad yma: 'He who destroys a country's peasantry commits high treason'. Yn amlwg, roedd Dad yn credu fod rhyw ddüwch mawr ar y gorwel a bod hynny wedi peri iddo gadw dyddiadur – peth anarferol iawn iddo. Diolch ei fod wedi gwneud hynny gan ei fod yn dadlennu natur bywyd ar ucheldir Cymru tan yr amser arbennig yma – patrwm bywyd sydd wedi hen ddod i ben ac a aeth bron yn angof. Wrth gyfeirio ar y dechrau at 1946, dywed: 'Darfu'r rhyfel ond ni ddaeth heddwch ac mae ansicrwydd ymhob man'. Ac yna, ar y 1af o Ionawr 1947: 'dim ond tri o blant a aeth heibio'r tŷ i ganu calennig!'

Ar y 6ed o Ionawr y daeth yr eira gyntaf ond dim ond haenen ysgafn oedd hi, a diflannodd yr un mor sydyn. Mae sawl cofnod yn y dyddiadur yn ystod Ionawr am bryder y byddai prinder bwyd, ac mae un cyfeiriad ddiwedd Ionawr at ymweliad Dad â Llundain i fynd i Gyfarfod Blynyddol Undeb Cenedlaethol y Ffermwyr (yr NFU):

> O'r fath ffwlbri! Trafod problemau Cymry yn Llundain a'r mwyafrif llethol o'r gynulleidfa'n Saeson heb awydd nac amser i'w trafod. A phwy a'u beia? Trafod y peth gyda'r cwmni [o Gymru], a chael peth cefnogaeth dros gael Undeb Amaethwyr Cymru. Cael gwrthwynebiad hefyd, ond heb lawer o sail. Chwalwyd y syniad a fodolai ers peth amser yn ôl na allem ei fforddio.

Lai nag ugain mlynedd yn ddiweddarach roedd Dad yn Ysgrifennydd Cyffredinol i undeb newydd – Undeb Amaethwyr Cymru.

Ond yn ôl at yr eira! Ers y 25ain o Ionawr, bu'n bwrw eira bron bob dydd ac roedd pryder gwirioneddol am y defaid ar ochrau Pumlumon gan fod llawer ohonynt yn hen ac yn wan. Daeth Mawrth i mewn fel llew, ac ysgrifennodd yntau:

> Mawrth 9: Clywed ar y radio am wair yn cael ei ollwng o'r awyr yng nghylch Llanwddyn. At y teliffon i geisio cael gwaredigaeth debyg i ddefaid Pumlumon. Cael addewid am bob help. Y plant wedi gwneud bob i ddyn eira o bobtu'r drws. Diolch am londer a llawenydd plentyn.
>
> Mawrth 11: Cael caniatâd swyddogol y Weinyddiaeth Amaeth i gael y gwair. Ond oherwydd niwl eto, ni ellir ehedeg o Nottingham.
>
> Mawrth 12: Y tywydd heb fod yn ddigon da eto heddiw i'r awyrennau, a'r defaid yn gwanhau. Rhai'n marw bob dydd. Pryder rŵan nid am faint ohonynt fydd yn marw ond a gedwir rhai ohonynt yn fyw? Rhagor o eira eto . . .

Aiff y dyddiadur yn ei flaen i ddisgrifio'r drasiedi o weld defaid meirw, a methu derbyn y gwair o'r awyr oherwydd niwl a'r analIu i weld marciau tywyll y llwch 'basic slag' ar yr eira:

> Ar ôl te, mynd am dro i gael golwg ar y defaid. O fewn ugain llath i ddrws y tŷ, tu allan i wal y ffald, roedd rhyw ugain o ddefaid yn swp marw ar gefnau ei gilydd ac eraill yma a thraw yr un modd. Roedd y defaid byw'n gorwedd yng nghysgod y meirwon. Golygfa fythgofiadwy o erchyll. Ni ellir ei disgrifio na gwneud dim yn ei chylch, ac ar gefn y gwbl cododd tymestl o wynt a glaw na welais erioed ei thebyg. Y cŵn yn gorwedd dan gynddaredd y storm, minnau'n gorfod gorwedd ar war y ferlen gan gryfed y gwynt. Dim gobaith agor llygad a gorfod rhoi ffon ar y ferlen i'w symud ymlaen. Troeai yn ei hôl weithiau o'm gwaethaf. Y gwynt yn codi cawodydd o eira

gwlyb oddi ar lawr a darnau mawr o hwnnw'n fy nharo'n fy ngwyneb fel petai'n gerrig . . . Ni fu arnaf ofn mewn storm erioed o'r blaen. Roedd natur fel pe bai wedi cynddeiriogi ac yn cyffroi dyn i'w waelodion.

Mawrth 17: At ein gilydd i Gwmbiga eto, a'r groes Basig Slag wedi dal y storm heb lwydo dim ond ychydig. Rhagor o Basig Slag i'w duo a chynnau tân a mwg. Daeth awyren drosodd a ninnau'n llawenhau o'i gweld yn dod yn y pellter a rhoi *creosote* ar y tân i gael digon o fwg fel y gallai weld ei nod. Ond ni chymerodd yr hoeden sylw o gwbl ohonom. Aeth yn syth yn ei blaen dros Bumlumon tua'r môr. Ond yn fuan wedyn daeth dwy arall yn ehedeg yn isel ac yn gylchoedd o'n cwmpas, i fyny ac i lawr dros y mynyddau fel pe'n chwilio amdanom ac yn methu â'n ffeindio. Aethant hwythau hefyd. Yna daeth dwy arall gan chwilio eto a dyma ddyrnaid bach o wair i lawr. Gwyddem yn awr! Daeth y golomen yn ôl i'r arch! Wedi peth ymdroi, dyma'r gwair yn disgyn yn fwndeli o fewn ychydig lathenni i'r groes ddu. Roedd rhai o'r defaid yn rhy wan i fwyta: megis wedi boddi yn ymyl y lan. Y byw a'r meirw'n gymysg â'i gilydd ac anodd gwybod ble'r oedd bywyd a phle'r oedd marwolaeth. Llawer ohonynt wedi llwgu a chael diwedd araf a chreulon.

Trafod pethau â'n gilydd – ond i be, a'n bywoliaeth wedi mynd? Cytuno nad oedd yn rhyfedd o gwbl bod ein tadau a'n cyfoedion yn gadael y mynyddau. Ni ellir eu beio am chwilio am fywoliaeth sicrach na hon. Minnau'n cloffi rhwng meddyliau am fynd neu aros. Ond rhaid gweld yn iawn pa faint yw'r colledion cyn dod i benderfyniad sicr . . .

Mawrth 31: Yr hin yn dynerach a'r ddaear yn dechrau glasu. Diolch am arwyddion gwanwyn o'r diwedd. Daeth Mawrth i mewn fel llew a bu mor greulon ag y gallai fod ar ei hyd.

Â'r dyddiadur yn ei flaen hyd at ddiwedd Ebrill 1947. Ar derfyn y llyfr, ceir rhestr o brisiau offer fferm a gwerth anifeiliaid, ynghyd â rhestr o sawl galwyn a gynhyrchai'r gwartheg – 'Doli 850 galls/Ceinwen 2nd 500 galls' ac yn y blaen. Rhestr ydi hon o'r prisiau a gafodd Dad am bopeth a oedd ar y fferm pan werthodd y cyfan yn 1949, gan roi'r gorau i denantiaeth Llwynderw a Chwmbiga a mudo gyda'i deulu i fyw a gweithio yn Llanuwchllyn yn sir Feirionnydd.

Dywedodd Mam lawer tro fod Dad wedi gadael ffermio yn rhy fuan, cyn bod mwy o ffyniant wedi dod i fyd amaethyddiaeth – er, mae'n siŵr mai ffermwyr fyddai'r bobl olaf i gyfaddef hynny! Ond rhwng popeth roedd Dad wedi cael digon. Ffarmwr anfoddog fuodd o o'r cychwyn, ac yn eithaf digalon iddo orfod gadael yr ysgol yn Nhywyn yn bedair ar ddeg oed i helpu Taid ar y fferm – a hefyd, efallai, oherwydd y gost o'i gadw yn yr ysgol yn nyddiau caled y dauddegau. (Defnyddiodd Dad hyn lawer gwaith wrth fy annog i a Menna i weithio'n galed yn yr ysgol ac i fynd ymlaen i goleg.) Roedd ei fryd ar chwilio am well byd trwy ddefnyddio ei ymennydd yn hytrach na llafurio'n galed ar y fferm. Ei hoff ddyfyniad o lenyddiaeth Saesneg oedd yr un gan Oliver Goldsmith yn ei gerdd 'The Traveller':

> For just experience tells, in every soil,
> That those who think must govern those that toil.

Ymunodd Dad â Phlaid Cymru yn 1935 – fo a'r nofelydd Dyddgu Owen oedd yr aelodau cyntaf ym Maldwyn. Soniai lawer am yr effaith gafodd gweithred Saunders Lewis, Lewis Valentine a D. J. Williams ym Mhenyberth arno, ac roedd yn bresennol ym mhafiliwn mawr Caernarfon pan ddaeth y tri allan o'r carchar yn 1937. Roedd y darlithoedd nos a roddai

Alwyn D. Rees yn yr Hen Neuadd fel rhan o gynllun Adran Allanol Coleg Prifysgol Cymru, Aberystwyth, hefyd wedi dylanwadu'n drwm arno. Roedd Dad yn dal i ddyheu am addysg prifysgol pan oedd yn llawer hŷn, ac wrth glirio'i bapurau wedi iddo farw daeth Dafydd ar draws ffurflenni ar gyfer cofrestru yng ngholeg Aberystwyth yn y saithdegau. Trueni nad allodd wireddu'i obeithion.

Ar ôl gweithio am sbel i'r Welsh Agricultural Organisation Society yn Aberystwyth, cynigiwyd swydd iddo gan gwmni cydweithredol Hufenfa Meirion, Rhyd-y-main, i redeg siop nwyddau amaethyddol yn Bro Aran, Llanuwchllyn. Roedd hyn yn ateb i'w freuddwydion gan fod Dad a Mam yn benderfynol fod eu dwy ferch fach yn cael eu dwyn i fyny mewn cymdeithas a fyddai'n sicrhau y byddem yn Gymry Cymraeg glân, heb y fratiaith a glywem fwyfwy yn ardal Llanidloes. Er hynny, mae'n siŵr fod Dad yn teimlo euogrwydd am beidio bod o help i gadw Cymreictod bro ei gyndadau.

Does gen i ddim amheuaeth nad oedd yn brofiad chwithig iawn i Mam adael y fferm. Gyda'r symud i Feirion, byddai Mam yn gadael ei theulu a'i chyfeillion a'i chefndir ym Maldwyn. Yn bwysicach, byddai'n colli rhan fawr o'i hunaniaeth gan mai fel 'gwraig ffarm' y meddyliai amdani'i hun. Ac er nad oedd bellach angen iddi weithio'n ddiarbed ar y fferm, welais i erioed mo Mam yn dal ei dwylo na'i chlywed yn cwyno ar ei byd.

Cyn gadael cyfnod Maldwyn, dylwn nodi mai yn ysgol gynradd fechan yr Hen Neuadd y ces i fy mhrofiad cyntaf o fyd addysg. Doeddwn i ddim yn hapus yno. Saesneg oedd iaith yr ysgol er mai Cymraes bur oedd y brifathrawes ac yn ffrind i'n teulu ni. Ychydig o Gymraeg (a hwnnw'n garbwl) a siaradai'r athrawes oedd yng ngofal y plant ieuengaf ac, o ganlyniad, Saesneg oedd iaith y dosbarth. I ferch fach bedair oed, uniaith Gymraeg, roedd hyn yn broblem fawr, a chofiaf un achlysur mor glir â phetai wedi digwydd ddoe.

Roeddwn yn eistedd mewn desg hir, henffasiwn, a'm cefn at y wal. Yn anffodus, teflais i fyny ar y llawr wrth y ddesg ond doedd dim modd imi allu dweud wrth yr athrawes yn yr iaith Saesneg fy mod yn sâl, felly crio'n dawel bach yn y cefn wnes i. Ces fy ngalw at yr athrawes o flaen y plant eraill a gofynnodd i mi beth oedd yn bod. Gan na allwn ateb yn Saesneg daliais i grio. Wna i byth anghofio'r slap ges i ar fy nghoes gan bren mesur yr hen jaden am fethu egluro iddi beth oedd y rheswm dros y dagrau. Gobeithiaf na chaiff unrhyw blentyn bach brofiad tebyg y dyddiau hyn. Mae'r ysgol fach wedi cau ers blynyddoedd ond da gwybod ei bod bellach yn ganolfan i'r gymdeithas hyfryd sy'n dal i'w defnyddio yng nghwm Hafren.

Mae'n siŵr imi ddysgu siarad Saesneg yn fuan wedyn ond, ymhen ychydig fisoedd, roeddwn i a Menna'n ddisgyblion yn Ysgol Gynradd Llanuwchllyn. Doedd dim anhawster iaith yno!

Clych Mebyd

Mae gen i gof reit dda o'r mudo o Lwynderw i'r Gwyndy, Llanuwchllyn. Un hanner tŷ o'r enw Neuadd Wen, sef y tŷ gwyn nobl a adeiladodd Syr O. M. Edwards tua dechrau'r ganrif ddiwethaf yn ei bentref genedigol, oedd y Gwyndy. Tŷ braf iawn oedd o hefyd, â llawer o gorneli a lleoedd difyr i blant chwarae ynddynt, a gardd, perllan a sied lle hoffai Mam gadw ieir. Yno hefyd y byddai Taid yn treulio'i amser, yn y sied efo'i dŵls. Gwnâi lawer o fân ddodrefn a byddai'n garddio'n ddiwyd iawn yn y gwanwyn a'r haf, er ei fod yn cerdded yn fusgrell efo'r ddwy ffon.

Peth diflas ydi cofio y byddai'r ieir yn cael eu cadw mewn cewyll, ond daeth y *deep litter* yn fuan ac roedd hyn yn welliant sylweddol. Yn raddol, daethpwyd i'r penderfyniad y dylai'r ieir i gyd fyw allan yn y berllan ond gan gysgu yn y cwt. Pan fyddai angen iâr i ginio, byddai Mam yn cymryd bwyell ac yn torri'i phen i ffwrdd yn ddiseremoni ar y blocyn. Gwn yn dda sut y bydd *headless chicken* yn rhedeg mewn cylchoedd! Un noson daeth y llwynog a llarpio llawer o'r ieir a bwyta'r wyau i gyd. Does gen i ddim amynedd o gwbl efo pobl sy'n rhoi hawliau anifeiliaid o flaen hawliau pobl, a'r *townies* yna sy'n gwrthwynebu lladd llwynogod. Dwi'n casáu'r pleser creulon a gaiff boneddigion o hela anifeiliaid ond, yn sicr, rhaid ceisio cadw niferoedd llwynogod o dan reolaeth.

Dwi'n cofio'r diwrnod cyntaf yn Ysgol y Pandy (Ysgol Gynradd

Llanuwchllyn) fel tase fo ddoe. Roeddwn bron yn chwech oed, ac un o'r atgofion melysaf sydd gen i ydi sefyll yn y portsh lle cadwai'r merched eu cotiau, a sylweddoli fy mod yn deall yr hyn roedd pawb yn ei ddweud a phawb yn fy neall i. Roedd yn falm ac yn iechydwriaeth i mi ar ôl y stryffîg o drio siarad Saesneg yn 'Old Hall'. Cofiaf deimlo rhyddhad a hapusrwydd mawr fy mod i o'r diwedd yng nghanol rhai 'run fath â fi fy hun – er, mae'n debyg fod gen i fwy o Saesneg na neb arall yn y dosbarth, diolch i Seisnigrwydd yr Hen Neuadd.

Miss Elizabeth James oedd fy athrawes gyntaf, a Chymraeg oedd iaith y dosbarth ynghyd ag ychydig bach o 'Inglish, whare teg' yr oeddem ni'n ei gael bob hyn a hyn! Efo Miss James y dysgais i ddarllen, dysgu tablau a 'sgwennu'n sownd'. Llechen fyddai'n cael ei defnyddio ar y dechrau ac ar fainc bren henffasiwn y byddem yn eistedd – y math sydd â'i chefn yn troi drosodd i greu desg.

Un diwrnod, fe syrthiodd Miss James i lawr o ben ysgol uchel yn y dosbarth, a chofiaf yn iawn ein bod ar ganol gwers wnïo yr union eiliad honno. Fe dorrodd y greadures fach ei choes ond fu hi ddim yn hir cyn dod yn ei hôl atom. Yn wahanol iawn i'r athrawes yn yr Hen Neuadd, roedd Miss James yn hynod o glên ac yn siarad Cymraeg trwy'r amser – a ddaru hi erioed ddefnyddio pren mesur ar goes neb, chwaith. Roedd hi'n werth ei phwysau mewn aur ac yn gosod seiliau gwych i addysg a bywyd. Cadwodd Mam fy holl adroddiadau diwedd tymor a rhyfedd gweld mai yn Saesneg yr ysgrifennai Miss James ei hadroddiadau i gyd yn 1950. Y diweddar Richard Evans, tad Mair Tomos Ifans, oedd y cyntaf i wneud hynny yn Gymraeg yn Llanuwchllyn. Gyda llaw, credai plant fy nosbarth i y byddai Mr Evans mewn hwyliau drwg os byddai'n gwisgo siwt arbennig o frethyn golau – byddai raid gwylio'i dymer bryd hynny!

Yr Ymerodraeth Brydeinig a hanes Lloegr a'i brenhinoedd bondigrybwyll oedd yn bwysig i brifathrawes Llanuwchllyn, Miss Gwladys Bowen. Wrth edrych yn ôl, teimlaf fod dosbarth y plant hynaf wedi'i lethu gan wersi am frenhinoedd Lloegr, ac roedd Miss Bowen wrth ei bodd adeg y coroneshyn!

Trwy ryw wyrth, yn ystod fy nhymor olaf yn Llanuwchllyn, daeth prifathro newydd atom a bu ei ddylanwad yn gwbl syfrdanol. Mewn un wers roedd Ifor Owen wedi llwyddo i wyrdroi holl agwedd Seisnig Miss Bowen, gan greu cariad anghyffredin yn y plant tuag at eu bro, eu hiaith a'u gwlad. Nid taflu gwybodaeth atom o lyfrau sych, henffasiwn a wnâi Ifor Owen ond ein harwain i ddeall mwy am ein hamgylchfyd a'n hannog i ddarllen, sylwi ar natur a holi am ein hanes. Mae gen i dyled ddofn iawn iddo am danio diddordeb yn fy mro, ac am agor fy meddwl i weithiau arlunwyr mawr y byd.

Roedd Ifor Owen yn olygydd y cylchgrawn plant *Hwyl*, ac am sawl rheswm yn ddyn mawr iawn yn fy ngolwg i. Daeth i fyw yn Nhŷ'r Ysgol gyda'i wraig a'i dri phlentyn – Gareth, Dyfir a Meilir. Er fy mod wedi fy nwyn i fyny ar aelwyd genedlaetholgar, roedd cael athro ysgol oedd yn ein hannog i garu'n hiaith a chlodfori'n gwŷr enwog yn amheuthun ac yn gadarnhaol. Dyna pryd y clywais am Betsi Cadwaladr, Tom Ellis, Bob Owen Croesor, a llu o gewri eraill Penllyn a Chymru, ac am lefydd diddorol fel hen fryn Carn Dochan a Thomen y Mur. Gresynaf mai dim ond am un tymor y ces wersi ganddo. Bu ei ddylanwad yn aruthrol ar genedlaethau o blant Llanuwchllyn.

Fe drowyd Ysgol y Pandy yn neuadd bentref yn syth ar ôl

agor ysgol newydd Syr O. M. Edwards ym mhen arall y pentref, ond digwyddodd hyn ar ôl i mi adael.

Olwen Jones, Cefn Gwyn, oedd fy ffrind gorau yn Ysgol y Pandy. Geneth fach dlos a swil dros ben oedd Olwen a daethom yn ffrindiau mawr yn fuan. Mynd i fferm Cefn Gwyn i chwarae oedd un o bleserau mawr fy mywyd, a byddai Olwen a minnau bob amser efo'n gilydd ym mhob gweithgaredd. Am reswm personol iawn, roedd Olwen wedi penderfynu na fyddai hi byth yn siarad efo unrhyw un o'r athrawon, ac fe gadwodd at hyn trwy gydol ei chyfnod yn yr ysgol gynradd! Felly mi ddes yn rhyw fath o ladmerydd ar ei rhan er nad oedd dim yn bod ar ei gallu i siarad. Pan fyddai cwestiwn yn cael ei gyfeirio tuag ati gan un o'r athrawon, byddai Olwen yn dweud yr ateb wrtha i a byddwn innau'n ateb drosti. Rhyw dyfu wnaeth y ddealltwriaeth yma ar ôl i mi ddeall y gallwn helpu fy ffrind. Ond wedi inni adael yr ysgol gynradd, gwnaeth Olwen iawn am yr holl dawelwch a doedd dim pall arni!

Un o aelodau eraill y dosbarth oedd Robin Rhydsarn – yr Athro Robin Williams bellach, cyn Is-ganghellor Prifysgol Abertawe ac un o feibion disgleiriaf Penllyn. Penri Jones, y Werddon, oedd un arall – fferm wrth ymyl Llyn Tegid oedd hon, nid y wlad! Tristwch mawr oedd clywed ychydig flynyddoedd yn ôl am farwolaeth un arall o'm cyfoedion, sef Gwynedd Wernddu – brawd y gyfeilyddes Eirian Owen a thad y pêl-droediwr enwog Iwan Roberts. Un o'm ffrindiau gorau oedd Gwynfryn Roberts, y Deildre. Wn i ddim o ble y cafodd y llysenw 'Til' ond tristwch mawr oedd ei golli yntau ddiwedd 2010. Fy nghariad bach cyntaf oedd Gwynfor Gwernhefin a hynny am ei fod yn fachgen bach golygus iawn, iawn. Dim ond rhyw chwech oed oeddwn i, cofiwch! Bu Gwawr Edwards, Tyddyn 'Ronnen, hefyd yn yr un dosbarth â fi am sbel, er iddi fynd i Ysgol y Bala flwyddyn o'm blaen – hi ydi gwraig John Meirion Morris, y cerflunydd. Mab Siop Cambrîan oedd John – 'Cambi' i bawb o'i ffrindiau. Roedd John hyd yn oed bryd hynny'n feddyliwr mawr, a bu'r sgyrsiau a'r gwmnïaeth rhyngom yn ddylanwadol dros ben gan wneud i mi feddwl 'tu allan i'r bocs'. Roedd hefyd yn faswr o fri ac yn aelod o barti wythawd yr Aelwyd. Yn hwnnw, fi a Beti (chwaer John) oedd yr altos; Menna a Jane, Nant y Barcud (Siân, gwraig Trefor y milfeddyg o Chwilog, erbyn hyn) oedd y sopranos; John, Nant y Barcud, a John Bach Stesion Road oedd y tenoriaid; a Tecwyn, Eithinfynydd (brawd Edward Morus Jones) oedd y baswr arall.

Perchennog y Gwyndy a'r Neuadd Wen oedd merch Syr O. M. Edwards, y Fonesig Haf Hughes-Parry. Athro Cyfraith Lloegr yn y London School of Economics oedd ei gŵr, Syr David Hughes-Parry, gŵr dylanwadol iawn ym myd cyfraith Lloegr. Yn ystod y pumdegau byddai'n teithio i Affrica i ysgrifennu cyfansoddiad i 'wledydd newydd' megis Tanzania a Namibia wrth iddynt adael yr Ymerodraeth Brydeinig, a diddorol oedd clywed am ei waith yn y cyfnod yma. Ymddeolodd o Lundain yn 1959 a threulio mwy o amser yn y Neuadd Wen, a fo oedd yn gyfrifol am yr Adroddiad ar yr Iaith Gymraeg pan argymhellwyd cael dilysrwydd cyfartal i'r iaith yn 1964. Roedd 'Ledi Haf' yn chwaer i un arall o arwyr mawr fy mhlentyndod, Syr Ifan ab Owen Edwards. Cofiaf hi fel gwraig wael iawn ei hiechyd a defnyddiai gadair olwyn; roedd effaith afiechyd difrifol Parkinson's ar ei lleferydd ac yn ei lladd yn araf.

Roedd gardd y Neuadd Wen, hefyd, yn un wych i chwarae ynddi pan oedd y 'Syr' a'r 'Ledi' i ffwrdd, ond fyddai wiw inni fynd ar gyfyl y lle pan fydden nhw adref! 'Anti Jones', ffrind i'r Fonesig Hughes Parry, a edrychai ar ôl y Neuadd Wen weddill yr amser; roedd yn hwyl mynd efo hi am dro i fyny i dop Garth Bach, i Gwm Cynllwyd a Phenantlliw, neu at Lyn Tegid.

Teimlwn fel petai hanes yn treiddio trwy furiau'r Neuadd Wen. Yn yr ystafell oedd yn barlwr i ni y cynhaliwyd yr Aelwyd gyntaf erioed gan Urdd Gobaith Cymru. Uwchben iard y bac roedd ffenestr ystafell molchi Neuadd Wen, ac allan o'r ffenestr honno y taflodd mam Lady Haf ei hun yn weddol fuan ar ôl i'r tŷ gael ei adeiladu. Sibrwd yn dawel am hyn fyddai'r bobl leol ond daeth yr wybodaeth yn wybyddus i bawb pan gyhoeddwyd cyfrol am hanes O. M. Edwards. Ein llofft orau ni oedd ystafell wely OM gynt, a'i lyfrgell oedd ystafell fyw Anti Jones.

Mewn ystafell yn yr atic y byddwn yn cysgu ac roedd stordy bychan yn arwain ohoni lle byddwn yn ddiweddarach yn astudio ar gyfer arholiadau Lefel O ac A. Byddai Taid yn cadw gwenyn ac yn rhoi'r mêl i ddiferu yn fan'no hefyd, ond cafodd Dad ei bigo'n ddrwg gan un o'r gwenyn a chael adwaith a barodd iddo fod yn sâl iawn, ac fe werthwyd y gwenyn yn syth – ond roedd y mêl yn wych tra parodd!

Yr unig dro i Mam fy ngyrru i'r gwely heb swper oedd pan benderfynais beintio ffenestri'r tŷ golchi. Petawn i wedi peintio'r pren yn unig, dwi'n siŵr na fasai hi wedi bod cweit mor gynddeiriog wrthyf – ond roedd llanast y paent gwyrdd dros y lle i gyd! Falle fy mod wedi rhag-weld ymgyrch Cymdeithas yr Iaith, a Dafydd Iwan am 'beintio'r byd yn wyrdd'! Mynd i'r gwely heb swper oedd y penyd ond daeth

Mam â bowlennaid o fara llaeth imi'n ddiweddarach. Fwyteais i ddim ohono.

Lle llawn bwrlwm oedd Llanuwchllyn yn ystod y pumdegau. Roedd pob noson yn orlawn o weithgareddau diwylliannol, ac i blant a hoffai ganu roedd yn lle anhygoel i dyfu i fyny ynddo.

I Gapel Glanaber yr aem i gyd, ar wahân i Nain oedd yn rhy fethedig i eistedd trwy'r oedfa. Gwnaed Taid yn godwr canu'n syth, a byddai Dad a Mam hwythau'n canu'r organ yn eu tro. Ond chafodd Dad ddim bod yn flaenor – wedi'r cyfan, 'pobl ddŵad' oedden ni tra buom ni yno! Ar nos Lun cynhelid y 'band-o-hôp' ac yno y dysgais ddarllen a chanu sol-ffa, a fu'n gymaint o help i mi yn ddiweddarach. Taid fyddai'n cymryd y dosbarth solffeuo, Mam oedd yn dysgu'r partïon canu ac, am wn i, y gweinidog, T. J. Griffith, fyddai'n rhoi ychydig o grefydd inni ac yn chwarae gêmau efo ni. Ond Mrs Williams, Glan Tegid, fyddai'n dysgu'r *Rhodd Mam* ac yn paratoi plant yr ysgol Sul tuag at yr Arholiad Sirol. Gwraig addfwyn, annwyl iawn oedd hi, yn llawn didwylledd a chariad – yn debyg iawn i fy nain.

O edrych yn ôl, roedd y fagwraeth yma â'i phwyslais ar roi seiliau cadarn i fywyd yn werthfawr iawn. Gydag ychydig iawn o eithriadau, ofnaf mai fy nghenhedlaeth i oedd yr olaf i gael y cadernid digwestiwn yma wedi'i gyflwyno inni yn y capel. Fe geisiais drosglwyddo hyn i'm plant ond ofnaf fod yr oes honno wedi hen ddiflannu.

Doedd dim rhaid inni fynd i'r capel dair gwaith, ond roedd ysgol Sul yn y bore a 'chapel y pnawn' yn norm. Doeddwn i ddim yn hoff o bregethau ond edrychwn ymlaen at ymweliadau cyson y diweddar Robin (Rogw) Williams,

Dinmael, gan y byddai'n llafarganu o'r pulpud pan âi i hwyl, gan dorri ar y diflastod i blentyn. Mae'n destun gofid i mi fod Capel Glanaber wedi cael ei dynnu i lawr erbyn hyn ond mae'r atgofion yn fyw iawn yn y cof, ac yno y priodwyd Dafydd a finnau yn 1967.

Roedd modryb i Olwen Cefn Gwyn yn berchen ar delyn, a byddwn wrth fy modd yn cael mynd i fyngalo Greta Williams, Telynores Uwchllyn, yng nghanol y pentref i ganu penillion. Tom Jones, Bro Aran, yr ocsiwnïar a werthodd stad Wynnstay, fyddai'n dysgu'r partïon cerdd dant, ac efo fo y dysgais gyfrif curiadau alaw am y tro cyntaf. Cofiaf hyd heddiw mai saith curiad fyddai raid eu cyfrif cyn taro i mewn yn y gosodiad o 'Gwelais long ar y glas li . . .' allan o awdl 'Min y Môr' gan Meuryn. Mae'r gosodiad hwn ar y gainc 'Caru Doli' yn dal i fod yn ffefryn gen i, a'r casgliad cyntaf o geinciau Haydn Morris – *Hen Ganu'r Cymry*, a gyhoeddwyd yn 1939 – wedi'i fodio a'i ddefnyddio am flynyddoedd.

Yn syth ar ôl cyrraedd Llanuwchllyn, dechreuais gael gwersi piano gan Gwen Rowlands, Pandy Mawr. Byddai'n rhoi gwersi i Menna a minnau ar ôl gorffen paratoi'r cinio yn Ysgol y Pandy. Arholiadau'r Trinity College of Music y byddem yn eu gwneud (yn Wrecsam), ac un o bethau od fy mywyd ydi fy mod wedi pasio pob un o'r arholiadau piano yn dda, diolch i Gwen, ond wedi llwyddo i osgoi gwneud unrhyw arholiad ar y delyn!

Dwi ddim yn cofio y byddai yna lawer o sôn am y dechneg o chwarae piano – rhyw ddysgu nodau ac ymarfer cymaint ag y gallem oedd yr anogaeth a gaem. Un peth a gofiaf yn dda ydi fod Gwen yn hoff iawn o wau yn ystod y gwersi ac weithiau'n colli pwythau os byddwn yn gwneud llawer o fistêcs! Roedd piano Pandy Mawr yn llawer haws i'w chwarae na'n piano ni yn y Gwyndy. Roedd hwnnw hanner tôn yn fflat – hen niwsens ond yn beth braf iawn i mi gan nad oeddwn yn hoffi canu rhyw lawer uwch na C canol. Alto oeddwn i, ac yn methu deall pam na allwn gyrraedd nodau uchel mewn eisteddfod! Ces feic Raleigh coch am basio'r arholiad cyntaf, ond digwyddodd damwain anffodus i'r beic pan es i eistedd yng nghar Taid a chwarae efo'r goriad tra disgwyliwn iddo fynd â mi i'r Bala. Wyddwn i ddim byd am gêrs yn chwech oed ac, wrth imi droi'r goriad, rhoddodd y car glamp o naid gan falu fy meic bach newydd oedd yn union o'i flaen! O, bobol bach, roedd 'na grio! Bron cymaint o ddagrau â'r tro yr aeth Dad a Mam i ffwrdd am wyliau un noson a Nain a Taid eisiau plesio a rhoi 'trît' inni, ond doedd lladd fy ngheiliog bach dandi i a'i goginio fo i swper ddim yn drît. Anhygoel! Roeddwn yn methu stopio crio . . .

Rhyw fis neu ddau ar ôl i'n teulu ni gyrraedd Llanuwchllyn, ffurfiwyd côr newydd – Côr Godre'r Aran – ac roedd Dad yn un o'r aelodau cyntaf. Yr enwog Tom Jones oedd yr hyfforddwr, a dim ond cerdd dant fydden nhw'n ei ganu'n wreiddiol. Un o'm hoff recordiau ydi'r un gyntaf o'r côr yn canu 'Caru Cymru' gan Crwys ('Rwy'n caru pob erw o'r hen Gymru Wen . . .') ar yr alaw 'Blaenhafren'. Erbyn hyn, mae'r côr wedi datblygu'n gerddorol i fod yn un o'n prif gorau meibion ond mae'n ofid i mi nad ydynt bellach yn canu fawr ddim cerdd dant, sydd yn ffurf gerddorol unigryw a chwbl nodweddiadol o ddiwylliant Cymru. Y rheswm dros ddewis canu cerddoriaeth ryngwladol (fel yn hanes y rhan fwyaf o gorau meibion Cymru) ydi er mwyn apelio at fwy o bobl –

ac maent yn sicr yn gwneud hynny'n ardderchog – ond collwyd y cysylltiad cerddorol â chymeriad gwreiddiol y côr, ac yn sgil y diddordeb cynyddol mewn 'cerddoriaeth byd' gellir holi a fu hyn yn gamgymeriad.

Yng ngwesty moethus y Dorchester ar Park Lane, Llundain, yr oedd cyngerdd cyntaf Côr Godre'r Aran, yn fuan ar ôl i'r côr ddod at ei gilydd i gystadlu yn Eisteddfod Genedlaethol Dolgellau 1949. Deuddeg o ddynion ifanc – y rhan fwyaf yn ffermwyr – oedd y cantorion, a'r delynores Heulwen Roberts (Edwards ar y pryd) yn cyfeilio iddynt. Ar y trên yr aeth y criw i Lundain, a thra oedd yno fe brynodd Dad, efo help Heulwen, delyn i mi a Menna gan Gwendolen Mason, athrawes yn yr Academi Gerdd Frenhinol. Ychydig iawn o delynau oedd yna yng Nghymru ar ddiwedd y pedwardegau ond roedd Dad yn awyddus i'w ddwy ferch fach gael y cyfle i ddysgu canu ein hofferyn cenedlaethol. Pwy *na* fasai'n prynu telyn, yntê, pe gallech gael un am ddim ond deg punt ar hugain! Mi rown i unrhyw beth am fod wedi gweld Dad a'i gyfeillion yn cario'r delyn ar drenau tanddaearol Llundain ac ar y trên o Paddington i Lanuwchllyn! Cafodd Menna a fi syrpréis werth chweil pan welsom y delyn yn y Gwyndy, beth bynnag.

Telyn Grecian a wnaed gan Sebastian Erard tua 1830 oedd hi, ac am tua phum mlynedd bu'n sefyll yn fud ac amddifad yn y parlwr dan ei chwrlid hardd o daffeta pinc. Lawer gwaith bûm yn sbecian tu mewn i'r cwrlid i weld y tannau, a chlywn rai'n torri o bryd i'w gilydd. Roedd y delyn wedi dod o gartref cyfoethog iawn – dim ond pobl efo llawer o arian allai fforddio cwrlid mor wych. Torrodd y tannau bron i gyd wrth ddisgwyl i'm coesau dyfu'n ddigon hir i gyrraedd y pedalau, ac i Miss Alwena Roberts, LRAM, gytuno fy mod yn ddigon hen i gael gwersi ganddi. Cewch y stori honno'n nes ymlaen!

Roedd gennym ddesg yn y parlwr, wrth ymyl y delyn, lle'r arferai Taid gadw'i bapurau a'i drugareddau – fo, yn ŵr ifanc, oedd wedi gwneud y ddesg allan o goed 'rhod fawr Dylife'. Hon oedd yr olwyn ddŵr fwyaf o'i bath yn Ewrop, ac roedd yn gwbl allweddol i'r gwaith mwyn yn Nylife cyn i hwnnw ddod i ben ar ddechrau'r ugeinfed ganrif. Ar y ddesg yma yr ysgrifennaf ar hyn o bryd! Un diwrnod, pan oeddwn yn fy arddegau ac ar ôl i Taid farw, mi ddes ar draws Mam yn syllu mewn anghredinedd ar ddarn o bapur roedd hi wedi'i ffeindio yng nghefn y ddesg. Hen drwydded yrru Mam ei hun o'r tridegau oedd hi. Roedd Mam wedi bod yn chwilio ym mhobman amdani i osgoi gorfod cymryd prawf gyrru, gan ei bod yn rhy ofnus i wneud hynny. Chwaraeodd Taid hen dric slei arni – cuddio'i thrwydded i sicrhau na fuasai'n gallu gyrru car ac felly grwydro i ffwrdd oddi cartref. Wedi'r cyfan, dyletswydd merched oedd bod yn y tŷ i edrych ar ôl y teulu. Mae'r stori yma'n dweud cyfrolau am agwedd dynion patriarchaidd Cymru, a bu'n ddylanwad mawr arnaf i gan fy ngwneud yn dipyn o ffeminist sy'n casáu'r drefn o weini ar ddynion!

Ar yr 2il o Fehefin 1953 roedd pawb o'm cyfeillion yn cymryd rhan yn nathliadau'r coroneshyn ond châi Menna a minnau ddim mynd ar gyfyl y mabolgampau a'r parti a gynhelid ar gae Pandy Mawr. Roedd Dad yn gandryll o wrthfrenhinol ac yn casáu popeth i'w wneud â'r gyfundrefn Seisnig, ymerodrol, oedd yn ein cadw i lawr fel cenedl. Ond mi ges fynd i dŷ Mr J. M. Jones, Brynraber (mêt mawr Taid), i weld y seremoni ar ei set deledu fechan chwe modfedd – gyda phawb arall o'r pentref, bron! I mi, roedd y teledu'i hun yn llawer difyrrach na'r miri oedd yn mynd ymlaen yn Llundain, a chawn fynd yno'n aml ar ôl ysgol i weld rhaglenni plant megis *Sooty* ac *All Your Own* efo'r Cymro Huw Wheldon.

Mi es i gysgu lawer noson yn gwrando ar Taid a J. M. Jones yn cael hwyl wrth chwarae biliards yn yr ystafell fyw oddi tanom. Dro arall, triawd Llanuwchllyn a Mam yn cyfeilio iddynt ar y piano fyddai'n fy suo i gysgu. Roedd lleisiau Dei P, Harold a Dennis Darbyshire (Darbi i ni) yn hudolus, a than gyffyrddiad Mam byddai'r piano yn swnio'n union fel telyn.

Cyn gadael yr ysgol gynradd roedd yn rhaid sefyll arholiad y sgolarship – yr '11+' ofnadwy roedd raid ei basio er mwyn cael mynd i'r cownti sgŵl. Trwy drugaredd bûm yn llwyddiannus a phasiodd pob un o'm ffrindiau ar wahân i un ferch ac un bachgen. Creulon iawn oedd y gyfundrefn yma a olygai fod gallu addysgiadol plant yn cael ei brofi mor ifanc gan wneud i rai deimlo eu bod yn fethiant. Y gyfundrefn oedd yn methu, nid y plant, ac yn weddol fuan wedyn dilewyd yr arholiad dieflig ac annheg.

Yn Llanuwchllyn, pwysigrwydd go iawn diwrnod y sgolarship oedd cael cydnabyddiaeth gan rieni eich bod yn ddigon hen a chyfrifol i fynd ar y beic yr holl ffordd at Lyn Tegid, rhyw filltir dda i ffwrdd, a chael picnic yno. Gan nad oedd gwersi nofio yn rhan o'n haddysg bryd hynny caem ein siarsio nad oedd neb i fynd i mewn i'r dŵr gan y buasem yn siŵr o foddi!

Ym mis Medi 1954 gadewais ysgol Llanuwchllyn. Gofid mawr imi oedd gadael y prifathro, Ifor Owen; teimlwn fod yr addysg gyfoethog a gawswn ganddo wedi cael ei dirwyn i ben yn rhy fuan o lawer. Roedd prynu'r iwnifform i fynd i Ysgol Merched y Bala yn siop ddillad D. E. Jones yn brofiad nad ydw i byth wedi'i anghofio. Roeddwn bron iawn yn ferch ifanc a'r hen hormonau'n dechrau cynhyrfu yn fy ngwaed! Prynodd Mam yr 'ST' cyntaf imi ond lliw y betys oedd yn nŵr y toilet, nid y mislif, am ryw flwyddyn arall!

Jeunesses Musicales

I'r Bala Girls' Grammar School (BGGS) yr aethom yn griw bach ym Medi 1954 ar ôl pasio'r sgolarship. Rywdro yn ystod fy nghyfnod yno, diflannodd yr enw Saesneg a dechreuwyd ei galw'n Ysgol Merched y Bala. (Roedd hi braidd yn anffodus fod y logo YMB hefyd yn sefyll am 'Ysgol Moch Bach'!)

Geneth un ar ddeg oed falch ond ofnus iawn a gerddodd o'r Gwyndy i orsaf Llanuwchllyn ar y bore Mawrth cyntaf hwnnw yn ei dillad newydd (oedd yn rhy fawr iddi, wrth gwrs), gan gario *satchel* newydd sgleiniog ar ei chefn a mentro'n swil at y plant hŷn a ddisgwyliai am y trên. Anodd dychmygu ffordd well o deithio i'r ysgol bob dydd nag ar wasanaeth trên y Great Western Railway o Lanuwchllyn i'r Bala, heibio i Lyn y Bala a'i olygfeydd godidog. Roeddwn wedi gadael ysgol cyn i fwyell Beeching ddod i lawr yn 1963 a dileu'r gwasanaeth; byddai raid i'r plant wedyn deithio ar fws – diflas iawn!

Am ugain munud wedi wyth yr âi'r trên er bod y gard caredig yn fodlon aros am yr hwyrddyfodiaid. Yn fy arddegau doeddwn i ddim yn hoffi codi o'm gwely, ac er yr holl weiddi gan Mam, byddwn byth a hefyd yn rhedeg â'm gwynt yn fy nwrn ac yn clywed chwibaniad y trên wrth iddo ddod o dan y bont ar gwr y pentref. Yn amlach na pheidio, byddai'r wy roedd Mam wedi'i ferwi imi i frecwast yn un llaw a brechdan yn y llall. Sawl gwaith y bygythiodd Mam druan, 'Dwi ddim am drafferthu gwneud brecwast iti, wir!'

Trwy drugaredd roedd Mam yn llawer rhy garedig i hynny a fu ddim raid imi lwgu.

'Pafíl' oedd enw answyddogol fy ystafell ddosbarth gyntaf yn y Bala. Hen adeilad pren a fu unwaith yn bafiliwn criced neu rywbeth o'r fath oedd o, a phartisiwn bach ysgafn yn ei rannu'n ddau (ar gyfer dau ddosbarth). Doedd yna ddim Form 1 yn yr ysgol a byddai pawb yn sefyll eu Lefel O mewn pedair blynedd, a llawer yn aros yn y Chweched Dosbarth am dair blynedd i chwyddo'r niferoedd yno. Golygai hynny, yn ôl a ddeallaf, fwy o arian i'r ysgol.

Yn Form 2J roeddwn i a'm ffrindiau, Glenys Thomas ac Olwen Cefn Gwyn, a Miss Buddug James yn athrawes ddosbarth arnom. Person llawn egni a hwyl, yn wreiddiol o sir Aberteifi, oedd BJ a bu'n weithgar iawn ym myd y ddrama yn ardal y Bala. Yn anffodus, ymarfer corff ac arlunio oedd ei phynciau yn yr ysgol – a doedd gen i ddim talent at y naill bwnc na'r llall. Yn sicr, roeddwn yn casáu PT â chas perffaith – wir yr! Dychrynllyd oedd gorfod mynd allan ym mhob tywydd yn fy nicyrs i neidio o gwmpas a bwrw tin dros ben. Ych a fi! Doedd ganddon ni ddim *gym* nac unrhyw gyfarpar ar wahân i'r bocs pren uchel yn yr iard chwarae roedd yn rhaid inni drio neidio drosto fo — a heb lwyddo, yn fy achos i. Ro'n i'n casáu pêl-rwyd ('netbol') hefyd â chas perffaith, ac roedd y rhwyd dennis yn racs jibidêrs! Doedd dim llawer o bwysigrwydd yn cael ei roi yn ein teulu ni ar gadw'n heini a chysylltu'r corff a'r meddwl. Yn wir, cofiaf Taid a Nain yn dweud wrthyf mai tipyn o wastraff amser i rywun efo rhywbeth yn ei phen oedd treulio amser yn ymarfer y corff, ac roeddwn yn hapus iawn i gytuno efo nhw.

Un diwrnod dywedodd Miss James wrthyf mewn

rhwystredigaeth, 'Elinor, mae'n *rhaid* eich bod chi'n gallu gwneud *rhywbeth*. Beth am drio taflu disgys?' Methiant fu hynny hefyd. Petai yna bwll nofio yn y Bala bryd hynny, efallai y buasai pethau wedi bod yn wahanol. Rhyfedd o beth: teithiwn heibio i Lyn Tegid ddwywaith y dydd ond ddysgais i ddim sut i nofio nes i mi fod ar ymweliad â Môr y Canoldir yn 1962. Un o brif bleserau bywyd i mi rŵan ydi mynd i bwll nofio. Y broblem fawr bryd hynny oedd nad oeddwn yn gystadleuol o gwbl ym myd ymarfer corff; roedd digonedd o hynny i'w gael yn y diwylliant eisteddfodol. Hyd heddiw, ofnaf nad oes gen i ddim byd i'w ddweud wrth gêmau pêl-droed na rygbi, er mawr ofid i'm gŵr a'm plant!

Miss Whittington Hughes oedd prifathrawes Ysgol y Merched ac roedd arnaf ei hofn trwy fy nghalon. Dynes wrywaidd iawn, siâp gellygen oedd hi – un o Bwllheli'n wreiddiol. Gwyddem ei bod yn gofalu'n dyner iawn am ei brawd bach methedig ond roedd hi'n deyrn ar y dau gant a hanner o ferched oedd yn yr ysgol. Yn ei chysgod yn feunyddiol byddai'r athrawes Hanes, Miss Muriel Jones. 'Ego' oedd ei llysenw hi, a'i hoff ddywediad fyddai 'Don't fuss, girls' – er na allai ddweud 's' yn iawn.

Ar ddechrau'r drydedd flwyddyn rhaid oedd dewis pynciau ar gyfer y Lefel O. Galwyd fy rhieni i'r ysgol i drafod fy nyfodol, ac anghofia i fyth eiriau'r teyrn Miss Hughes: 'Mi allith Elinor wneud cerddoriaeth y tu allan i'r ysgol, felly mae'n well iddi astudio Hanes yma.' Dyna ni – roedd fy nyfodol wedi'i selio gan y dewis rhwng Hanes a Cherddoriaeth, ac unrhyw fwriad a allai fod gen i o fod yn gerddor wedi'i ddileu am y tro, a Hanes fu'r pwnc trwy gydol yr amser yn y Bala. O ganlyniad, ches i ddim addysg gerddorol nes imi ennill ysgoloriaeth i fynd i'r Academi

Gerdd Frenhinol yn Llundain, a hynny ar ôl bod trwy'r brifysgol.

Bob gwyliau haf, âi Menna a finnau i aros at chwaer Nain yn Llanidloes. Dyna ffordd ein rhieni o wneud yn siŵr ein bod yn cadw cysylltiad â'r gwreiddiau ym Maldwyn.

Byddwn wrth fy modd yn mynd ar fy holides i Lys Efrog at Anti Sali ac Yncl Ifans. Doedd gan Anti Sali ddim plant ei hun. Roedd wedi priodi gŵr gweddw oedd yn hoff iawn o'i ddiod cyn i Anti gael ei dwylo arno a'i berswadio i ymwrthod â'r diafol oedd yn y botel. Gelwid ei ferch o, Morfudd, yn 'Anti Mauvie' – doedd pobl Seisnigedig Llanidloes ddim yn hoff o ynganu ffurf Gymraeg cywir ei henw! Cymerodd flynyddoedd i mi sylweddoli mai Morfudd oedd ei henw iawn. Mauvie, wir! Roedd ganddi gorgi bach o'r enw Peter, a dyna pryd y dechreuais hoffi'r brid hyfryd yma o gŵn.

Roedd Llys Efrog yn dŷ mawr bryd hynny ac roedd yno hefyd ardd braf (tebyg i'r *secret garden*) a chwrt tennis a welsai ddyddiau gwell. Cedwid yr ystafell orau dan glo tra byddem ni yno a byddai 'dust sheets' dros y dodrefn i'w harbed rhag llwch. Gan na chaem fynd i mewn i'r ystafell, rhaid oedd bodloni ar sbecian trwy graciau yn y drws. Oedd, roedd yna ychydig bach o Mrs Ogmore-Pritchard yn fy modryb – ond dim ond *un* gŵr gafodd Anti Sali!

Aem hefyd i aros at Forfudd arall, Morfudd (Mynw) Jervis – yr un oedd wedi bod yn forwyn i Mam yn Llwynderw ac a oedd fel chwaer fawr i mi. Roedd hi wedi priodi efo Glanville Hamer, Tynwtra, Hen Neuadd, a dod yn fam i Tegwyn, sydd dair blynedd yn iau na mi. Dyna hwyl godidog fyddai mynd i aros efo nhw a chwarae ar y fferm! Yno roeddwn i adeg argyfwng Suez, ac yno y darllenais lawer o lyfrau difyr gan gynnwys hanes y fordaith ar Kon-Tiki, nofelau adeg y rhyfel (a dyddiadur Anne Frank), a'r holl lyfrau i blant gan Arthur Mee. Ond roedd cael llonydd gan fy nghyfyrder ifanc i ddarllen yn mynd yn anoddach o hyd gan ei fod eisiau chwarae ar dryc neu gicio pêl. 'Mae Elinor a'i thrwyn mewn rhyw hen lyfr drwy'r amser' fyddai ei gŵyn ddiddiwedd.

Yn y pumdegau, Cymraeg fyddai pawb o'r teulu yn ardal Llanidloes yn ei siarad, ac acenion y Bowyseg yn fwyn ac annwyl. Byddai Dad yn gandryll wrth glywed Cymry Cymraeg yn siarad Saesneg â'i gilydd a byddai'n llym ei dafod wrthynt. 'Maen nhw'n trio siarad Saesneg, ac yn y diwedd yn methu siarad yr un iaith yn iawn!' fyddai ei gŵyn bob tro'r ymwelai â thref ei febyd. Mae'n dristwch i minnau fod cynifer o'm cenhedlaeth i bellach wedi rhoi'r gorau i siarad y Gymraeg, a bod fy nghyfyrdyr wedi gadael yr ardal a llawer o breswylwyr yr hen gartrefi wedi mynd.

Roedd Penllyn a'i ddiwylliant cyfoethog yn fagwrfa naturiol i genedlaetholdeb Cymreig yn y pumdegau. T. W. Jones o'r Blaid Lafur oedd Aelod Seneddol Meirionnydd pan aethom ni yno i ddechrau. Yn ystod etholiad cyffredinol 1955 awn efo Dad i wrando ar Gwynfor Evans yn siarad dros Blaid Cymru. Roeddwn yn rhy ifanc i fynd o ddrws i ddrws i ganfasio – ddigwyddodd hynny ddim tan 1959 pan ges i a chriw o'm cyd-bleidwyr o Lanuwchllyn ein herlid o Flaenau Ffestiniog efo'r geiriau 'Welsh Nash uffar – ewch o'ma, a peidiwch â dŵad yn ôl byth eto!'

Llafurol oedd Meirion ar y pryd gan mai yn chwareli Blaenau Ffestiniog y gweithiai'r rhan fwyaf o'r boblogaeth, ac roedd hi'n ymddangos fel petai pob un wan jac yn pleidleisio i'r 'Lêbor Parti'! Rhaid cyfaddef nad oedd gen i ddim syniad go iawn am sosialaeth a chredwn fod Dad yn iawn i fod yn sinigaidd am lawer o ddaliadau'r sosialwyr. Saunders Lewis oedd ei arwr mawr ac arferai ei ddyfynnu'n aml. Yn ddiweddarach, fodd bynnag, mi ddes i gwestiynu agwedd Dad a chael llawer dadl efo fo am degwch a chydraddoldeb cymdeithasol. Tybiai Dad fod y gred sosialaidd y dylai pawb fod yn gyfartal yn gysyniad amhosib ei weithredu. Des innau i gredu mai gweithio tuag at gydraddoldeb o fewn cymdeithas oedd bwysicaf i'n cyfnod ni – yn arbennig i ferched. Darllen nofelau Islwyn Ffowc Elis, *Cysgod y Cryman* ac *Wythnos yng Nghymru Fydd*, oedd un o brofiadau mawr fy ieuenctid, a hyn a ddechreuodd agor fy meddwl a gwneud imi fod eisiau gwybod mwy am y byd mawr y tu allan i Benllyn a Chymru.

Roedd yna bethau o'r pwys mwyaf yn digwydd o fewn Penllyn ei hun. Un o'r rheiny oedd y posibilrwydd fod Cwm Celyn am gael ei foddi i greu cronfa ddŵr i ddinas Lerpwl. Dad oedd Cadeirydd Cyngor Dosbarth Penllyn, y cyngor oedd yn gyfrifol am Gapel Celyn a'r cwm y bwriedid ei foddi. Mae'r atgof am y cyfnod yn glir iawn iawn, a'r teimlad o ddwyster a thrasiedi'r sefyllfa yn fyw yn fy meddwl. Mae'r ffeil a'r nodiadau personol a gadwodd Dad o'r cyfarfodydd ac o'u hymgais ddigalon i geisio perswadio Cyngor Dinas Lerpwl i newid eu cynlluniau'n ddiogel gen i. Roedd Cyngor Dosbarth Penllyn yn arwain y frwydr i achub Tryweryn er nad oedd ganddynt ddim grym na phŵer o fath yn y byd, ac roedd Dad yn sylweddoli hynny. Ychydig iawn o sylw a roddwyd i ran Cyngor Dosbarth Penllyn yn y gwrthwynebiad i'r cynllun arfaethedig – Cyngor Sir Feirionnydd sydd wedi cael y sylw i gyd gan haneswyr.

Fel ymgais unfed awr ar ddeg i wyrdroi'r bwriad, rhoddodd Cyngor Dosbarth Penllyn gynllun amgen gerbron. Dyma'r hyn a ysgrifennodd Dad fel nodiadau ar gyfer rhaglen Granada ar y 19eg o Fedi 1957, yn fuan ar ôl i'r ddeddf (y Liverpool Corporation Act, 1957) fynd trwy Senedd Lloegr:

> Fel y mae pethau ar hyn o bryd mae dyffryn Tryweryn i'w foddi. Mae 6 o gartrefi wedi'u tynghedu i orwedd ar waelod y llyn a rhyw 70 o bersonau i'w gwneud yn ddigartref, ac fel pe i gadw cwmni i'r cartrefi, tynghedwyd hefyd yr ysgol a'r fynwent a'r capel lle'r addolai cenedlaethau'r gorffennol a lle'r addola tadau a mamau a phlant y presennol. Wedi'r frwydr dros gadw'r cwm, dyna'r ddedfryd, a theimla'r Cyngor y dylid gwneud ymgais eto pe bai ond i achub rhan o'r cwm.

Roedd y cynllun amgen yn golygu y byddai llai o dir yn cael ei foddi ond fe fyddai yna oblygiadau i deuluoedd eraill yn y cwm. Câi'r capel, yr ysgol a'r fynwent eu hachub. Gofynnodd Cyngor Penllyn i Arglwydd Faer Caerdydd (yr Henadur J. H. Morgan) – gan nad oedd corff cenedlaethol mewn bodolaeth – alw cynhadledd gyda chynrychiolwyr o holl awdurdodau lleol Cymru ac o'r Aelodau Seneddol Cymreig, a'r gynhadledd honno i ffurfio dirprwyaeth fyddai'n cyflwyno'r cynllun amgen i sylw Cyngor Dinas Lerpwl.

Fel cadeirydd y Cyngor, anerchodd Dad y gynhadledd a gynhaliwyd yn Neuadd y Ddinas, Caerdydd, ar yr 28ain o Hydref 1957. Mae copi o'i araith gen i. Ceisio gwneud unrhyw beth i achub y cwm oedd y bwriad, a cheisio cael corff Cymreig i ddadlau dros bobl Cwm Celyn. Cofiaf mor wan a thruenus roedd pawb yn teimlo yn wyneb y bygythiad o Lerpwl. Yn fy arddegau cynnar o'n i; byddai Dad yn trafod llawer o'r materion hefo mi a gwn i'r holl gyfnod beri loes a galar mawr iddo.

Fe aeth dirprwyaeth i Lerpwl, a Dad yn eu plith, a dyma ran o'i adroddiad am y croeso a gawsant yn Neuadd y Ddinas:

> We were well received. We were listened to with courtesy. We were well fed. Indeed, neither before nor afterwards have I attempted to eat such a large and well-cooked piece of beef steak. We even had a fully equipped band to play selections of our own Welsh airs while we ate. It can justly be said that no effort was spared to help us eat . . . humble pie! But the blunt truth is that Liverpool have not come to meet us. We went, humbly, and begged them to reconsider the whole problem. We asked for their co-operation. We asked them for an act of statemanship which would have established a foundation for goodwill between neighbours who were too close together to afford bitter divisions of opinion which may linger in history. We got nothing. Where do we go from here?
>
> Whatever happens to Tryweryn, one bitter lesson has been learnt: in spite of all the efforts that have been made we have been powerless. More unanimity of opinion has been demonstrated in Wales on this battle of Tryweryn than on any other matter of national interest in our time. The Liverpool Corporation Act was made law against the wishes of the large majority of our people and our Members of Parliament . . . They hadn't a hope and it was not that they did not try. Some of them worked very hard. They lost because they were few in numbers. The lesson that has been stamped indelibly on our minds is that when large and unreasonable claims are made on

our natural resources by bodies from outside, we have no effective means of doing anything to oppose it . . . This is no time to weep over the past. The future demands that we do *something*. Similar demands are likely to be made on our resources in the future and unless we do something, we shall be equally powerless then.

Fel y gwyddom yn rhy dda, ofer fu'r holl brotestio ac ymbilio, ac er bod pob Aelod Seneddol Cymreig ar wahân i un wedi pleidleisio yn erbyn y boddi, llifodd y dŵr dros y cwm a dilewyd y gymdeithas werinol Gymraeg a fu yno ers canrifoedd. Roedd llawer o bobl leol yn sicr mai paratoi at foddi oedd y gwaith o newid cwrs a gwely afonydd Tryweryn a Dyfrdwy pan oeddwn i yn yr ysgol. Camarweiniol hollol oedd dweud bod y gwaith hwnnw'n cael ei wneud er mwyn atal llifogydd.

Daeth y darogan yn nodiadau Dad yn ffaith. Cafwyd achos arall o ddinas fawr yn Lloegr yn boddi cwm yng Nghymru. Ergyd drom a chreulon oedd clywed y byddai'r fferm lle ganwyd Dad yn cael ei boddi o dan ddŵr Llyn Clywedog i roi dŵr i ddinas Birmingham. Ond ni chafwyd yr un teimlad gwrthwynebus yno er bod llawer wedi prynu llathen sgwâr o dir ar waelod y cwm i geisio dal y llif yn ei ôl – wedi'r cyfan, doedd dim cymuned ar fin cael ei dinistrio yng Nghlywedog fel ag yr oedd yng Nghwm Celyn, ac roedd llawer o bobl Maldwyn yn croesawu'r cynllun fel modd o atal llifogydd.

Mae hanes Tryweryn yn rhan annatod ac allweddol o dwf cenedlaetholdeb yng Nghymru, a bu effaith y boddi'n fodd i berswadio un gŵr ifanc i ymaelodi â Phlaid Cymru fel llawer un arall o'm cenhedlaeth i. Rhyw ddeng mlynedd yn ddiweddarach daeth y dyn ifanc – Dafydd Wigley – yn ŵr i mi! Yn sgil boddi Tryweryn a Chlywedog, tyfodd ymdeimlad o anghyfiawnder a chwerwder ynghyd â'r anobaith a'r teimlad o golled a diymadferthedd. Ond daeth y ffenics o'r marwor gan arwain at ddeffroad cenedlaethol y chwedegau. Dagrau pethau ydi y bu raid inni aros am dros ddeugain mlynedd cyn gweld sefydlu corff Cymreig allai wrthsefyll dinas fel Lerpwl.

Tybed a fyddai pethau'n wahanol pe digwyddai Tryweryn arall heddiw? A ydi'r meysydd sydd wedi'u datganoli i'r Cynulliad yn rhoi digon o bwerau iddynt dros reoli adnoddau dŵr? A ydi hanes diweddar S4C yn codi amheuon am allu'r Cynulliad i warchod buddiannau Cymru?

Yn y pumdegau ychydig iawn o raglenni Cymraeg oedd yna ar wasanaeth radio Welsh Home Service y BBC, ac roedd ansawdd y derbyniad yn wael iawn ym Mhenllyn. Roedd *Galw Gari Tryfan* a *Noson Lawen* yn rhai o'r ffefrynnau, a byddai'r gwasanaeth crefyddol ar fore Sul a *Caniadaeth y Cysegr* ar brynhawniau Sul yn hollol angenrheidiol i rai fel Nain na allai fynd i'r capel.

Sefydlwyd Cymdeithas Gwrandawyr Cymru gan griw o dri ar hugain o Gymry tanbaid yn ardal y Bala, a Dad yn ysgrifennydd iddi. Ymgyrchu i gael mwy o raglenni radio Cymraeg – a rhai gwell – gan y BBC oedd y nod. Yn ei nodiadau gwelir y geiriau hyn:

> Telais arian y drwydded i Gymdeithas Gwrandawyr Cymru yn hytrach nag i'r Postfeistr Cyffredinol fel protest yn erbyn y derbyniad cwbl anfoddhaol a geir ar raglenni Cymraeg a Saesneg ar y donfedd Gymreig. Nid yn fyrbwyll nac yn

ddifeddwl y cymerwyd y cwrs yma ond, ar ôl blynyddoedd o ofyn a chrefu ar yr Awdurdod Darlledu i wella'r sefyllfa, ni wnaed dim.

Ei gymhelliad dros wneud hynny, meddai, oedd:

> dwyn fy mhlant i fyny i fod mor gyflawn ddwyieithog ag sydd yn bosibl ac i gyfoethogi eu meddyliau yn niwylliant gorau Cymru, yn Gymraeg ac yn y Saesneg, ac mae'r radio yn gyfrwng eithriadol o bwysig i wneud hynny.

Cynhaliwyd achosion llys, a bu'r cwestiwn a ddylid talu'r ddirwy neu beidio yn achos dadlau tanbaid. Yn y diwedd gwnaed y penderfyniad i'w thalu. Roedd y criw bach yma o ardal Penllyn wedi cychwyn ar y daith o brotestio a gwella darpariaeth i'r Cymry Cymraeg, gan agor cil y drws i aelodau dewr y genhedlaeth nesaf wynebu carchar er mwyn gwella sefyllfa'r iaith Gymraeg. Bu raid aros blynyddoedd cyn cael gwasanaeth cyflawn ar Radio Cymru. Ydi, mae ansawdd derbyniad Radio Cymru wedi gwella (er nad ydi o eto wedi'i ddigido ym mhobman), ond ar y cyfan mae lefel ddeallusol a chreadigol y gwasanaeth yn isel iawn, a'r polisi o apelio at y 'lowest common denominator' yn drychinebus. Er bod yna sawl rhaglen ardderchog, fel *Talwrn y Beirdd* a *Galwad Cynnar*, dwi wedi hen ddiflasu ar yr holl gerddoriaeth bop wael a ddarlledir, a byddaf yn diffodd y radio. Pam na chaiff y llu o gerddorion clasurol talentog sydd gennym yng Nghymru, heb sôn am gerddorion gwerin a cherdd dant, fwy o gyfle?

Yn sicr, roedd diwedd y pumdegau'n gyfnod o ddechrau magu ymwybyddiaeth Gymreig. Roedd yn adeg o golli tir (yn llythrennol, fel yn Nhryweryn a Chlywedog) ac o 'goedwigo' cefn gwlad, ond roedd hefyd yn gyfnod o ddechrau deffro a bod yn ymwybodol o'r dimensiwn Cymreig. Pan ddechreuid chwarae anthem 'y Cwîn' ar y teledu ar ddiwedd darllediadau'r dydd, byddai llais Cymraeg yn torri ar ei thraws ac yn annog gwrandawyr i ddal i wrando gan y byddai darllediad arall pwysig yn dilyn. Plaid Cymru oedd yn ceisio cael eu neges wleidyddol drosodd cyn etholiad 1959, a chan nad oedd unrhyw ffordd arall o ymddangos ar y cyfryngau torfol dechreuwyd darlledu'n answyddogol ac yn anghyfreithlon ar 'Y Ceiliog'. Chwaraeais arni droeon o'n parlwr ni! Alawon Cymreig megis 'Gwŷr Harlech' ac 'Ymdaith yr Yswain' y byddwn yn eu chwarae, a byddai anerchiad yn dilyn gan Gwynfor Evans ei hun. Tua'r un adeg, byddai Menna a finnau'n gwrando ar Radio Luxembourg yn darlledu cerddoriaeth bop yn anghyfreithlon o long yng nghanol y môr yn rhywle!

Roedd yna un rhaglen ar y teledu yn ystod y pumdegau a ddylanwadodd yn fawr arnaf. *Croeso* oedd enw'r rhaglen, a'r telynor gwych Osian Ellis a gyflwynai gerddoriaeth o bob math arni ar brynhawniau Sul. Syrthiais mewn cariad â'r dyn ifanc golygus yma a ganai mor bêr i gyfeiliant ei delyn, ac roeddwn wedi gwirioni'n lân ar bopeth a wnâi. Roeddwn isio bod yr un fath â fo! Difyr iawn fyddai gweld yr hen raglenni yna eto ond mae'n siŵr fod y tapiau i gyd wedi'u dinistrio yn y clirio mawr a ddigwyddodd o fewn archifau'r BBC mewn cyfnod diweddarach, pryd y collwyd llawer trysor cenedlaethol.

Diwedd haf 1955 oedd hi pan ddaeth gweinidog newydd at yr Annibynwyr yn yr Hen Gapel, Llanuwchllyn. Ei enw oedd Gerallt Jones. Roedd ganddo bedwar mab – Huw Ceredig,

Dafydd Iwan, Arthur Morris ac Alun Ffred. Roedd dyfodiad y teulu yma'n achlysur diddorol iawn i ferched y pentref – a minnau yn ei plith! Bachgen hoffus a mentrus iawn oedd Huw Ceredig, un a greodd dipyn o *sensation* yn Llanuwchllyn. Roedd o'n bishyn, yn hwyl ac yn edrych fel tedi-boi! Gyda thristwch a dagrau y clywais yr haf hwn am ei farwolaeth, a dwi'n falch o allu cyfaddef imi fod yn gariad iddo ym more oes. Roedd ein perthynas yn bwysig i mi yn fy arddegau cynnar ond roedd y gystadleuaeth yn ffyrnig! Arferwn yrru llythyrau ato i Goleg Llanymddyfri; trwy law Gwyneth Pandy Mawr y deuai'r atebion gan y byddai Mam yn agor fy llythyrau. Fe dorrais fy nghalon am sbel pan aeth Huw yn gariad i gyfeilles imi.

Dafydd Iwan oedd yr un 'brêni' o blith y pedwar – un oedd yn gweithio'n galed ac yn canu'n swynol mewn trowsus pen-glin yn yr eisteddfodau a'r 'cyfarfodydd bach'. Arthur oedd yr un fyddai'n cadw cwmni i mi ar fy ffordd adref o'r ysgol, a chaem sawl sgwrs ddifyr iawn wrth gerdded o'r orsaf. Plentyn ifanc oedd Alun Ffred bryd hynny; fe'i cofiaf fel bachgen bach chwareus a direidus iawn.

Gyda'r haid yma o fechgyn bywiog, galluog a mentrus, mae'n rhyfeddod fod eu mam wedi cael digon o egni i fod yn athrawes Gymraeg yn Ysgol Merched y Bala!

Roeddwn yn tyfu i fyny yn ystod y cyfnod ar ôl y rhyfel, pan oedd y pwyslais ar ailadeiladu ac ailosod seiliau cymdeithasol ac addysgiadol. Roedd y llyfrau *rations* yn dal mewn bodolaeth a dylanwad yr ymladd yn fyw iawn ym meddyliau llawer. Un o brofiadau mwyaf dylanwadol fy ieuenctid fu ymweliad Aelwyd Llanuwchllyn ag ardal y Goedwig Ddu yn nhalaith Baden yn ystod haf 1959. Bwriad yr ymweliad oedd adeiladu pontydd a dod â phobl ifanc o Gymru a'r Almaen i ddeall ei gilydd ac i gyfannu trwy gerddoriaeth. Gwyn (Williams) Bangor, trefnydd yr Urdd yn sir Feirionnydd, oedd yn gyfrifol am y trefniadau a Dad oedd yn arwain y côr. Roeddwn innau i berfformio fel unawdydd ar y delyn, a chafodd fy nhelyn fach Grecian sêt gyfan iddi'i hun ar y bws o Lanuwchllyn i Baden-Baden.

Cyfnewid llety â merch o'r enw Brita Kirchner o dref Kehl yr ochr arall i afon Rhein o Strasbourg wnes i. Roedd yr ardal o gwmpas ei chartref wedi'i difetha gan fomiau Prydain yn ystod y rhyfel, ac roeddem yn pwysleisio mai Cymry oeddem ni gan y teimlem fod atgasedd amlwg yn parhau tuag at Loegr. Mi ges i gariad newydd yno hefyd – Peter Unger – a dim ond pymtheg oed oeddwn i! Dyma'r tro cyntaf erioed i mi fynd allan o Brydain, ac fe gododd awydd mawr arnaf i deithio ymhellach a gweld y byd. A diolch byth, fe ddigwyddodd hynny – fel y cewch glywed maes o law.

Fe gofiwch imi sôn mai Syr David Hughes-Parry a'i wraig y Fonesig Haf oedd ein landlordiaid yn y Gwyndy. Bu'r cysylltiad yma'n ddylanwad pwysig arnaf wrth imi geisio meddwl beth yr hoffwn ei wneud ar ôl gadael yr ysgol ('pan fydda i'n fawr!'). Trwy gydol y cyfnod yn Ysgol Merched y Bala, un peth y byddwn yn ei ddweud yn gyson fyddai, 'Dwi *ddim* yn mynd i fod yn athrawes ysgol.' Roedd yn symbyliad cryf iawn gan na ddymunwn fod yr un fath ag un neu ddwy o'm hathrawesau!

Pan oeddwn tua phymtheg oed, cefais y syniad y gallwn fynd i fyd y Gyfraith. Byddai honno'n ffordd sicr o beidio â gorfod mynd yn athrawes . . . Roedd Rose Heilbron wedi gwneud enw mawr iddi'i hun trwy fod y ferch gyntaf i gael ei derbyn i'r Bar ac wedyn yn farnwr yn yr Uchel Lys. Ces gyfle i drafod y posibilrwydd gyda'r 'Syr', ond y cyfan a ddywedodd David Hughes-Parry oedd: 'Meistres galed iawn ydi'r Gyfraith'! Dal ati efo'r syniad wnes i, fodd bynnag. Dewisais y pynciau Lefel A yr ystyriwn fyddai fwyaf perthnasol, a llwyddais i gael marciau da yn Saesneg, Hanes a Lladin.

Yn Ysgol y Bechgyn y cawn wersi Saesneg a Lladin, a deuai'r bechgyn i Ysgol y Merched i dderbyn gwersi Hanes. Mr Willott oedd fy athro Lladin – dyn bonheddig ac annwyl a thad i'm ffrind, Hazel, a ddaethai i'r Bala o Lerpwl yn Saesnes uniaith gyda'r llysenw 'Nutty'. Ond fe ddysgodd Hazel Gymraeg, a ffitio i mewn fel hwyaden mewn dŵr. Bu astudio Lladin yn eithriadol o ddefnyddiol ac allweddol yn fy mhrofiad i, a gresynaf yn fawr nad ydi pobl ifanc ein hysgolion heddiw'n cael y cyfle i ddysgu'r clasuron. Ofnaf fod addysg wedi mynd yn arwynebol, ac wrth ganolbwyntio ar yrfaoedd mae'n anodd sicrhau fod pobl ifanc yn dod i fagu ymwybyddiaeth ddofn o ddiwylliant a gwareiddiad ehangach.

Un o athrawon Ysgol y Bechgyn oedd yn dysgu Saesneg imi hefyd, a byddai'r gwersi yn llyfrgell Ysgol Tŷ-tan-domen. I gyrraedd y gwersi roedd yn rhaid cerdded heibio i ystafell Chweched Dosbarth y bechgyn, gan ddioddef y synau pryfoclyd ac awgrymog a ddeuai oddi yno! Gwyddent yn dda y byddwn weithiau'n cael gwersi ar fy mhen fy hun mewn ystafell gaeedig hefo'r athro, a byddai ensyniadau cellweirus yn dilyn. Ni fuasai amgylchiadau'r gwersi'n cael eu derbyn heddiw ond roedd yn athro gwych a'i ddylanwad arnaf yn fawr. Mor bwysig oedd y ffordd y dysgai am farddoniaeth Wordsworth, dramâu Shakespeare a chaneuon

John Donne – yn arbennig os oedd yna sôn am gariad ynddynt! Agorodd fy llygaid i wychder llenyddiaeth a chreadigrwydd geiriol ac i fawredd y meistri Saesneg. Dwi'n ddiolchgar am yr addysg yma ond yn gresynu imi beidio astudio gweithiau awduron a beirdd mawr Cymru pan oeddwn yn yr ysgol.

Ysgrifennai Miss Muriel Jones, yr athrawes Hanes, bopeth allan â'i llaw er mwyn i'w disgyblion breintiedig allu dysgu'r ffeithiau ar eu cof i ateb y cwestiynau yn yr arholiad Lefel A. Ychydig iawn o drin a thrafod fyddai yna yn y gwersi Hanes, ond credaf mai pobl ifanc fy mlwyddyn i oedd y rhai cyntaf i astudio Hanes Cymru fel rhan o'r pwnc. Dyma gyfnod cynnar yr ysgolheigion a'r meddyliau mawr a ddechreuodd roi'r sylw haeddiannol i'n hanes, megis Glanmor Williams, Ieuan Gwynedd Jones a Gwyn Alf Williams.

Yn y pumdegau, roedd yr hen drefn o gymdeithasu'n dal yn ei hanterth yn Llanuwchllyn – ffrindiau Mam a Dad yn dod acw i swper, a phawb yn canu o gylch y piano wedyn. Pan oedd Menna a minnau'n ddigon hen caem fynd efo nhw ambell waith i gartrefi'r ardal, ac roedd yn bleser cael mynd am de neu swper i fferm Nant y Llyn sydd wrth droed yr Aran Benllyn ym mhen pellaf Cwm Croes, Cynllwyd. Byddai Anti Gwylan yn corddi bob wythnos ac yn gwneud ei menyn, ei bara a'i bara ceirch ei hun. Doedd ganddi hi ac Yncl Bob, ei gŵr, ddim plant. Un o bleserau mawr fy mywyd fyddai mynd i Nant y Llyn yn yr haf a chael te wrth hel y gwair, chwarae efo'r cŵn a cherdded i ben yr Aran. Roedd fel ail gartref i mi.

Roedd yr holl brofiad o gael tyfu i fyny yn Llanuwchllyn yn anhygoel o bwysig – cael fy nhrwytho yn niwylliant gwerin cyfoethog bro uniaith Gymraeg. Yn wir, doedden ni byth yn gorfod siarad Saesneg heblaw mewn rhai gwersi yn ysgol y Bala ac ar ymweliad â llefydd fel Caer, Croesoswallt, Wrecsam a Llanidloes. Roeddwn yn swil iawn wrth siarad yr iaith honno ac yn ceisio osgoi hynny ar bob achlysur, hyd y gallwn. Ond o ddewis astudio'r Gyfraith, fyddai dim modd ei hosgoi wedyn!

O Steddfod i Steddfod

Allech chi ddim osgoi eisteddfodau yn Llanuwchllyn! Diolch byth am hynny, achos dydw i ddim yn gwybod beth fuaswn i wedi'i wneud hebddyn nhw. Does dim byd gwell nag eisteddfod i blant gael arfer ymddangos o flaen cynulleidfa, a gwneud y camgymeriadau sydd raid eu cael allan o'u system wrth ganu ac adrodd – ac yna chwarae efo'u ffrindiau ar ôl gorffen cystadlu! Mae'n ffordd wych, hefyd, o ddysgu sut i golli, sy'n ymarfer gwerthfawr tuag at fywyd go iawn.

Fe fyddwn i'n ennill pan fyddai lwc gyda mi, ond roedd hi'n dasg anodd dysgu derbyn y gwaradwydd o golli a dod dros y clwyf o deimlo bod cam ofnadwy wedi'i wneud â mi gan ryw feirniad twp nad oedd yn gwybod dim oll am fiwsig, ac oedd wedi rhoi'r wobr gyntaf i rywun llawer salach na fi! Yn ôl Dad, 'dysgu sut i golli' ydi pwysigrwydd go iawn y traddodiad eisteddfodol. Meddyliais am hyn yn ddiweddar ar fy ffordd adref o Hwngari, ar ôl bod yno'n beirniadu cystadleuaeth i delynorion o bob rhan o'r byd. Syndod mawr i mi oedd gweld telynores ifanc o Rwsia yn colli'i thymer yn lân ac yn stompio allan o'r neuadd gan fangio'r drws pan sylweddolodd nad oedd wedi cael y wobr gyntaf. Roedd hi'n bell o fod y gorau, beth bynnag. Mae gan y greadures lawer i'w ddysgu, yn arbennig sut i fyw mewn heddwch â phobl eraill y byd!

Yr eisteddfod gyntaf erioed i mi fynd iddi oedd Eisteddfod y Llungwyn yn Llanuwchllyn fis Mai 1949. Bob blwyddyn, byddai pabell yn ymddangos ar gae Pandy Mawr ac yno y dôi pobl o bell ac agos. Penderfynwyd fy mod i gystadlu ar yr unawd i blant o dan chwech oed. Pan ofynnodd yr arweinydd Pat O'Brien i mi o ble roeddwn yn dod, atebais 'o Lanidloes'. Chwerthin wnaeth y gynulleidfa ac aeth hyn at fy nghalon! Newydd symud roedden ni, a dwi'n dal i gofio mor swil ac ansicr roeddwn i'n teimlo. Roeddwn yn argyhoedd-edig fod pobl Llanuwchllyn yn cael hwyl ar fy mhen am imi ddweud fy mod yn dod o le mor od. Dechreuais feddwl bod rhywbeth mawr yn bod ar Lanidloes, ac o'r eiliad honno ymlaen, 'un o Lanuwchllyn' fyddwn i! Roedd acen y Bowyseg yn dal gen i bryd hynny, mae'n siŵr, ond buan yr aeth y 'lodes fêch ddê' yn 'eneth fach weddol dda', a finnau'n dechrau siarad Cymraeg Penllyn. Newidiodd 'shetin' i fod yn wrych, 'ffebrins' yn eirin mair, 'ffald' yn fuarth, 'wtra' yn ffordd – a llawer mwy.

Yr un flwyddyn roedd yr Eisteddfod Genedlaethol yn Nolgellau, ond ches i ddim mynd yno – roeddwn yn dioddef o frech yr ieir! Yn y 'cyfarfodydd bach' y ces i gyfle i fagu hyder i ganu ac adrodd o flaen cynulleidfa. Rhyw fini-eisteddfodau oedd y rhain, a byddai capeli bach ardal Llanuwchllyn – Glanaber, Peniel, Dolhendre, Cynllwyd a 'Sgoldy – yn cynnal eu cwarfod bach eu hunain yn ystod misoedd oer y gaeaf. Byddwn wrth fy modd yn cael mynd i bob un ohonynt i ganu unawd, canu deuawd efo Menna, adrodd, chwarae'r piano ac, wrth gwrs, i wneud mistimanars y tu allan efo plant y pentre! Rhedeg i guddio efo'r bechgyn oedd ein prif ddiddordeb a'n hwyl diniwed.

Byddai Menna a finnau'n canu deuawdau'n aml. Fi, yr hynaf, gâi'r dasg anoddaf o ganu alto. Fedrwn i ddim cyrraedd nodau llawer uwch na'r G uwchben C canol, felly

Menna gâi ran y soprano gan ei bod hi *yn* gallu canu'n uchel. Gwaith Mam oedd dysgu'r caneuon newydd i ni a gorchwyl mwy pleserus Dad oedd rhoi'r polish. Roedd y 'practeisio' yn digwydd yn yr ystafell fyw, a Taid a Nain yn eistedd wrth y tân ac yn dweud eu bod yn mwynhau'n clywed yn canu caneuon fel 'Y Blodyn Gwyn', 'Dwy law yn erfyn' ac 'I orwedd mewn preseb'.

Dwi'n cofio'n dda fod Menna a minnau'n ffraeo llawer yn ystod y cyfnod yma, a rhaid imi gyfaddef y gallwn i fod yn rêl hen gnawes fach! Credwn fod Menna'n cael ffafriaeth gan Mam gan mai hi oedd babi'r teulu, a byddai adeg y practis yn gyfle imi dalu'n ôl trwy sathru ar droed neu binsio pen-ôl yn ddiarwybod. Doedd Mam ddim yn gallu gweld hyn gan ei bod yn chwarae'r piano ac felly a'i chefn tuag atom, a byddai Nain yn cadw f'ochr i bob amser. Aeth pethau'n rhy bell un tro. Dwi'n cofio'n dda i mi roi pwniad anffodus i Menna druan yng Ngŵyl yr Ysgol Sul yn festri Capel Tegid yn y Bala, nes i'r greadures fach hedfan i ben arall y llwyfan, bron. Roedd hi'n ysgafn o ran pwysau a doeddwn i ddim yn hapus ei bod wedi canu rhywbeth yn anghywir!

Yn ystod fy mlwyddyn olaf yn ysgol Llanuwchllyn ffurfiodd Dad a Mam barti deulais, a dyma'r tro cyntaf i mi gael y profiad cyffrous o ganu ar lwyfan Eisteddfod Genedlaethol yr Urdd. Doedd dim rhaid mynd ymhell gan mai yn y Bala roedd yr Eisteddfod yn 1954. Trefniant o 'Merch Megan' oedd y darn gosod, a chawsom y wobr gyntaf! Doedd yna ddim stop arnom wedyn – roeddem wedi gweld y gallem ddod i'r brig yn genedlaethol. Un tro arall, wedi i mi gyrraedd adre, dywedodd Taid: 'It is only in the dictionary that success comes before work.' Neges dda i un a oedd yn llawn ohoni ei hun ar ôl ennill.

Mynd 'o Steddfod i Steddfod' oedd yr unig ffordd o gael profiad perfformio a bwrw prentisiaeth. Gweithgareddau'r Urdd oedd y rhai pwysicaf, a byddai angen ymarferion galôr i fynd trwy'r Cylch a'r Sir i gyrraedd y Genedlaethol. Gweithgaredd pentrefol – nid ysgol – oedd yr Urdd yn Llanuwchllyn, a'r ymarferion yn cael blaenoriaeth lwyr dros bopeth arall. Byddai unawdau, deuawdau, triawdau, pedwarawdau, partïon a chorau i'w hymarfer bob wythnos yn yr Adran, ac wedyn yn yr Aelwyd ar ôl troi'r pymtheg oed, a Dad a Mam yn ein dysgu.

Rhwystredigaeth enfawr i mi oedd mynd trwodd i'r Genedlaethol tua phedair gwaith ar y delyn yn ystod fy arddegau cynnar – a dod yn ail bob tro. Roedd merch dalentog dros ben o Gasllwchwr yn mynnu mynd â'r tlws! Margaret Rees oedd ei henw bryd hynny ond Telynores Llwchwr (Mags Harries) ydi hi erbyn hyn, ac mae'n un o'r telynorion mwyaf naturiol, bywiog a byrlymus y gwn i amdani, er nad aeth ymlaen i chwarae'n broffesiynol. Roedd llawer iawn o gyfeillgarwch cystadleuol ac eisteddfodol rhwng teulu Mags a'm teulu i, gan fod ei mam, Myra Rees, yn dysgu llawer o blant ardal Llwchwr ac yn berson hynod o bwysig i ddiwylliant Cymraeg yr ardal. Yn ddiweddarach astudiodd Mags a Menna gerddoriaeth yr un pryd â'i gilydd yng Ngholeg Prifysgol Cymru, Caerdydd.

Maes o law chwyddodd niferoedd y parti deulais wrth i bawb, bron, o bobl ifanc Llanuwchllyn ddod at ei gilydd i ffurfio côr cymysg. Dad oedd yr arweinydd eto a Gwen Pandy Mawr (fy athrawes piano) yn cyfeilio. Roedd y calendr eisteddfodol yn dechrau bob blwyddyn efo'r cyfarfodydd bach yn ystod misoedd yr hydref, wedyn y gyfres arferol o eisteddfodau'r Urdd o fis Chwefror tan fis Mai, yna Gŵyl yr Ysgol Sul tua mis Mehefin, a'r Eisteddfod Genedlaethol fawr ei hun ddechrau Awst.

Ysgol y werin oedd y cystadlu, a fuaswn i ddim wedi dysgu cynifer o ganeuon gwerin Cymru oni bai am yr holl gyfarfodydd bach ac eisteddfodau lleol ac ati a oedd ym Meirion. Roedden ni hefyd yn canu caneuon gan gyfansoddwyr fel Handel, Haydn a Schubert, gan nad oedd yna unrhyw ffin rhwng un math o gerddoriaeth a'r llall. A diolch byth ein bod wedi cael ein dysgu i ganu â sglein!

Erbyn imi fod yn un ar ddeg oed roeddwn yn gallu cyrraedd pedalau'r delyn, a daeth Heulwen Roberts draw i'r Gwyndy i osod tannau ar y delyn Erard a fu'n sefyll yn segur cyhyd yn y parlwr. Roeddwn yn ffodus iawn i gael athrawes telyn fel Alwena Roberts i'm dysgu. Un arall a gâi ambell wers gan Miss Roberts yn y cyfnod hwn oedd y delynores deires Llio Rhydderch, tra oedd hi'n gwneud ei hymarfer dysgu yn ein hysgol ni a hithau'n fyfyrwraig yn Aberystwyth.

Yn nhŷ prifathro Ysgol Gynradd y Bala, Meirion Jones, ar ôl ysgol ar ddydd Mawrth, y byddai fy ngwersi telyn. Dim ond rhyw ganllath o'r ysgol oedd Frondeg, Ffordd Ffrydan, a chawn de gan Mrs Jones cyn dechrau ar y wers. Bobol bach, ro'n i *mor* swil, ac ofn deud na bŵ na be wrth neb! Roedd merch Mr a Mrs Jones, sef Gwenan Meirion, flwyddyn neu ddwy yn hŷn na fi ac yn ferch glyfar ofnadwy, ac am ryw reswm ro'n i'n swil iawn yn ei chwmni. Erbyn hyn, ffrind ysgol imi o Gorwen, Nia Tudor, sy'n byw yn Frondeg.

Cofiaf fy ngwers gyntaf yn hollol glir, a Miss Roberts yn dangos y tant 'Middle C' coch i mi, gan ddweud bod yn rhaid i mi ddal fy mawd i fyny wrth chwarae'r delyn. *Old Tunes for New Harpists* gan Mildred Dilling oedd y llyfr telyn cyntaf ges i. Roedd llun y delynores enwog o Efrog Newydd mewn gwisg laes hardd yn y llyfr, a phan ddywedodd Miss Roberts wrthyf fod ganddi dros gant o delynau, roeddwn yn *gobsmacked*! Y gân gyntaf erioed imi ei chanu ar y delyn oedd 'Hot Cross Buns' – 'one a penny, two a penny, hot cross buns'!

Telynores Iâl oedd enw Miss Roberts yn yr Orsedd – roedd ei theulu'n hanu o ardal Bryneglwys yn sir Ddinbych. Ond yn Lerpwl y cafodd hi ei geni a'i haddysgu, a bu'n delynores am sbel gyda Cherddorfa Ffilharmonig Lerpwl. Ei hathro oedd Mr Collier, prif delynor y gerddorfa. Cenhadaeth ei bywyd oedd codi statws y delyn i fod yn offeryn ar lwyfannau cyngerdd yn hytrach na bod yn offeryn masweddus mewn tafarndai. Roedd Alwena'n perthyn i'r genhedlaeth a aethai trwy'r Diwygiadau – fel fy nain a'm taid – ac roedd yn llwyrymwrthodwraig ac yn aelod o fudiad y Moral Rearmament. Dynes gadarn ei ffydd ond un ddiymhongar, dawel ac annwyl iawn oedd hi, ac un a roddai flaenoriaeth lwyr i'w disgyblion. Yn ystod y pumdegau, ychydig iawn, iawn o gerddoriaeth brintiedig i'r delyn oedd yna yn y siopau; oni bai am waith arloesol W. S. Gwynn Williams, Llangollen, a chwmni Snell (Abertawe) buasai'n llwm iawn ar gerddorion. Arferai Alwena drefnu cerddoriaeth biano ar gyfer y delyn a chopïo darnau â llaw er mwyn i'w disgyblion gael miwsig i weithio arno. (Roedd hyn cyn dyddiau'r ffotocopïwr, wrth gwrs!) Dwi'n dal i drysori'r copïau hynny'n fawr iawn.

Yn blentyn, doeddwn i ddim yn sylweddoli cymaint oedd ymroddiad Alwena Roberts. Collodd hi a'i chwaer, Sioned, bopeth a feddent yn ystod yr Ail Ryfel Byd, gan i'w cartref ym Mhenbedw gael ei ddifrodi'n llwyr yn y Blitz, a symudodd y ddwy i Bwllheli i fyw. Yno roeddynt pan ddechreuais i gael gwersi gan Alwena. Dyma'n fras batrwm ei theithiau wythnosol i ddysgu'r delyn – pob wythnos yr un fath ym mhob tymor ysgol. O Bwllheli âi i Goleg Bangor, i Hen Golwyn ac Ysgol Howell's, Dinbych, lle câi bachgen ifanc o'r enw Osian Ellis wersi ganddi. Yna ymlaen i Gorwen, y Bala, Dolgellau (Ysgol Dr Williams), Aberystwyth a Llanbedr Pont Steffan, cyn dychwelyd i Bwllheli ddiwedd yr wythnos. Gwnâi hyn i gyd ar fws ac ar drên – *bob wythnos*! Dyna ichi ymroddiad. Byddaf yn aml yn chwysu wrth feddwl y gallai'r bil y byddai wedi'i roi imi am fy ngwersi i a Menna fod yng ngwaelod fy mag ysgol am wythnosau cyn i Mam ei weld. Tair punt y *tymor* oedd pris y gwersi!

Un agwedd fyddai'n destun trafodaeth gan rai o'i disgyblion oedd ei gwisg. Wn i ddim faint o ddillad fyddai ganddi amdani – 'Ma hi fel nionyn' oedd disgrifiad Llywela Post, chwaer y gantores Mary Lloyd Davies, ohoni. Gellid *gweld* côt frethyn drom, costiwm gynnes, twin set wlân a sanau tew. Beth arall oedd o tanynt, Duw'n unig a ŵyr!

Symudodd y ddwy chwaer o Bwllheli i fyw ym Mhlas Hendre, Aberystwyth, ar ddiwedd y pumdegau – i'r 'tŷ coets' a berthynai i Dafydd Miles a'i wraig, Charlotte. Chwaer y diweddar Hugh Griffith ac Elen Roger Jones oedd Charlotte, a mam i Gruff Miles (o fand y Dyniadon) a gafodd ei ladd mor drasig yn ŵr ifanc mewn damwain car. Bethan Miles, y crythor, ydi eu merch ac mae hi'n dal i fyw ym Mhlas Hendre ac yn ffigwr pwysig yng ngherddoriaeth draddodiadol Cymru. Ond yn nhŷ bychan Alwena a Sioned yn Ffordd Glyndŵr y cawn i fy ngwersi telyn pan oeddwn yn fyfyrwraig yn Aberystwyth – roedd yr ystafell mor fach fel nad oedd modd imi godi fy mhenelin dde i ganu'r delyn yn iawn!

Roedd gan Alwena Roberts dunelli o amynedd. Yn dawel a digyffro y byddai'n gweithio, gan osgoi pob clod, rhodres a chyhoeddusrwydd, er mai hi oedd yr athrawes telyn orau yng Nghymru. Dim ond unwaith erioed y gwelais hi'n colli'i limpin, a hynny wedi i mi ddweud wrthi'n llawn hyder fy mod eisiau chwarae *jazz* ar y delyn. Wel! Roeddwn yn meddwl y buasai'n ffrwydro! 'Dydw i ddim wedi treulio fy mywyd yn codi safon y delyn er mwyn gweld un o'm disgyblion yn *gwneud y fath beth,*' meddai. Pechod anfaddeuol, yn amlwg, oedd meddwl am unrhyw ffurf ar gerddoriaeth nad oedd yn barchus ac yn codi proffeil a statws y delyn. Doedd dim *jazz* i fod, a bu raid imi roi'r gorau i'm huchelgais – am y tro.

Roedd gan Alwena un arferiad a'm gyrrai'n wallgof. Byddai byth a hefyd yn canmol ei disgyblion blaenorol am fod yn delynorion gwych, gan roi'r argraff na fyddwn i byth bythoedd yn gallu bod cystal â nhw. Mair Jones, Lerpwl, oedd *yr* eicon. Faint o weithiau y clywais sut yr arferai Mair weithio mor gydwybodol fel y bu iddi basio pob arholiad ag anrhydedd cyn cael ei derbyn i'r Academi Gerdd yn Llundain, ac wedyn ddod yn brif delynores Cerddorfa Ffilharmonig Lerpwl. Roeddwn wedi syrffedu ar glywed ei henw – ond cefais y pleser o gydweithio llawer gyda Mair Jones yn ddiweddarach. Susan Drake oedd un arall, ac roedd hyn hyd yn oed yn waeth gan ei bod ychydig yn iau na mi – ac yn amlwg yn gwneud yn well na mi!

Athrawes drylwyr a gofalus iawn oedd Alwena ac fe roddai sail ardderchog i arddull gerddorol. Anfonai ei disgyblion dawnus ymlaen at Gwendolen Mason yn Llundain – yr un Miss Mason ag y prynodd Dad fy nhelyn gyntaf ganddi. Roedd Alwena'n edmygydd mawr ohoni; faint o weithiau y soniodd wrthyf am Miss Mason yn perfformio gweithiau mawr megis 'La Danse des Fées' gan y Sais Parish Alvars a gweithiau telynorion Ffrainc mewn cyngherddau gwych ar lwyfan yr Eisteddfod Genedlaethol?

Bu dylanwad Alwena Roberts yn drwm arnaf i a 'nghenhedlaeth o delynorion yng Nghymru. Heb ei hymroddiad a'i gwaith caled byddai sefyllfa'r delyn yng Nghymru wedi bod yn dlawd a gwahanol iawn. Doedd yna ddim ond llond dwrn o athrawon telyn ar gael bryd hynny – Freda Holland a Gwenllian Dwyryd yn y gogledd, Beatrice Botterill a Glenys Gordon Fleet yng Nghaerdydd, ac un neu ddau arall. Mor wahanol i 2010 pryd y ceir chwe athrawes telyn yng Nghanolfan Gerdd William Mathias yng Nghaernarfon yn unig – y chwech wedi bod yn ddisgyblion i mi ac felly'n 'wyresau yn y delyn' i Alwena Roberts! Yn dawel fach, byddaf yn aml yn meddwl y byddai Alwena'n hapus iawn o weld yr hyn sydd wedi'i gyflawni yng Nghymru.

Byddwch chi'r darllenwyr yn gwybod, efallai, fod yna Alwena Roberts arall ym myd y delyn yng Nghymru! Alwena James, yn wreiddiol o Lanerfyl, ydi hi a bu'n astudio'r delyn gyda mi yng Ngholeg Cerdd a Drama Caerdydd yn 1972/3. Priododd un o ffrindiau gorau fy ngŵr o gyfnod coleg ym Manceinion, sef Ioan 'Io Mo' Roberts o Ben Llŷn, gan ddod yn 'Alwena Roberts marc tŵ'! Mae hithau wedi bod yn ddylanwadol iawn yn hanes y delyn wrth ddysgu cannoedd ar gannoedd o blant ysgolion Gwynedd ers yr wythdegau cynnar.

Rhaid imi ddweud, ar wahân i bwysleisio bod raid cadw'r bawd a'r benelin i fyny, nad oedd yna ddim llawer o sôn am dechneg yng ngwersi Miss Roberts. Fel gyda'r piano, dysgu'r darnau telyn orau medrwn i fyddwn i'n blentyn, a'r rheiny'n aml yn rhy anodd imi, a laru ar ymarferiadau ac astudiaethau diflas y bonwr Bochsa. Byddwn yn eu dysgu'n anfoddog ac, yn y blynyddoedd cynnar, bu bron i hyn arwain at golli diddordeb yn y delyn.

Cadwem y delyn yn yr ystafell fyw gan ei bod yn gynhesach i mi ymarfer yno, ac er mwyn i Nain a Taid gael fy nghlywed. Rhyw ddeuddeg oed oeddwn i pan ofynnodd Alwena am sgwrs efo Mam, gan holi, 'Ydech chi wir isio i Elinor ddysgu darnau clasurol ar y delyn, ynteu dim ond chwarae alawon Cymreig? Tydi hi ddim yn dod yn ei blaen, a ddim yn ymarfer digon!' Mi ges i dipyn o sioc, ac mae'n dda gen i ddweud imi newid fy agwedd yn llwyr. Gofynnais i Mam a gawn i symud y delyn allan o'r ystafell fyw er mwyn bod ar fy mhen fy hun efo'r delyn yn y parlwr. Dyna pryd y gwnes i ddechrau cymryd fy ngwersi telyn o ddifrif, a dechrau mwynhau ennill mewn cystadlaethau. Fel athrawes, byddaf yn ceisio sicrhau bod fy nisgyblion yn gallu ymarfer yn dawel mewn man ar eu pen eu hunain. Fe synnech cyn lleied o deuluoedd sy'n deall pwysigrwydd cael ystafell fach glyd i ymarfer ynddi. Dydi ymarfer yn sicr ddim yn rhywbeth cyhoeddus – rhywbeth preifat iawn ydi o, ac mae angen canolbwyntio heb bâr neu ddau o glustiau'n gwrando.

Bu raid imi erfyn am rai blynyddoedd ar Dad i ganiatáu i mi gystadlu yn y Genedlaethol. 'Dwyt ti ddim yn barod eto,' fyddai ei ymateb bob tro – tan 1958 ac Eisteddfod gyntaf

Glyn Ebwy. Ces gystadlu ar res o gystadlaethau ac ennill y wobr gyntaf ar y delyn.

Profiad na wnaf byth mo'i anghofio oedd cymryd rhan yn y gystadleuaeth cerdd dant hunangyfeiliant ar y llwyfan yng Nglyn Ebwy, a chael fy nrysu'n lân gan yr eco a ddôi'n ôl ataf o'r system sain amrwd oedd yn yr hen bafiliwn gwyrdd. Anghofiais fy ngeiriau a dyna fi ar f'union allan o'r gystadleuaeth, a'r beirniad, y Prifardd Gwyndaf, yn taeru mai fi fuasai wedi ennill petawn i heb gael yr anffawd. 'Gwêl uwchlaw cymylau amser' gan Elfed ar yr alaw 'Blaenhafren' roeddwn i'n ei ganu. Dwi'n cofio pob eiliad o'r profiad annymunol hyd heddiw, a bu'n dipyn o strygl ceisio 'gweld uwchlaw cymylau amser' a'i anghofio. Ond dyna ni, dyna sut mae dysgu magu croen tew i ddal ati.

Dad fyddai'n mynd â'm chwaer a finnau i eisteddfota gan fod Mam yn gorfod aros adref i edrych ar ôl Nain a Taid. Dwi'n cofio pob eisteddfod fel adegau ffrantic o redeg o brilím i brilím â 'ngwynt yn fy nwrn! Ar ôl Glyn Ebwy, cawn gystadlu bob blwyddyn yn yr Eisteddfod Genedlaethol, a dod i'r brig ar yr unawd telyn bum gwaith yn olynol. Yn y pumdegau ychydig iawn o delynorion oedd yna. Yr enwog Osian Ellis oedd y beirniad dair gwaith allan o'r pump, ac roedd yn garedig iawn tuag ataf. Ar un achlysur, gwaith gan J. S. Bach oedd y darn prawf ac fe benderfynodd mai dim ond y fi oedd yn ddigon da i fynd ar y llwyfan, a dyfarnodd 98 marc allan o 100 imi, chwarae teg iddo! Bu Osian yn ddylanwadol iawn yn fy mywyd yn ddiweddarach.

Gan nad oeddwn yn astudio Cerdd yn yr ysgol, nac ychwaith yn fodlon gwneud arholiadau ar y delyn, cystadlu mewn Eisteddfodau Cenedlaethol oedd yr unig ffordd ymlaen i mi fel cerddor ifanc. Ar wahân i roi ichi lwyfan i ddangos dawn a thalent, ac i fagu hyder, mae cystadlu yn y Genedlaethol yn rhoi cyfle amhrisiadwy ichi gael eich gweld a'ch clywed gan feirniaid sy'n feistri yn eu maes. Ond mi ddes i sylweddoli cymaint sydd yna i'w ddysgu ar *ôl* dod yn fuddugol yn y Genedlaethol. Mae gan bobl ifanc Cymru lawer iawn i fod yn ddiolchgar amdano ond rhaid deall ei bod yn hanfodol gweithio'n galed ar dechneg ac ar ddysgu *repertoire* eang cyn dechrau bod yn gerddor all ennill bywoliaeth o'i grefft.

Wna i byth anghofio'r diwrnod pan dorrodd seinfwrdd fy nhelyn. Oherwydd tyndra'r tannau, mae pwysedd uchel iawn ar seinfwrdd pob telyn. Un diwrnod, a finnau'n ymarfer tuag at ryw eisteddfod neu'i gilydd, teimlais y tannau'n llacio ac yn mynd allan o diwn. Yn sydyn, clywais sŵn rhwygo mawr yn dod o grombil y delyn – roedd y tannau i gyd yn hollol lac a'r seinfwrdd gwreiddiol a wnaed gan Sebastian Erard ei hun tua 1830 yn racs. Roedd y pren wedi sychu a'r bywyd wedi mynd allan ohono mewn ffordd ddramatig iawn. Mae'r atgof yn fyw yn fy meddwl a'r dychryn a'r ofn yn dal yn real iawn. Rhedais at Mam am gysur!

Bu raid mynd â'r delyn i Lundain i'w hatgyweirio gan yr anfarwol John Morley yn Old Brompton Road, Kensington, lle roedd cannoedd o delynau tebyg i 'nhelyn i – y cwbl yn disgwyl i gael eu trwsio gan yr hen Morley. Yn y pumdegau, dyma'r unig le ym Mhrydain ar gyfer atgyweirio telynau, ac ni welai llawer ohonynt olau dydd byth wedyn! Yn y chwedegau, yn sgil galw cynyddol, dechreuodd Gweirydd Derbyshire Roberts wneud gwaith atgyweirio i Gymdeithas Telynau Cymru a George Morris gynhyrchu rhai newydd ym Mhorthmadog. Yn 1963 prynodd Dad delyn Gothig fawr i mi gan Wilfred Smith yn Barnes, Llundain. Prin fod angen dweud fy mod yn fy seithfed nef!

Un o gymeriadau mawr y delyn yng Nghymru yn ystod cyfnod fy mhlentyndod oedd yr anfarwol Nansi Richards, Telynores Maldwyn. Daeth i'r Gwyndy lawer gwaith efo Cecil, ei gŵr, pan oeddynt yn byw yn y Cyffdy, y Parc, a minnau'n blentyn ifanc. Roeddwn wrth fy modd efo'r cymeriad hwyliog yma, a bûm yn ei chwmni sawl gwaith ar lwyfan rhyw eisteddfod neu'i gilydd pan fyddai'n cyfeilio i'r cerdd dant. Roedd cael mynd am bractis i'w chartref ym Mhen-y-bont-fawr yn brofiad gwych. Dwi'n dal i drysori'r darn bach o gerddoriaeth a gyfansoddodd Nansi imi pan oeddwn tuag un ar bymtheg oed. Ffoniodd ein tŷ ni ryw noswaith a chwarae'r darn dros y ffôn i weld a oeddwn yn ei hoffi! Alaw fach ddigon syml ydi hi ond un swynol iawn.

Mae llawer wedi'i ddweud a'i sgwennu am ddawn a phersonoliaeth ffraeth Nansi. Roedd rhyw fywyd arbennig yn ei chwarae a chofiaf fel y byddwn yn mwynhau canu cerdd dant efo hi gan ei bod yn rhoi 'sbonc' yn yr alaw. Gallai cyfeilyddion heddiw ddysgu llawer oddi wrthi yn hyn o beth – mae cymaint o alawon cerdd dant yn cael eu chwarae mewn arddull mor *bland* a difywyd! (Mae'n bosib mai bai'r beirdd ydi hyn am sgwennu barddoniaeth drist sydd, yn ei dro, angen alawon lleddf ac araf; dyna oedd y rheswm a roddwyd i mi un tro gan rywun ym myd cerdd dant, wedi i mi wneud sylw beirniadol fod llawer o'r alawon a ddefnyddir heddiw yn rhai araf a di-fflach!)

Telyn bedal a ddefnyddiai Nansi i gyfeilio ond y delyn deires oedd ei hoff offeryn, a byddwn yn rhyfeddu wrth weld y bysedd hen a chnotiog yn rhedeg dros y rhesi tannau.

Ceisiodd fy mherswadio i chwarae'r deires a daeth â thelyn a wnaed gan rywun yn ochrau'r Bala imi. Ond roedd fy mryd erbyn hynny ar chwarae'r delyn bedal a dim o'r hen gerddoriaeth henffasiwn yna, ac roeddwn yn gweld y delyn arbennig honno'n debyg iawn i ferlen wyllt! Ar fy ymweliad olaf â Phen-y-bont-fawr roedd Nansi mewn gwth o oedran, ei golwg yn ddrwg a llawer o dannau ar goll ar y deires, ond hyd yn oed bryd hynny roedd nwyf arbennig yn ei chwarae.

Cofiaf yn glir fel y byddai Alwena Roberts yn gwneud sylwadau digon crafog a dilornus mai cerddoriaeth werinol 'hawdd' fyddai Nansi yn ei chwarae – yn hytrach na cherddoriaeth glasurol y Meistri, wrth gwrs. Dwi'n siŵr fod yna gryn dipyn o gystadleuaeth broffesiynol rhwng dwy *grand dame* byd y delyn yng Nghymru! Mae'n sicr hefyd nad oedd Alwena'n rhy hoff o bersonoliaeth allblyg yr hen Nansi ac, yn ddistaw bach, ei bod yn eithaf cenfigennus o'i gallu i swyno cynulleidfaoedd mawr wrth chwarae'n ysgafn ar y delyn deires, gan wneud pob math o driciau a champau doniol! Roedd y ddwy ohonynt yn grefyddol iawn, er bod Nansi'n llawer mwy beiddgar. Cofiaf yn dda'r hanesion fyddai ganddi amdani'n dianc i chwarae a dawnsio gyda'r sipsiwn ar nos Sul tra byddai ei mam yn y capel. Roedd hwn mor wahanol i fyd Alwena Roberts – cerddoriaeth glasurol, barchus y Royal Liverpool Philharmonic Orchestra ar y llwyfan mawr yn Lerpwl oedd y math o brofiad cerddorol a gawsai hi yn ei hieuenctid. Roedd Alwena'n ymwybodol iawn o'r parchusrwydd yma ac yn drwm o dan ddylanwad y capeli.

Credai Alwena fod ein cerddoriaeth werin wedi'i hesgymuno i'r lefel isaf yn y tafarndai, a'i delfryd oedd gweld cerddoriaeth y delyn yng Nghymru yn codi i lefel y llwyfan rhyngwladol. Yr enwog John Thomas, Pencerdd Gwalia, oedd un o'r dylanwadau mwyaf arni, a'i drefniannau o 'Bugeilio'r Gwenith Gwyn' a 'Ffarwel y Telynor' oedd y gweithiau cyntaf a gefais ganddi i'w dysgu. Wyddwn i ddim ar y pryd fod yr hen John wedi gorfod troi ei gefn ar y delyn deires pan aeth i astudio yn Llundain . . .

Mae hanes y delyn yng Nghymru yn un hir a difyr, a'r telynorion eu hunain yn gymeriadau lliwgar!

Yn haf 1960 daeth y bennod eithriadol o hapus o fyw yn Llanuwchllyn i ben. Fel dirprwy ysgrifennydd cyffredinol i Undeb Amaethwyr Cymru buasai Dad yn teithio Cymru benbaladr yn sefydlu canghennau newydd, ac yn 1959 cafodd ei ddyrchafu i fod yn ysgrifennydd cyffredinol yn y pencadlys yn Aberystwyth. Gan fod Menna ar ganol ei harholiadau Lefel O a minnau fy Lefel A, rhaid oedd aros yn ysgol y Bala, felly bu Dad yn teithio'n ôl a blaen rhwng Llanuwchllyn ac Aberystwyth am fisoedd.

Ond, yn Awst 1960, symudodd y teulu cyfan (yn cynnwys Taid a Nain oedd mewn gwth o oedran erbyn hynny a'u hiechyd yn fregus iawn) i Erw'r Llan, Ffordd Llanbadarn, Aberystwyth. Rhyw ffawd ryfedd a drefnodd y byddai gweddill fy nheulu'n byw yn y dref honno ar yr union adeg yr oeddwn i'n mynd yno i astudio!

'Stiwdent yn byw adre' fyddwn i yn Aberystwyth, felly.

Ar Lan y Môr

Roeddwn yn hollol bendant fy mod am astudio'r Gyfraith yma yng Nghymru; ar y pryd, Aberystwyth oedd yr unig goleg prifysgol a ganiatâi imi wneud hynny. Cofrestrais yno fel myfyrwraig ddwy ar bymtheg oed ddiwedd Medi 1960.

Yr Athro Llywelfryn Davies, arbenigwr ar Gyfansoddiad Prydain, oedd pennaeth yr adran, ac yn nyddiau olaf yr Ymerodraeth Brydeinig roedd y 'British Constitution' yn beth pwysig iawn. Dyn byr o gorff ac annwyl iawn oedd o – 'Llywelfryn' i bob un o'i fyfyrwyr. Cofiaf ei ddarlith gyntaf yn dda a'r pwysigrwydd mawr a roddai i'r ffaith mai cyfansoddiad anysgrifenedig ydi un Prydain, a'i fod yn dal i ddatblygu.

Roedd darlithwyr eraill disglair iawn yn Aber bryd hynny – pobl megis Graham Hughes, Hywel Moseley, Harry Calvert a Bernard Randell. Pedwar ar hugain o fyfyrwyr oedd yn fy mlwyddyn i, yn cynnwys Huw Daniel (Arglwydd Raglaw Gwynedd heddiw), Geraint Jones (Twm Trefor), Gareth Jones o sir Fôn (a fu mewn swydd uchel gyda Banc y Byd yn Washington), a Gareth Howell o'r Mudiad Llafur Rhyngwladol (cadeirydd Cymdeithas Gymraeg Washington ar hyn o bryd). Roeddwn yn ffrindiau mawr efo Catherine Muir o sir Fôn (Catherine Lawson erbyn hyn). Mae fy nghyfeillgarwch â hi ac â'r tair merch oedd yn yr un flwyddyn â fi – Avril Harries a Mair Thomas o Rydaman a Della Jenkins o Brighton – wedi para hyd heddiw.

'Freshers' weekend' oedd enw penwythnos y glas bryd hynny. Llywydd y myfyrwyr oedd dyn ifanc sydd yn un o'm ffrindiau gorau hyd heddiw – Aneurin Rhys Hughes. Roedd ei gyfaill mawr Hywel Ceri Jones yn un o'r myfyrwyr hŷn a âi â'r glasfyfyrwyr o gwmpas y coleg (ac a wnâi lygaid awgrymog iawn ar y merched bach newydd!). Un o brif bleserau bywyd ydi gwybod bod ein cyfeillgarwch yn para o hyd ac wedi dyfnhau gydag amser, a bod Eluned, fy merch, yn ffrindiau da efo Hannah, merch Hywel a Morwenna. Mae Hannah yn un o is-lywyddion cwmni enfawr Nike yn America.

Wrth imi ddod allan o ddarlith gyntaf Llywelfryn Davies yn y coleg, roedd ymwelydd yn disgwyl amdanaf gyda neges gan gynhyrchydd rhaglenni cerdd o'r BBC yn gofyn i mi fynd am wrandawiad i Gaerdydd ar gyfer rhyw raglen newydd o ganu poblogaidd. Heb hyd yn oed drafod y mater efo'm rhieni, gwrthodais gan ddweud y byddai hyn yn sicr o dorri ar draws fy addysg a'm bod am ganolbwyntio ar fy ngyrfa academaidd. Mae'n debyg fod y cynhyrchydd wedi fy nghlywed yn canu ar raglen deledu o'r Eisteddfod Genedlaethol, ac yn meddwl y gallwn fod yn 'hit' fel cantores boblogaidd, ond doedd hynny ddim ar fy nghardiau i! Yn 1960, roedd canu poblogaidd Cymraeg yn gyfyngedig i rai fel Sassie Rees – doedd Dafydd Iwan ddim wedi dechrau protestio, heb sôn am ganu caneuon protest – a doedd gen i ddim uchelgais yn y cyfeiriad hwnnw beth bynnag. Rhyw seren wib fuaswn i wedi bod petawn i wedi mynd amdani; llwyddiant am flwyddyn neu ddwy, efallai, ac wedyn ar y clwt. Roeddwn am ganolbwyntio ar y Gyfraith a bod o ddifrif.

Ond byrhoedlog fu fy mrwdfrydedd cyfreithiol, yn

anffodus. Ar ôl rhyw chwech wythnos, roeddwn yn awyddus i adael y Gyfraith ac ymuno â'r Adran Hanes neu'r Adran Saesneg. Cerddoriaeth roeddwn i eisiau ei astudio yn y bôn, ond allwn i ddim gwneud hynny gan nad oedd gen i gymhwyster addysgol yn y pwnc o ganlyniad i'r dewisiadau anffodus yn yr ysgol.

Cyfaddefais i Dad mai camgymeriad oedd mynd i astudio'r Gyfraith a'm bod yn eithriadol o anhapus fel stiwdent. Roeddwn wedi diflasu'n barod ar y gwaith sych, trwm ac anghreadigol, a'r holl ffeithiau di-ben-draw oedd yna i'w dysgu am yr achos hwn a'r achos arall – yn 'Criminal Law', 'Contract Law' a 'Constitutional Law'. Ar ôl awr neu ddwy o gerdded yn ôl a blaen ar hyd y Prom, perswadiodd Dad fi i beidio â rhoi'r gorau iddi, gan ddweud y byddai'r hyfforddiant yn help i mi feddwl yn glir ac y byddai gradd yn y pwnc yn agor pob math o ddrysau ymhen llai na thair blynedd. I mi, roedd gwneud hynny'n groes i'r graen ond doeddwn i ddim eisiau bod yn *quitter*! Gobeithiaf fod dal ati, er mor anhapus oeddwn i, wedi fy ngwneud yn berson cryfach a mwy penderfynol.

Gan fy mod yn byw adref roedd cadw'r ddysgl yn wastad rhwng bywyd cymdeithasol y coleg a bywyd teuluol yn hynod o anodd ar brydiau. Fy mhroblem arbennig i oedd y ffaith fod yn rhaid i mi fod yn y tŷ cyn hanner awr wedi deg bob nos – gwrthodai Mam fynd i'r gwely nes byddwn i i mewn yn saff! Teimlwn annhegwch mawr fod fy nghyfeillion yn rhydd i wneud fel y mynnent, ond y gwir amdani oedd fod yn rhaid iddynt hwythau sicrhau eu bod i mewn yn yr hostel cyn deg neu un ar ddeg bryd hynny.

Roeddwn yn aelod o Aelwyd yr Urdd, Aberystwyth, ac roedd disgwyl i mi fynd i lawer o gyngherddau gyda'r côr. Yr arweinydd yma eto oedd Dad! Mi gollais sawl digwyddiad yn y coleg (heb sôn am orfod gwrthod gwahoddiad ambell 'bishyn' i fynd am dro efo fo) er mwyn mynd i gadw cyngerdd ym Mhonterwyd, Tregaron, Machynlleth ac ati.

Yn ystod gwyliau'r coleg cawn gwmni un o feibion fy arwr, Syr Ifan. Roedd Prys Edwards yn byw'n agos ac angen cwmni pan fyddai yntau adref ar wyliau. Roeddwn yn hapus iawn i dreulio nosweithiau yn ei gwmni hwyliog, ac mae'r cyfeillgarwch yn parhau gydag ef a'i wraig, Cath.

Bu Nain farw ar y 30ain o Ragfyr 1960, ychydig fisoedd ar ôl inni symud i Aberystwyth. Credaf i'r symud fod yn ormod iddi a dirywiodd ei hiechyd yn gyflym. Ar ddiwedd ei dyddiau cafodd ddychwelyd i dir ei mebyd a'i chladdu gyda'i theulu a'i chydnabod ym mynwent y Graig, Penffordd-las. Bu Nain yn ddylanwad mawr iawn arnaf a diolchaf am ei haddfwynder, ei dewrder a'i dygnwch yn wyneb yr holl boen a ddioddefodd. Fe'i clywn yn crio'n aml pan âi bywyd yn ormod iddi, ond chollodd hi erioed mo'i ffydd yn ei Duw er na fu'n abl i fynychu gwasanaeth mewn capel am flynyddoedd lawer. Hyd heddiw, bydd lwmp mawr yn fy ngwddw a dagrau yn fy llygaid pan gofiaf am ei chyflwr truenus a'i hysbryd anorchfygol. Dysgodd gymaint imi. Un peth dwi'n ei gofio ydi iddi adael llyfr ar foesau merched ifanc mewn lle y buaswn yn sicr o ddod ar ei draws yn y tŷ pan oeddwn tua phymtheg oed ac yn canlyn. Hi hefyd ddysgodd imi sut i dorri bara'n denau, a sut i weu a gwnïo'n daclus – gan ddweud, pan fyddwn yn gyrru cynnyrch i gystadleuaeth, 'Ofynnith neb iti pa mor hir fuest ti wrthi. Gwna di'n siŵr fod popeth mor berffaith ag y gallith fod.'

Bu Taid fyw am dair blynedd ar ôl Nain, a dioddef cystudd

hir ac anodd. Collodd ei feddwl a chafodd ei gaethiwo i ysbyty. Gofid a thorcalon i Mam oedd gweld ei thad-yng-nghyfraith yn gorwedd mewn gwely ysbyty fel baban wedi'i rwymo, gan ei fod yn dioddef stormydd erchyll yn ei ymennydd ac yn mynd yn wyllt tra byddai'r rhain yn effeithio arno. Yn Rhagfyr 1963 cludwyd Arthur Bennett Owen yn ôl i'w filltir sgwâr at ei gymar oes – y ddau i orwedd yn agos at gartrefi eu mebyd, a'r cylch wedi troi'n gywrain o grwn. Diolch na chawsant fyw i weld eu cartref cyntaf fel pâr priod yn diflannu o dan ddŵr Llyn Clywedog, na gwybod dim am y genyn etifeddol a gariai Nain a fyddai ymhen rhyw ddeuddeng mlynedd ar ôl ei marw yn ei amlygu'i hun yn ei gorwyrion, gan achosi galar a thrallod i'r wyres fach a garai gymaint.

Roedd bywyd yn Aber yn gyfoethog, yn amrywiol ac yn llawn hwyl. Wrth gwrs, roedd astudio'r Gyfraith yn waith caled; er mai ychydig o ddarlithoedd a gaem roedd yn rhaid treulio oriau ac oriau yn y llyfrgell yn dysgu am achosion cyfreithiol ac astudio pynciau dyrys fel Jurisprudence, Equity a Tort! Y gwersi telyn gan Alwena fyddai'n fy nghadw'n gall ac yn rhoi pwrpas i fywyd. Cawn hefyd wersi canu gan Redvers Llewelyn, a wnâi imi ganu fel soprano gan wylltio Dad yn gacwn. 'Alto wyt ti,' meddai, 'ac mi fydd y dyn yna wedi sbwylio dy lais!'

Ar ddiwedd fy mlwyddyn gyntaf, derbyniais wahoddiad i ymuno a chôr y myfyrwyr – yr Elizabethan Madrigal Singers, neu'r 'Mads'. Arferai aelodau'r côr fynd i dafarn ar ôl ymarfer, ac awn innau yno heb yn wybod i Mam a Dad. Ond un noson, wrth i mi ddod allan o'r dafarn, pwy ddaeth heibio yn y car a'm gweld yn llenwi'r ffenest ond Mam a

Dad. Achosodd hyn ofid dirfawr i Mam a chadwodd i'w gwely am ddyddiau. Ond roedd cymdeithas yn newid a bu raid i Mam dderbyn fod ei merch am fyw ei bywyd ei hun.

Roedd y côr yn cynllunio taith i'r Unol Daleithiau yn ystod haf 1961 ac yn awyddus i gael aelod o'r côr i ddifyrru'r Americanwyr ag alawon gwerin Cymreig a cherdd dant. Neidiais at y cynnig ond bu raid gweithio i godi arian ar gyfer y daith, a bûm yn gweini ac yn glanhau llofftydd yng Nghanolfan yr Urdd ym Mhantyfedwen, y Borth, am rai wythnosau. Ches i ddim llawer o gyflog yno ond mynd i'r Amerig wnes i heb lawer mwy tu cefn imi na llygoden eglwys – a chael profiadau hollol anhygoel.

Cyn mynd, roedd o leiaf un cyhoeddiad arall pwysig yn galw. Roedd y delynores Ann Griffiths a'i gŵr, y diweddar Dr Lloyd Davies, wedi trefnu cwrs ar gyfer telynorion ifainc yn ei chartref hyfryd, Pantybeiliau ger y Fenni, ym mis Gorffennaf 1961. Dyma'r tro cyntaf i Ysgol y Delyn gael ei chynnal, ac mae'n anodd credu bod hanner canrif ers hynny. Bu'r gwaith a wnaed yno'n ddylanwadol iawn ac yn gatalydd i'r twf enfawr ym maes y delyn yng Nghymru. Agorwyd fy meddwl, a dysgais dechneg na wyddwn ddim amdani cyn hynny. Roedd Ann Griffiths wedi ennill y Premier Prix yn y Conservatoire National de Musique ym Mharis flwyddyn neu ddwy ynghynt, ac roedd yn awyddus i rannu'r addysg a gawsai yno â thelynorion ifanc yng Nghymru. Gwahoddodd delynores flaenllaw o Ffrainc, Elizabeth Fontan-Binoche, i ddod ati am wythnos i roi gwersi ar dechneg y delyn. Y dechneg Ffrengig yn ei dull puraf a ddysgwyd inni, a dwi'n dal yn ddiolchgar iawn i Madame Fontan-Binoche am fy nghyflwyno i'r pwysigrwydd o feithrin techneg gref er mwyn datblygu sain dda: *facilité, articulation et souplesse*! Cawsom hefyd ddarlith am gerddoriaeth gynnar y delyn yng Nghymru – am waith cyfrin Robert ap Huw, am delynau rhawn ac am Feirdd yr Uchelwyr – a chafwyd llawer iawn o hwyl. Ymhlith eraill oedd ar y cwrs roedd Sian Morgan (Caerdydd), John Thomas (Caldicot), Eleri Owen (y Tymbl), Buddug Davies (Aberporth), Delyth Morgan (Pontarfynach), Susan Drake (sir Benfro ar y pryd) a Bronwen Marsden (Bronwen Bhabuta o Fanceinion wedyn). Gyda chymorth Elfyn Jones, Tywyn, ynghyd â Rhian a Robin James Jones, trefnodd Ann a Lloyd gyrsiau Ysgol y Delyn bob blwyddyn tan ganol y saithdegau a chefais y pleser a'r anrhydedd o ddysgu mewn sawl un.

Mae telynorion a cherddorion Cymru yn ddyledus iawn i Ann Griffiths a'r diweddar Dr Lloyd Davies am wneud cymaint o waith gwirioneddol wych dros ein diwylliant, yn cynnwys sefydlu cwmni Adlais i gyhoeddi cerddoriaeth telyn (cwmni oedd yn parhau â gwaith clodwiw Cymdeithas Telynau Cymru). Gyda threigl amser datblygodd cyfeillgarwch hyfryd rhyngom. Dwi'n falch o allu canu clodydd Ann a chofio ar yr un pryd iddi ddioddef poen corfforol enbyd. Cofiaf yn dda fel y bu iddi gael ei rhuthro mewn ambiwlans o Ysgol y Delyn ym Mangor yn 1971 i ysbyty Manceinion lle cafodd lawdriniaeth ddwys ar ei chefn. Arwydd o gryfder a phenderfyniad arwrol y wraig ddawnus yma ydi iddi droi ei golygon tuag at waith fel hanesydd ym myd y delyn. Hi, yn anad neb, a ddeffrodd y diddordeb yn y delyn deires, a daeth yn arbenigwraig ar yr offeryn. Dywedodd Nansi Richards fod 'clogyn Gwenynen Gwent wedi disgyn ar ei hysgwyddau', a gwir y gair.

Ond yn ôl i flwyddyn brysur 1961! Cefais wahoddiad i fod yn aelod o'r Orsedd gan Cynan, yr Archdderwydd, ac roedd rhai aelodau o'r teulu'n teimlo'i bod yn bwysicach imi fod yn bresennol yn Eisteddfod Genedlaethol Rhosllannerch-rugog i dderbyn y Wisg Werdd er anrhydedd ac i chwarae yn y seremonïau na galifantio i America gyda chôr o fyfyrwyr. Ond doedd gen i'r un tamaid o amheuaeth mai i America roeddwn am fynd, felly i ffwrdd â mi a chafodd rhywun arall chwarae yn yr Orsedd. Ond mi ges i'r Wisg Werdd – *in absentia*!

Trefnydd y daith oedd y diweddar gyfaill annwyl J. Mervyn Williams (Merv), a aeth wedyn at y BBC ac a sefydlodd gystadleuaeth Canwr y Byd Caerdydd a chwmni teledu Opus. Arweinydd y côr oedd Roy Bohana, a benodwyd yn fuan ar ôl y daith yn Gyfarwyddwr Cerdd cyntaf Cyngor Celfyddydau Cymru pan oedd hwnnw'n rhan o Gyngor Celfyddydau Prydain. Un ar hugain ohonom oedd yn y côr, yn ferched a dynion ifanc o Gymru, yn eu plith Beti Rees (George wedyn), Joan Wyn Hughes (merch y 'Co Bach'), Margaret Jones (Daniel yn ddiweddarach, arweinydd corau yn ardal Aber-porth a chwaer y bardd Dic Jones), Rhiannon Bell (ddaeth yn wraig i Merv), Rhiannon Morgan (Steeds erbyn hyn), Ina Tudno Williams, Huw Lewis (prifathro Ysgol Maes Garmon, yr Wyddgrug, yn ddiweddarach) a Llinos Jones (ddaeth yn wraig i'r gwleidydd Cynog Dafis).

Roedd yr holl brofiad yn America yn agoriad llygad rhyfeddol i bawb ohonom, ond mae'r daith i Efrog Newydd yn rhan o hanes. Yn Gatwick cawsom awyren hen iawn gan President Airlines (DC-6B, a ddylasai fod mewn amgueddfa) a mynd tua Amsterdam cyn croesi Cefnfor Iwerydd. Ysgrifennodd un aelod o'r côr iddo weld fflamau a mwg yn dod allan o'r injan. Roedd y siwrne'n un hir ac anodd, a llawer o 'bocedi aer' yn peri i'r awyren fynd i fyny ac i lawr fel olwyn fawr mewn ffair. Bu raid galw heibio maes awyr Shannon i gael mwy o danwydd, a chymerodd un awr ar ddeg inni groesi Cefnfor Iwerydd o Iwerddon i Gander, Newfoundland, lle bu raid llenwi'r tanc unwaith eto a glanio gyda llawer iawn o 'bymps'. Trwy ryw wyrth, ac ar ôl gwrando ar sŵn od iawn yn dod o'r awyren, daethom i lawr yn ddiogel ym maes awyr Idlewild, Efrog Newydd – maes awyr Kennedy erbyn hyn. (Gwelaf yn fy nyddiadur imi gamgymryd yr enw gwreiddiol a nodi mai yn yr 'Isle o'Willey' y glaniodd yr awyren!) Yn Idlewild, ces sioc o weld drws otomatig yn agor wrth inni gerdded tuag ato, a chael dŵr allan o dap wrth roi cwpan oddi tano. Cawsom fws i fynd â ni heibio i adeiladau'r Cenhedloedd Unedig a'r Empire State Building a thros bont Brooklyn i aros ar y nawfed a'r degfed llawr yn Livingston Hall, Prifysgol Columbia. Bobol bach, roedd hi'n boeth, a'r *air con* yn gorffen ar yr wythfed llawr!

Rai dyddiau'n ddiweddarach clywsom fod ein hawyren wedi cael damwain erchyll wrth hedfan yn ôl i Ewrop, a phob un o'r 83 myfyriwr oedd ar ei bwrdd wedi'u lladd. Yn y cyfnod hwnnw roedd yn rhaid bwcio galwadau trawsiwerydd ymlaen llaw ac ni yrrwyd neges yn ddigon buan at y prifathro, Syr Thomas Parry, ac awdurdodau'r coleg yn Aberystwyth i ddweud ein bod wedi cyrraedd yn ddiogel cyn iddynt glywed am y drasiedi enfawr a'r gyflafan yn afon Shannon. Daeth ton o dristwch a galar dros y côr am y myfyrwyr oedd wedi colli eu bywydau yn Iwerddon, a chredaf i bob un ohonom yrru gweddi daer o ddiolch am gael ein harbed, gan sylweddoli bod bywyd yn fraint – ac yn frau.

Bu'r côr yn cynnal cyngherddau am ddeufis yn yr Unol Daleithiau gan deithio mewn bws Yankee Trails o Efrog Newydd i fynyddoedd y Poconos, Manchester (Vermont), Utica, Granville, Philadelphia, New Harmony (Indiana), Chicago, Rhaeadr Niagara, London (Ontario), Detroit a llawer man arall. Dwi bron yn siŵr mai ni oedd y côr cyntaf o Gymru i fynd ar daith ganu i'r Unol Daleithiau, ac i gyflwyno eitemau yn y Gymanfa Ganu genedlaethol.

Flynyddoedd yn ddiweddarach, cefais ar ddeall gan un o Gymry blaenllaw America mai ar ôl inni gyrraedd y wlad y gwnaed y rhan fwyaf o'r trefniadau, a bu'r cyfaill arbennig hwn ar y ffôn am oriau yn ceisio trefnu cyngherddau a llety inni gyda chymdeithasau Cymraeg ar hyd a lled gogledd-ddwyrain UDA a Chanada! Mewn prifysgolion a chyda theuluoedd o gefndir Cymreig yr oeddem yn aros. Roeddwn i'n hapus iawn fy myd yn Vermont, yn aros gyda dwy ferch arall o'r côr yn *lodge* hela moethus y seneddwr lleol, Carlton Howe. Dyma'r tro cyntaf i mi weld a defnyddio *hi-fi* i chwarae recordiau a pheiriant i olchi llestri, ac roedd pwll nofio yn yr ardd a pheunod yn ein deffro bob bore.

Bu rhai o aelodau'r côr yn canu mewn cynhyrchiad o'r opera *Rigoletto* gan Verdi yng nghanolfan y celfyddydau yn Manchester oedd newydd gael ei hadeiladu bryd hynny, ond sydd erbyn hyn yn enwog yn yr Unol Daleithiau. Tra oeddem yn Vermont aeth si ar led fod rhywun dylanwadol am drefnu inni ganu yn y Tŷ Gwyn yn Washington i'r Arlywydd newydd ifanc a charismataidd, ond ni wireddwyd ein breuddwyd o gael swyno JFK â'n cerddoriaeth! Gyda llaw, y diwrnod y gadawsom Manchester – y 13eg o Awst 1961 – y dechreuodd comiwnyddion y Deutsche Demokratische Republik ar y gwaith o adeiladu wal Berlin.

Trwy garedigrwydd Cymraes o Chicago, trefnwyd i mi, Joan, Margaret a Rhiannon Morgan o'r Wyddgrug ymweld â ffatri telynau Lyon & Healy – prif wneuthurwyr telynau'r byd ar y pryd cyn i Victor Salvi agor ei ffatri yn yr Eidal a chymryd Lyon & Healy drosodd. Dysgais lawer am y delyn yn ystod yr ymweliad yma a chofiaf yn dda am y gofal a gymerai'r gweithwyr wrth wneud y rhannau metel a rhoi'r addurniadau *gold leaf* ar yr offerynnau. Telyn o'r ffatri yma a roddwyd yn anrheg i Nansi Richards pan ymwelodd hi â'r Unol Daleithiau tua 1919. Bu raid i Nansi yrru'r delyn yn ôl i Chicago pan sylweddolodd nad oedd ganddi ddigon o arian i dalu'r dreth i ddod â hi i mewn i Brydain! Yn anffodus, ches i ddim cynnig un, ond mi wnes i brynu telyn Lyon & Healy hyfryd yn 1968 – caf gyfle i sôn am honno eto.

Repertoire gymysg oedd gennym yn ein cyngherddau: motets gan Palestrina, Byrd a Vittoria, ynghyd â madrigalau gan Dowland ac unawdau o operâu ac oratorios yn yr hanner cyntaf, a cherddoriaeth o Gymru (gan gynnwys alawon gwerin gen i, ran amlaf, neu gan Beti) yn yr ail. Roedd gen i ryw obaith cyn mynd ar y daith y buaswn wedi gallu dod o hyd i delyn yn rhywle ond ofer fu'r chwilio! Canu'n ddigyfeiliant fyddai'r côr a Joan Wyn Hughes fyddai'n rhoi'r traw gan fod ganddi draw perffaith. Roedd gofyn i mi gyflwyno'r caneuon gwerin Cymraeg yn Saesneg, wrth gwrs, a sawl tro ces drafferthion dybryd wrth geisio cyfieithu geiriau caneuon megis 'Y Ddau Farch' – eglurwn fod ceffylau'n arfer sgwrsio â'i gilydd ar fynyddoedd Cymru!

Ymhlith uchafbwyntiau'r daith roedd recordio ym Manhattan yn stiwdio enwog Toscanini a Cherddorfa

Ffilharmonig Efrog Newydd, mynd ar goll yn Haarlem (meddyliwch!), a chael gwahoddiad i ganu yn y cysegrfan a godwyd i goffáu 'tad sosialaeth' – Robert Owen o'r Drenewydd – yn y dref y bu'n gyfrifol am ei sefydlu, New Harmony, Indiana.

Cawsom fordaith adref ar long myfyrwyr a gâi ei chynnal gan griw o Japan. Cymerodd naw diwrnod inni hwylio o Efrog Newydd i Southampton ar yr *SS Waterman*, ac aeth sawl llong heibio i ni er eu bod wedi gadael Efrog Newydd ddyddiau ar ein holau! Ar y 18fed o Fedi daeth y newyddion sobreiddiol ar dâp y llong fod Ysgrifennydd Cyffredinol y Cenhedloedd Unedig, Dag Hammarskjöld, wedi'i ladd mewn damwain awyren DC-6B yn Ndola yng ngogledd Rhodesia (Zambia, bellach) – yr un math o awyren ag a aethai i lawr yn Shannon chwe wythnos ynghynt. Codwyd ofn a dychryn arnom a ninnau mewn llong ar Gefnfor Iwerydd ar ganol y Rhyfel Oer. Erbyn hyn roeddwn yn dyheu am gael cyrraedd adre'n saff, ac ar ôl sawl storm a llawer ohonom yn sâl, gwelsom Land's End ar yr 21ain o Fedi. Roedd hi wedi bod yn daith hollol anhygoel, a hyd heddiw diolchaf am y cyfle gwych yma a oedd yn fodd i ffurfio cymeriad ac i agor llygaid.

Bûm yn aelod o'r 'Mads' am weddill fy nghyfnod yn y coleg ac yn ystod haf 1962 trefnais daith i'r Eidal. Aeth un o fysys y Brodyr Evans, Llangeitho, â ni dros fwlch enwog y Grand St Bernard (ymhell cyn i'r twnnel gael ei adeiladu) gan ddilyn taith Hannibal yr holl ffordd i Milan, Fflorens, Siena a Pisa. Erbyn diwedd y daith roedd y gyrrwr, Dai Evans, wedi ymuno'n swyddogol â'r côr! O'i gymharu â'r croeso brwdfrydig a chynnes a gafodd y côr yn yr Unol

Daleithiau, digon llugoer oedd yr ymateb yn yr Eidal – yn debycach i'r hyn a gaem yng Nghymru!

Fel y crybwyllais eisoes, ym Môr y Canoldir yn 1962 y dysgais nofio. Un peth cofiadwy arall am y daith honno oedd i ni ferched gael sawl pinsiad ar ein penolau yn Fenis . . .

Ym mis Hydref 1962, cofiaf fy mod yn eistedd yn llyfrgell Adran y Gyfraith ar y Prom yn Aber yn syllu allan dros y môr tra oedd cychod Rwsia yn hwylio tuag at Giwba yn llawn o daflegrau niwcliar, gyda'r bwriad o greu safle niwcliar yng Nghiwba i fygwth dinistrio'r Unol Daleithiau. Roeddwn bron yn methu anadlu gan ofn. Ond cyn diwedd y mis daeth y newyddion fod Krushchev wedi penderfynu galw'i fflyd yn ôl, a dechreuais anadlu unwaith eto. Sefydlwyd *hotline* rhwng arweinyddion y ddwy wlad yn dilyn yr argyfwng, a rhyfedd meddwl fy mod yn adnabod un o'r bobl fu'n gweithio ar y 'llinell boeth' honno – Bob Roser, sy'n siarad Cymraeg yn rhugl erbyn hyn ac yn byw yn Washington.

Roedd Erw'r Llan, ein cartref ni yn Aberystwyth, union dros y ffordd i gartref yr Athro Richard Aaron a'i deulu o bump o blant – Margaret, William, Gwen, Jane a John. Gwen oedd yr un oed â mi ac yng ngholeg Aber yn astudio Ffiseg. Roedd gennym drefniant i swotio hefo'n gilydd! Rhoddwn bot blodau plastig ar sil ffenest fy llofft fel arwydd i Gwen yr hoffwn gael ei chwmni i ymdopi â phwysau trwm y Gyfraith, a byddai Gwen yn ymddangos yn fuan ar ôl i'w thad roi bloedd arni! Mae ei brawd Wil wedi bod yn un o gonglfeini S4C a braf ydi gallu dweud ein bod yn ffrindiau ac wedi cydweithio llawer ar raglenni megis *Pencerdd* yn y nawdegau.

Un arall a ddeuai ataf i gadw cwmni wrth astudio oedd fy nghyfeilles o Ysgol Merched y Bala, Gwenda Roberts, Pen-y-bont, Corwen. Mae'n adnabyddus bellach fel Gwenda Griffith, sefydlydd cwmni Fflic ac un o'n prif gynhyrchwyr ers dechrau'r Sianel.

Dydw i ddim wedi sôn eto am fy nghariadon yn Aberystwyth! *Roedd* yna ambell un ar waetha'r 'byw adre'. I arbed embaras wna i ddim enwi neb, dim ond nodi Ianto, John a Dai – ond bu sawl un arall hefyd!

Yn ystod haf 1963 trefnwyd taith i Wiesbaden yn yr Almaen gan barti dawns Aelwyd yr Urdd, Aberystwyth. Roedd angen telynores arnyn nhw ac roeddwn innau'n falch o'r cyfle. Gwennant Davies (Mrs Gillespie wedyn) oedd yr hyfforddwraig, a'r un a roddai fywyd ym mhob parti. Roedd Gwennant fel aelod o'n teulu ni gan ei bod yn byw mewn fflat ar lawr uchaf Erw'r Llan; mae'n dal i fyw yn Aberystwyth, a phleser yn gynharach eleni oedd cael bod yn y parti i ddathlu ei phen-blwydd yn gant oed.

Deuai rhai o bobl ifanc yr Aelwyd fel Peter Hughes Griffiths a'r diweddar John Garnon acw'n aml i gael sgwrs efo Dad a Mam. John Garnon oedd y cyfaill a ddioddefodd gymaint o fflac gan aelodau Cymdeithas yr Iaith pan gyflwynodd y Tywysog Siarl i'r gynulleidfa yn Eisteddfod yr Urdd Aberystwyth yn 1969, blwyddyn yr Arwisgiad bondigrybwyll. Iddo fo y gwerthodd Dad fy nhelyn fach gyntaf yn 1963. Dydw i ddim yn cofio faint dalodd John amdani – tipyn mwy na'r £30 a gostiodd hi yn 1949, mae'n siŵr!

Bu Joan Wyn Hughes a minnau'n ffrindiau agos hyd ei marwolaeth annhymig o ganser yn 2006, ac mae'r golled yn enfawr i'w chyfeillion ac i Gymru. Fel y soniais, merch yr enwog 'Co Bach' o'r Felinheli oedd hi – merch ddawnus a chlyfar iawn. Y tro cyntaf inni fod efo'n gilydd oedd yn stiwdio'r BBC ar Ffordd Casnewydd, Caerdydd, mewn rhaglen deledu o'r enw *Y To sy'n Codi* a gâi ei chyflwyno gan Ifan O. Williams – y ddwy ohonom wedi cael gwahoddiad i fynd ar y rhaglen yn dilyn ein llwyddiant yn Steddfod 1960. Bu'r rhaglen yn fan cychwyn i gyfeillgarwch a gryfhawyd yn y coleg yn Aberystwyth, ac a barhaodd am oes. Aeth Joan i ddysgu yn Brighton ond daeth adref i Gymru pan gafodd ei phenodi'n drefnydd cerdd yng Ngwynedd yn 1976. Bu'n gefn ac yn ysbrydoliaeth i mi lawer gwaith wrth drafod materion addysg gerddorol yng Ngwynedd, ac yn fy mywyd personol. Dwi'n ei cholli'n fawr iawn.

Llwyddais rywsut i gael gradd LLB gydag anrhydedd yn y Gyfraith yn 1963, a derbyn fy sgrôl gan y prifathro, Dr Thomas Parry, yn y seremoni raddio yn Neuadd y Brenin, Aberystwyth. Cefais hefyd ysgwyd llaw yn y seremoni â Llywydd y Coleg, Syr David Hughes Parry, ein cyn-landlord yn Llanuwchllyn.

Ond doedd gen i ddim syniad beth fyddai'r cam nesaf. Roedd hon yn groesffordd go iawn.

London Calling!

Roedd Avril Harries a Mair Thomas, fy nwy ffrind yn Adran y Gyfraith yn Aberystwyth, am wneud cwrs cyfreithiol pellach i gymhwyso i fod yn dwrneiod. Gan nad oedd gen i well syniad beth i'w wneud efo gweddill fy mywyd, cymerais innau'r penderfyniad cyfeiliornus i'w hefelychu. Roeddwn wedi bod yn rhyw led-chwarae â'r syniad o fynd i faes gwasanaethau cymdeithasol ar ôl graddio ond ddaeth dim o hynny.

Cofrestrais yng Ngholeg y Gyfraith yn Guildford, Surrey, a chael lle da i aros yno gyda theulu Gwynfryn a Gwen Jones a'u merch, Carys. Trwy gyd-ddigwyddiad, pan gyrhaeddais Guildford roedd Carys newydd ddechrau yn Adran y Gyfraith, Aberystwyth. Ar ddiwedd ei thymor cyntaf, dioddefodd waedlif difrifol ar ei hymennydd a bu mewn coma dros y Nadolig. Trwy drugaredd, daeth ati'i hun – i raddau – ond fu bywyd byth yr un fath iddi ar ôl y salwch a bu raid iddi roi'r gorau i'w huchelgais i gael gradd yn y Gyfraith yn Aber. Cywilyddiwn fod gen i radd, ond yn gwneud popeth o fewn fy ngallu i beidio â'i defnyddio.

Tra oeddwn yn ceisio 'cramio' ffeithiau cyfreithiol i'm pen un noson, daeth Gwen Jones ataf a dweud bod yr Arlywydd Kennedy wedi'i saethu a'i ladd yn Dallas. Gallaf gofio hyd heddiw nid yn unig lle roeddwn ond beth oedd ar y bwrdd o'm blaen. Roedd JFK yn arwr mawr iawn i'm cenhedlaeth i ac roedd cymaint o obaith yng nghalonnau pobl ifanc tan yr ergyd ofnadwy honno o wn Lee Harvey Oswald. Mae'r dadlau a'r dyfalu pwy, mewn gwirionedd, oedd yn gyfrifol am ei ladd wedi parhau hyd heddiw. (Yn Guildford, hefyd, y deallais gyntaf ystyr *pea-souper,* wrth drio ffeindio'r ffordd adre un diwrnod mewn niwl mor drwchus fel na allwn weld fy nhraed!)

Ond och! Mynd i'r Guildford College of Law oedd y gwelltyn olaf a ddaeth â'r camel cyfreithiol i lawr. Er gweithio'n galed iawn am oriau meithion, aflwyddiannus fu fy hanes yn arholiadau'r Solicitors' Finals yn Llundain yn Chwefror 1964, a bu raid imi feddwl yn ddwys beth oeddwn i'n mynd i'w wneud nesaf. Dyma'r tro cyntaf imi wynebu methiant yn fy mywyd, a doedd o ddim yn brofiad dymunol!

Wrth edrych yn ôl, rhaid dweud mai nonsens pur oedd imi feddwl y gallwn lwyddo yn yr arholiadau yma oherwydd doedd gen i mo'r syniad lleiaf sut oedd y system gyfreithiol yn gweithio. Fûm i erioed mewn llys barn nac mewn swyddfa twrnai yn fy mywyd, a dyma fi'n ddigon haerllug i feddwl y byddai gradd o Brifysgol Cymru'n ddigon o sail i basio'r arholiadau terfynol i fod yn gyfreithwraig. Rhaid cyfaddef fy mod yn nofio mewn môr o dywyllwch a'm hymennydd yn gwrthod derbyn yr holl ffeithiau sych oedd yn cael eu taflu ato. Ar ben popeth roedd yn rhaid pasio arholiad mewn cadw cyfrifon busnes (*book-keeping*). A'm helpo!

Ie, person afreal oedd yr Elinor honno a gredodd y gallai fod yn gyfreithwraig. Yr unig gysur yw iddi ddysgu ambell beth defnyddiol a phwysig yn ystod y pedair blynedd y bu'n ymhél â'r proffesiwn.

Roedd amgylchiadau'n fy ngorfodi i wneud penderfyniad; roedd hi'n bryd rhoi'r gorau i ddrifftio.

Daeth yr Eisteddfod Genedlaethol i'r adwy unwaith eto. Yr haf cynt, roeddwn wedi ennill y wobr gyntaf ar yr Unawd Telyn Agored yn Eisteddfod Genedlaethol Llandudno, 1963. Bryd hynny, roedd yna ddarnau gosod penodol i'w chwarae – yn Llandudno, un o sonatas Scarlatti a threfniant John Thomas o 'Merch Megan' oedd y darnau prawf. Derbyniais blât arian, un o drysorau'r Arglwydd Mostyn, fel gwobr arbennig. Ar ôl y gystadleuaeth dywedodd y beirniad, Osian Ellis, wrthyf am gysylltu ag o pe bawn angen help unrhyw bryd, ac addawodd ei wraig, Rene, y byddai to uwch fy mhen a thelyn i ymarfer arni yn eu cartref yn Llundain pe bawn yn fodlon helpu efo'r ddau fab bach.

Un nos Sul es ar fws o Guildford i Lundain i wrando ar gyngerdd gan y Melos Ensemble yn Amgueddfa Victoria ac Albert yn Kensington, a'r unawdydd oedd Osian Ellis. Ces fy nghyfareddu'n llwyr gan y gerddoriaeth, a gallaf fynd yn ôl yn fy nychymyg i'r union sedd i wrando ar y gerddoriaeth gan deimlo'r un wefr ryfeddol. Bu'r profiad corfforol cryf a ges i wrth wrando ar bumawd 'Y Brithyll' gan Schubert a'r 'Introduction and Allegro' gan Ravel i delyn, pedwarawd llinynnol, ffliwt a chlarinét, yn gatalydd a newidiodd lwybr fy mywyd.

Yn y fan a'r lle, penderfynais y buaswn yn gadael byd y Gyfraith ac yn gwneud popeth o fewn fy ngallu i fynd i'r Academi Gerdd yn Llundain. Roedd hyn fel anelu am y sêr gan nad oedd gen i ddim addysg gerddorol ffurfiol o gwbl, a dim ond fy ngwersi telyn gydag Alwena Roberts i seilio fy uchelgais arnynt. Ond y chwedegau oedd hi ac roedd popeth yn bosib – yn enwedig ar ôl i Yuri Gagarin hedfan trwy'r gofod yn 1961!

Roeddwn yn rhy swil i fynd i siarad ag Osian ar ddiwedd

y cyngerdd, a ph'run bynnag, roedd rhaid dal bws yn ôl i Guildford. Rai dyddiau'n ddiweddarach megais ddigon o blwc i'w ffonio a threfnu i fynd am wers i'w gartref yng ngogledd Llundain.

Es adref i Aberystwyth a'm cynffon rhwng fy nghoesau ar ôl y cwrs trychinebus yn Guildford, ond yn hollol benderfynol mai i Lundain roeddwn am fynd. Trwy garedigrwydd ewythr imi oedd yn gyfarwyddwr gyrfaoedd yn Ilford, Essex, ces swydd dros dro yn ystod gwanwyn a haf 1964 efo cwmni cyfreithiol Wedlake, Letts & Bird yn 2 Stone Buildings, Lincoln's Inn, Llundain. Clerc oeddwn i, mewn gwirionedd, yn helpu'r cwmni i gwblhau trosglwyddiadau cyfreithiol ar gyfer stad enfawr o dai newydd ym Maidstone, Caint. Roedd y cwmni eisiau gorffen y cyfan cyn i etholiad cyffredinol 1964 gael ei alw, gan fod disgwyl y byddai Plaid Lafur Harold Wilson yn ennill ac y byddai gwaharddiad ar ddatblygiadau tebyg. Job ddiflas ar y naw oedd llenwi dogfennau cyfreithiol a syrffedais yn llwyr ar yr undonedd ailadroddus. Gwelais ddigon o swyddfeydd llychlyd cwmnïau cyfreithiol dinas Llundain a bûm ar gyrion y byd cyfreithiol Seisnig yn ddigon hir i wybod nad oeddwn eisiau bod yn rhan ohono!

Roeddwn yn byw yn nhŷ Osian a Rene Ellis yng ngogledd Llundain ac yn helpu i warchod Richard, oedd yn saith oed, a Tom, oedd yn bump. Cymraeg a siaradai'r rhieni â'r plant a doniol oedd eu clywed hwythau'n ateb mewn Saesneg cocni! Doedd y plant ddim am fod yn wahanol i'w ffrindiau ysgol ac mi ddes innau i'r arferiad o efelychu'r rhieni. Sefyllfa hollol ddwyieithog, anarferol iawn oedd hi. Ar ôl gweithio trwy'r dydd yn Chancery Lane awn adref ar y 'trên twrch', a gyda'r nos byddwn yn ymarfer ac yn gwarchod y plant neu'n cael gwers gan y 'meistr'. Nid peth hawdd oedd ymarfer ac yntau'n gallu clywed pob camgymeriad wrth iddo goginio am y pared â mi!

Gwnes gais hwyr iawn i fynd i'r Academi, a helpodd Osian fi i gael gwrandawiad gan y prifathro ei hun, y diweddar Syr Thomas Armstrong (a fu'n feirniad yn Eisteddfod Ryngwladol Llangollen am flynyddoedd). Yn ddiweddarach, Richard Armstrong, ei fab, oedd prif ysgrifennydd cabinet Margaret Thatcher ac mae bellach yn Nhŷ'r Arglwyddi. Gŵr annwyl a diymhongar oedd Syr Thomas, ac mae gen i ddyled aruthrol iddo am fy helpu i gael gyrfa gerddorol. Enillais ysgoloriaeth gan Ymddiriedolaeth y Countess of Munster am dair blynedd i astudio yn yr Academi, a'r arweinydd enwog Syr Malcolm Sargent oedd yn cadeirio'r gwrandawiad cyntaf.

Bu'r cyfnod a dreuliais yng nghartref Osian a Rene yn un hapus dros ben, a ches weld mor amlochrog a difyr ydi bywyd cerddor. I'r capel Wesle yn Chiltern Street, ger Baker Street, yr âi'r teulu ar y Sul, ac ymaelodais innau yno. Y Parchedig Erfyl Blainey oedd y gweinidog ac roedd ei wraig, Mari, yn brifathrawes Ysgol Gymraeg Llundain. Chwaer Roy Bohana, Rita, oedd yr athrawes arall.

Ar y pryd, roedd Osian yn brif delynor Cerddorfa Symffoni Llundain ynghyd â llawer o grwpiau siambr, ac yn unawdydd prysur yr oedd galw cyson am ei wasanaeth yn rhyngwladol. Roedd y cyfrifoldeb o fagu'r plant yn syrthio'n drwm ar Rene. Roeddwn i felly'n byw efo'r teulu fel math o *au pair*. Tyfodd cyd-ddealltwriaeth gref rhyngom ein tri ac roeddwn yn rhydd i fyw fel y mynnwn – o fewn rheswm. Roedd edrych ar ôl y plant yn waith hawdd imi ac roeddwn yn hapus iawn efo'r ddau. Cofiaf fynd i aros efo'r teulu yn Aberdaron yn ystod haf 1966 a chael amser gwych yn crwydro gyda Rich a Tom yn Uwchmynydd ac ar lan y môr. Tristwch mawr iawn oedd mynd i Eglwys Aberdaron yn ystod haf 2008 i angladd Tom. Bachgen annwyl, direidus oedd o, a'r tro cyntaf i mi fynd i'w tŷ yn Llundain, roedd ar ben y piano'n curo drwm! Cafodd yrfa ddisglair fel tenor gan berfformio'n aml efo'i dad mewn cyngherddau ledled Prydain a thramor, a bu farw'n llawer rhy ifanc.

Yn Llundain, cofiaf ddarllen mewn llythyr gan fy chwaer fod Dafydd Iwan yn *pop star*! Pan glywais o'n canu 'Wrth gofio am fy Nghymru', ces innau fy nghyfareddu. Roedd fy ngwaith yn Llundain yn fy nghadw ymhell iawn o fywyd diwylliannol Cymru.

Disgybl ysbas

Dydw i ddim yn credu bod fy rhieni'n rhy hapus â'r ffaith fod eu merch wedi mynd yn stiwdent unwaith eto, ond fi oedd y person hapusaf yn y byd y diwrnod y cerddais i mewn i'r Academi Gerdd Frenhinol yn Marylebone Road, Llundain, ym Medi 1964.

Er fy mod yn byw yn nhŷ fy athro, rhaid oedd cael fy ngwers wythnosol ganddo yn ystafell y delyn ar bedwerydd llawr yr Academi. Cofiaf yn arbennig am bedair telynores arall oedd yno – Ann Jones o Nefyn, Rebecca Harries o Seland Newydd, Delyth Morgan o Bontarfynach (Delyth Evans, Aberystwyth, erbyn hyn) a Sioned Wyn Jones o'r Drenewydd (Sioned Bowen, arolygydd ysgolion a Chyfarwyddwraig Addysg Sir Ddinbych yn ddiweddarach). 'Professor' ydi teitl pob athro yn yr Academi ac Osian oedd fy mhroffesor i. Bu'n gymorth ac yn gefn anhygoel imi ac roedd cael gwersi ganddo'n fraint fawr. Doedd dysgu techneg ddim o ddiddordeb mawr iddo; ei ddull o ddysgu fyddai dangos ar y delyn sut i chwarae darn a gadael i'r disgybl ei efelychu. Teimlwn fod angen i mi wedyn geisio codi i'w lefel o, ac roedd hynny'n dipyn o her! Mae Osian yn delynor ac yn gerddor mor naturiol ac mor ddawnus fel nad oedd yn deall pam fod angen treulio oriau'n chwarae milltiroedd o ymarferiadau technegol. Dysgais lawer o bethau amhrisiadwy ganddo, yn arbennig yr angen i ddeall a mynd o dan groen y gerddoriaeth er mwyn ei dehongli, yn hytrach na dim ond ei chwarae. '*Canu* telyn ydech chi, nid ei chwarae,' fyddai ei fantra cyson. Dro arall, dywedai, 'Nid entertênio ydi'ch gwaith chi. Mae 'na gyfrifoldeb ar eich ysgwyddau wrth ddehongli gwaith creadigol rhywun arall.' Byddaf yn cofio hynny bob amser.

Aeth Osian ar daith tri mis o amgylch y byd gyda Cherddorfa Symffoni Llundain (yr LSO) yn ystod fy nhymor cyntaf yn yr Academi, a threfnwyd y byddai Tina Bonifacio yn rhoi gwersi yn ei le. Roedd hi wedi astudio hefo mawrion y delyn yn Ffrainc – Henriette Renié a Marcel Tournier – ac yn delynores i'r Gerddorfa Ffilharmonig Frenhinol o dan faton yr anghymarol Syr Thomas Beecham. Ym marn llawer, hi oedd yr athrawes telyn orau ym Mhrydain o'r safbwynt technegol. Bu'r cymorth a gefais ganddi'n werthfawr dros ben. Dynes annwyl, dawel a chydwybodol oedd hi, a fedrwn i ddim deall sut y gallai Tina ymdopi â sylwadau pigog y *maestro* a'r holl straeon am y ffordd y byddai Beecham yn trin merched – a hithau'r unig ferch yn y gerddorfa!

Cyn cychwyn ar y daith o amgylch y byd gyda'r LSO, gofynnodd Osian i mi ddysgu un o gampweithiau'r delyn, sef yr 'Introduction & Allegro' gan Ravel a wnaethai argraff mor ddofn arnaf yn amgueddfa Victoria ac Albert rai misoedd ynghynt. Ond, yn dawel fach, gwyddwn fod yna lawer iawn o bethau y gallai Tina eu dysgu imi a fyddai o gymorth mawr i mi yn yr hirdymor, ac erfyniais arni i roi gwersi manwl a thrylwyr imi ar y dechneg Ffrengig. Druan bach, fe'i rhoddais mewn tipyn o gyfyng-gyngor! Ar y naill law roedd Osian wedi gorchymyn iddi ddysgu un o weithiau mawr y delyn imi erbyn y deuai adref; ar y llaw arall, roeddwn i'n daer am gael y sgiliau iawn i allu gwneud hynny! Diolchaf am y gwaith manwl, technegol a ddigwyddodd yng ngwersi Tina. Roedd Osian ymhell o fod yn hapus pan ddaeth yn ôl ac yn methu deall beth ar y ddaear roeddwn i wedi bod yn ei wneud am dri mis. Ddaeth Tina ddim yn ei hôl i ddysgu yn yr Academi ar ôl hynny, a chan Gwendolen Mason y cawn i a'r telynorion eraill wersi pan fyddai Osian i ffwrdd.

Pan o'n i yn yr Academi fe fyddai yna fyrddau pren yn hongian ar y muriau ac arnynt enwau myfyrwyr llwyddiannus. Ar un o'r rhain roedd enw Gwendolen Mason, a'r wybodaeth iddi ennill gwobr yn 1896 pan oedd yn ddisgybl i John Thomas, Pencerdd Gwalia. O Borthaethwy y deuai'n wreiddiol, a Mason-Parry oedd ei henw teuluol. Dechreuodd gael gwersi telyn gan ryw Mr Barker yn Llandudno. Bûm yn ffodus iawn i gael gwersi ganddi hithau gan ei bod yn artist arbennig iawn, ac roedd gweithio gyda hi ar yr enwog 'Introduction & Allegro' yn fraint fawr, gan iddi berfformio'r gwaith lawer tro a'i recordio gyda'r cyfansoddwr ei hun, Maurice Ravel, yn arwain. Hi oedd athrawes y rhan fwyaf o brif delynorion Cymreig y cyfnod – Osian Ellis, Mair Jones, Glenis Gordon-Fleet, Gwenllian Dwyryd a Heulwen Roberts.

Yng nghartref Gwendolen Mason yn Church Street, Kensington, y cawn y gwersi, ac roedd ei hunig fab, Tony, yn byw gyda hi. Daeth yn gyfeilles fawr imi ac roedd bob amser yn hael ei chyngor a'i chefnogaeth i gerddorion ifanc. Roedd yn ddiddorol iawn clywed Miss Mason yn sôn am ei phrofiad fel disgybl i'r enwog John Thomas. Cyfaddefodd wrthyf fod arni ei ofn gan ei fod yn ddyn *strict* a llym iawn. Ei ddull o ddysgu oedd cael dwy delyn yn wynebu'i gilydd ac yntau'n canu'r delyn gyda'r disgybl. Gallai ysbrydoli ei ddisgyblion ond, yn ôl Miss Mason, roedd yn egosentrig o ran natur.

Roedd y ddarpariaeth gymdeithasol i fyfyrwyr yr Academi'n ddiffygiol iawn. Doedd yna 'run ystafell undeb nac ystafell gyffredin i hamddena ynddi – dim ond lle i ymarfer. Gweithio neu fynd i dafarn y Rising Sun yn Marylebone High Street oedd y dewis! Roedd y diffygion yn ymddangos yn waeth i mi, oedd wedi cael profiad o fywyd cymdeithasol cyfoethog Aber. Ond, a hithau'n ganol y chwedegau, roedd miwsig y Beatles a ffasiwn Mary Quant yn eu hanterth, a Llundain yn llawn o hwyl y *swinging sixties*. Roeddwn i fel pawb arall wrth fy modd efo'r sgerti mini, y lliwiau llachar a'r partïon hwyliog! Roedd hi'n amser da iawn i fod yn stiwdent yn Llundain.

Ces dipyn o sioc o'm cael fy hun yn syth yn safle 'Telyn 1' ym mhrif gerddorfa'r Academi. Dyna ddymuniad Osian ond, a dweud y gwir, roeddwn i'n crynu yn fy sgidiau. Bu raid imi ddysgu'n sydyn sut i gyfrif bariau di-ben-draw, edrych yn gyson ar yr arweinydd, a chael digon o hyder i chwarae'r nodau ag arddeliad. *The Dream of Gerontius* gan Edward Elgar oedd un o'r gweithiau cyntaf imi ganu rhan y delyn ynddo mewn cerddorfa, ac roedd y perfformiad ysbrydoledig yn Eglwys Gadeiriol St Paul yn 1966 dan arweiniad Syr John Barbirolli yn un na wnaf byth ei anghofio gan mor rymus ydoedd. Roedd JB yn arwr mawr i mi ond roedd ei gynorthwyydd, Maurice Handford, yn casáu pob telynor a thelynores a byddai'n rhoi amser caled iddynt. Hyd y gwelwn i, bwli annifyr iawn oedd y dyn. Megais groen eliffant a dysgais sut i ymdopi efo arweinyddion caled, *macho*. Bu'r feithrinfa yma'n un ddefnyddiol a phwysig iawn.

Un o reolau llym Osian yn ystod y flwyddyn gyntaf oedd na chawn berfformio mewn cyngherddau y tu allan i'r Academi er mwyn sicrhau fy mod yn canolbwyntio'n llwyr ar fy ngwaith yno. Ond wedi blwyddyn o astudio yn yr Academi, roedd yn rhaid chwilio am fwy o arian er mwyn gallu aros yno, er imi gael ysgoloriaeth arall gan y Countess of Munster Trust. Doedd y grant ddim yn ddigon i fyw arno ac roedd yn rhaid imi ddechrau ennill arian i gadw corff ac enaid ynghyd. Ces gar bach Hillman Husky ('Carlo'!) gan fy rhieni ar fy mhen-blwydd yn un ar hugain i gario'r delyn o gwmpas. Bu'r hen Husky bach yn fy nghario i fyny ac i lawr yr M1 a llawer ffordd arall am sawl blwyddyn.

Yn fy ail flwyddyn yn yr Academi, roeddwn yn byw yn nhŷ Gwyneth Morgan yn Devereux Road, Clapham. Roedd Gwyneth yn gynghorydd Ceidwadol ar Gyngor Llundain. Yn rhannu fflat â mi roedd Ann Williams, merch hyfryd o Lerpwl yr oeddwn wedi dod yn ffrindiau â hi yng Ngwersyll yr Urdd, Glan-llyn. Athrawes yn Lerpwl oedd Ann, ac yn treulio blwyddyn yn y Guildhall i wella'i sgiliau cerddorol.

Bu 'Ann Lerpwl' yn gyfrifol am un peth pwysig iawn yn fy mywyd. Byddai'n mynd yn rheolaidd i Glwb Cymry Llundain yn Gray's Inn Road, ac roedd byth a hefyd yn sôn am ryw hogyn ifanc oedd newydd ddod i lawr o Fanceinion i edrych ar ôl y clwb ac a oedd yn gweithio yn Ford's yn Dagenham. Dywedai ei fod 'yn lot o hwyl' ac yn 'fodlon gwneud unrhyw beth i unrhyw un'. Roedd yr hogyn yma'n ffonio Ann yn aml iawn, ac yn amlach na pheidio fi fyddai'n ateb yr alwad gan ryfeddu at ansawdd dwfn y llais ar ben arall y ffôn! Perswadiodd Ann fi i fynd gyda hi a thri arall o'r clwb i Eisteddfod Genedlaethol yr Urdd yng Nghaerdydd ym mis

Mai 1965, ac am bump o'r gloch y bore y tu allan i orsaf Hammersmith ar ddydd Sadwrn y Steddfod y gwelais i Dafydd Wigley am y tro cyntaf!

Dewi Evans o Bencader ('fflat-met' i Dafydd) a'i gariad, Delyth Hughes o Abertawe – chwaer Aneurin Rhys Hughes, fy nghyfaill o ddyddiau Aberystwyth – oedd gweddill y cwmni. Roedd yn ddiwrnod i'w gofio a chawsom lawer o hwyl. Roedd hyn ymhell cyn i draffordd yr M4 gael ei hadeiladu a chymerodd dros bedair awr inni gyrraedd Caerdydd. Gan fod gen i drwydded yrru cynigiais yrru'r car llog yn ôl i Lundain ar ddiwedd y dydd. Yn ystod y daith roedd Dewi a Dafydd yn dadlau'n frwd efo Ann a Delyth ynghylch pynciau llosg y dydd. Trodd y ddadl at grefydd ac aeth pethau'n boeth iawn, gyda Dewi'n taeru yn ei ddull agnostaidd nad oedd yna Dduw ac Ann yr un mor sicr fod yna un. Doeddwn innau ddim yn canolbwyntio ar y gyrru. Sylweddolais bron yn rhy hwyr fod y car o'm blaen wedi stopio er mwyn troi i'r dde a minnau'n gyrru'n rhy gyflym ar ran o'r ffordd oedd heb fod yn llydan. Hyd heddiw, does gen i ddim syniad sut y medrais yrru trwy'r gwagle cul rhwng y car o'm blaen a'r wal uchel ar y chwith. Trwch blewyn, yn llythrennol, oedd yna rhwng byw a marw. Cafodd Dafydd yrru am weddill y daith a thawodd y dadlau.

Y tro cyntaf i Dafydd ofyn i mi fynd allan efo fo, ac i minnau gytuno, oedd i ddawns wedi'i threfnu gan Glwb Cymry Llundain yng Ngwesty'r Hilton yn Park Lane ym mis Hydref 1965, i ddathlu canmlwyddiant sefydlu'r Wladfa ym Mhatagonia. Achlysur *star-studded* go iawn oedd hwnnw, a chofiaf gwrdd â Harry Secombe am y tro cyntaf a gwirioni ar ei lais a'i ddoniolwch naturiol. Hwyl arbennig oedd jeifio efo Dafydd, a bu'r profiad yn un da! Fore trannoeth roedd

Dafydd a thrigain o Gymry eraill yn gadael am Batagonia ar daith a fu cyn bwysiced iddo fo ag y bu taith America i minnau ryw bum mlynedd ynghynt. Dafydd a'r bonwr Robin Gwyndaf (Sain Ffagan, gynt) oedd yr unig ddynion ifanc yn y criw, a chawsant amser arbennig o dda, yn ôl pob sôn.

Tua mis yn ddiweddarach roedd y llais *rich chocolate* (geiriau fy *landlady*) yn ôl ar ben arall y ffon. Erbyn haf 1966 roeddem wedi dyweddïo. Fu Dafydd erioed yn un i adael i laswellt dyfu yn ôl ei droed!

Roeddwn yn cael gwersi canu hefyd yn yr Academi. Mary Hamlin, cantores a fu'n rhyw fath o enwog ryw dro, oedd y tiwtor. Llais bach main, uchel ac unffurf oedd ganddi, a gwnâi ei gorau i'm cael i ganu heb *vibrato* o gwbl – yr un fath â hi. Sut yn y byd y gallwn i fod yn 'lyrical soprano', wn i ddim, a finnau wedi hen arfer â'r syniad mai alto oeddwn i! Rhoddais y ffidil *yna* yn y to ond dwi'n dal i fod yn edifar am hynny – yn y bôn, cantores fyddwn i wedi hoffi bod, yn hytrach na thelynores. Wedi'r cyfan, pwy o ddifrif fyddai eisiau gwneud cerddoriaeth â'i bysedd pe gallai wneud hynny cystal â'i llais? Y cyngor cofiadwy ges i gan Dad oedd, 'Mae yna "eni amownt" o gantorion gwell na ti, ond dim llawer sy'n gallu canu'r delyn fel ti!'

Roedd nifer o wobrau'n cael eu rhoi i fyfyrwyr ar ddiwedd pob blwyddyn, a ches ryw gymaint o lwc wrth ennill sawl un, yn cynnwys Gwobr Idloes Owen i'r myfyriwr mwyaf addawol o Gymru.

Yn Narcissus Road, West Hampstead, yr oeddwn yn byw yn ystod fy mlwyddyn olaf yn yr Academi, ac yn rhannu fflat ag Anelma Jones (Nelms Jôs) o Fryn-crug, Tywyn, oedd ar y pryd yn astudio canu gyda Ruth Packer yn y Coleg Cerdd

Brenhinol. Eric Shirley oedd perchennog y tŷ, ac roedd o'n enwog am fod wedi rhedeg dros Brydain yng Ngêmau'r Gymanwlad yn y pumdegau. Doedd pethau ddim yn dda rhyngddo fo a'i wraig, Vi – dyna'r tro cyntaf imi ddod ar draws gŵr fyddai'n cysgu'r nos ar setî yn yr ystafell sbâr! Ar ôl i mi briodi, ces alwad ffôn syfrdanol yn gofyn i mi fynd allan am ginio efo fo, a'i fod wedi breuddwydio am gael gwneud hynny pan oeddwn yn byw yn ei dŷ fel myfyrwraig. Gwrthodais y pryd bwyd, diolch yn fawr!

Fy ffrind gorau yn yr Academi oedd Gareth Jones Roberts (Jôs Robaitsh), o Gellilydan yn wreiddiol, oedd yn astudio'r piano, gyda chanu fel ei ail bwnc. Mae'n adnabyddus erbyn hyn fel Gareth Roberts, y tenor, a bu'n aelod o Gantorion y BBC, yn canu yn nhŷ opera Covent Garden ac yn feirniad mewn sawl Eisteddfod Genedlaethol. Bu cyfaill arall i mi, y cerddor dawnus John Hywel, yn yr Academi am flwyddyn yr un pryd â mi, yn astudio arwain ar ôl graddio ym Mhrifysgol Bangor. Mae'r ffaith ein bod cystal ffrindiau a'n bod wedi cydweithio cymaint dros y blynyddoedd yn rhoi boddhad mawr imi. Bydd mwy o sôn am John yn nes ymlaen gan i'n llwybrau groesi cryn dipyn hyd y dydd heddiw. Hyfryd dweud hefyd i'm cyfeillgarwch â'r gantores Marian Bryfdir (o'r Stiniog yn wreiddiol) ddechrau yn yr Academi, a braf bob amser ydi bod yn ei chwmni a chael budd mawr o'i dawn fel athrawes. Cerddorion eraill oedd yno yr un pryd oedd y cyfansoddwyr John Rutter a Paul Patterson – yn ogystal, mae'n ymddangos, â John Taverner a Karl Jenkins, er na welais mohonyn nhw'u dau yno, hyd y cofiaf!

Y fantais fwyaf o fod yn yr Academi oedd y cyfle i gydweithio â chynifer o gerddorion ifanc eraill – yn gantorion, offerynwyr a chyfansoddwyr – a chael gwersi gan rai o feistri'r byd cerddorol. Bod yn aelod o gerddorfa, am wn i, ydi'r peth pwysicaf i delynor – mae'n hyfforddiant heb ei ail. Fel aelod o Gerddorfa Siambr yr Academi, ces berfformio fel unawdydd efo'r gerddorfa yn Ynys Jersey gyda Syr Thomas Armstrong yn arwain, a byddwn yn cyfeilio i operâu, corau ac yn perfformio fel rhan o grwpiau bach.

Digwyddodd tro trwstan iawn un noson ym mis Mai 1966 pan oeddwn yn paratoi i fynd i berfformiad o opera Britten, *The Rape of Lucretia*, yn yr Academi. Syrthiais i lawr y grisiau yn y fflat a tharo fy llygad yn erbyn nobyn y drws. Roedd yn boenus iawn ond llwyddais i weld digon i fynd ymlaen â'r perfformiad, rywsut. Ond y bore wedyn roedd gen i'r llygad du gorau a welwyd ar delynores erioed! Ar ben popeth, roedd Dafydd a minnau wedi trefnu'n bod yn gadael Llundain cyn cŵn Caer i deithio adref at fy rhieni yn Aberystwyth ar orchwyl gyffrous. Roedd Daf wedi prynu modrwy ddyweddïo yn y Burlington Arcade yn Llundain, ac am 'wneud y peth iawn' a gofyn i Dad a gâi fy mhriodi. Druan ohono, fe gafodd dynnu ei goes yn ddidrugaredd ynglŷn â'r llygad du oedd gen i!

Yn ystod fy nhrydedd flwyddyn yn yr Academi gwnes lawer o waith allanol er mwyn talu'r rhent a phrynu bwyd. Roedd Osian yn wych am 'basio 'mlaen' pob math o waith cerddorfaol i mi. Dwi mor ddiolchgar iddo am fy nghymeradwyo i gerddorfa siambr ardderchog yr English Chamber Orchestra, ac mi ges hefyd fynd ar daith chwe neu saith wythnos o gwmpas Lloegr a Ffrainc yn cyfeilio i'r English Opera Group yn 1966. Cwmni oedd yn perfformio operâu Benjamin Britten oedd hwn, ac yn yr *ensemble* bychan o dri ar ddeg a gyfeiliai iddynt roedd rhai o gerddorion gorau Llundain. Dyna ichi brofiad ffantastig i delynores ifanc! Ymhlith y sêr operatig a ganai yn *The Rape of Lucretia*, *The Turn of the Screw* a *Beggar's Opera* gan Britten roedd cantorion gwych fel Janet Baker, Benjamin Luxon a Robert Tear. Arweiniodd hyn at lawer mwy o waith yn ddiweddarach dan faton Benjamin Britten ei hun yn y Maltings, y ganolfan gelfyddydau a sefydlodd yn ei dref enedigol, Aldeburgh, yn swydd Suffolk.

Stiwdent yn yr Academi oeddwn i pan fu farw Aelod Seneddol sir Gaerfyrddin, Megan Lloyd George, yn 1966. Bûm yng Nghaerfyrddin sawl gwaith yn ystod ymgyrch yr isetholiad, gan ryfeddu at y bwrlwm oedd yno. Anghofia i byth y ffordd y dywedodd Elwyn Roberts, Trefnydd Cyffredinol Plaid Cymru, wrthyf ei fod yn 'sicr fod Gwynfor yn mynd i mewn tro yma!' Roedd mor bendant ei farn – gallaf gofio tôn ei lais hyd heddiw. Gresynaf nad oedd Dafydd na minnau'n bresennol ar Sgwâr Caerfyrddin y noson hynod honno a newidiodd gymaint ar fywyd Cymru.

Daeth cannoedd o Gymry brwd i Lundain i weld Gwynfor yn mynd i mewn i'r Senedd am y tro cyntaf. Dafydd a finnau gafodd y gwaith o drefnu'r parti dathlu. Cawsom afael ar ystafell hawdd i bobl ei ffeindio yn agos i orsaf Baker Street, ac roedd tyrfa fawr iawn yno i wrando ar Gwynfor. Mae gen i hefyd gof i Hafina Clwyd ysgrifennu cerdd yn arbennig ar gyfer yr achlysur.

Fel telynores, daliwn i deithio cryn dipyn. Cofiaf yn dda mai mewn awyren rhwng Lyon a Llundain yr oeddwn pan glywais am drychineb Aber-fan yn Hydref 1966. Ychydig a feddyliwn bryd hynny y buaswn, tua phum blynedd yn ddiweddarach, yn symud i fyw'n agos at faes y gyflafan ofnadwy honno.

Teithiwn lawer gyda chwmni'r London Festival Ballet i ddinasoedd fel Newcastle, Leeds, Sheffield a Birmingham. Chwarae gyda'r gerddorfa yn y *pit* fyddwn i, a synnu mor swnllyd oedd y balerinas wrth iddynt wneud eu stepiau cywrain ar y llwyfan uwch fy mhen!

Bu raid gwrthod llawer o waith ddechrau 1967 gan fod yr arholiadau terfynol ar y gorwel a digonedd o waith ymarfer gen i. Doedd fy landlordiaid ddim yn caniatáu unrhyw sŵn ymarfer cyn wyth y bore nac ar ôl pedwar o'r gloch y pnawn. Roedd hyn yn achosi trafferth mawr gan fod raid imi ymarfer tua chwe i saith awr y dydd yn ogystal â mynd i rai darlithoedd a gwersi. Rhaid oedd bod yn ddyfeisgar, felly, a dysgais lawer o gerddoriaeth newydd yn dawel fach trwy roi defnydd fel sgarff neu ddwster melyn rhwng tannau'r delyn i ladd y sain yn llwyr. 'Necessity is the mother of invention,' medden nhw! Mae'n llawer haws i gerddorion fyw yng nghefn gwlad lle nad oes yna'r un enaid byw yn gallu clywed y seiniau hyfryd a wnânt.

Ar ddiwedd fy mlwyddyn olaf yn yr Academi llwyddais i basio arholiad mwyaf heriol y coleg, y Recital Diploma – y delynores gyntaf erioed i wneud hynny. Tipyn o waith oedd dysgu'r holl *repertoire* a pherfformio yn y Duke's Hall o flaen y prifathro a rhes o athrawon eraill. Ar ôl cael y canlyniad roeddwn fel ci â dwy gynffon, ac yn gwenu o glust i glust!

Yn yr Academi cefais laweroedd o gyfleon i weithio gyda chyfansoddwyr, a byddai sawl un ohonynt eisiau arweiniad sut i sgwennu ar gyfer y delyn. Mewn un sesiwn, tynnwyd llun ohonof i a'r cyfansoddwr Brian Knowles gyda'i athro cyfansoddi, James Iliff, ac mae'r llun yn hongian yn ystafell fwyta'r Academi. Mae'r recordydd tâp a welir yn y llun yn ddigon hen i fod mewn amgueddfa – a minnau â gwallt cyrls ac mewn sgert fini!

Yn 1967 bûm yn ddigon ffodus i ennill cystadleuaeth i fod yn unawdydd gyda Cherddorfa Ieuenctid Genedlaethol Cymru. Roedd polisi goleuedig iawn gan y Cyd-bwyllgor Addysg Cymreig ar y pryd, sef rhoi cyfle i gerddorion ifanc chwarae consierto gyda'r gerddorfa. 'Consierto yn Bb fwyaf' gan Handel oedd y gwaith – un o'r rhai mwyaf poblogaidd i'r delyn – a phrofiad gwych oedd cael ei berfformio gyda'r gerddorfa mewn cyngherddau ledled Cymru, gyda'r uchafbwynt ar lwyfan y Brifwyl yn y Bala, tref fy mebyd.

Ar ddiwedd y perfformiad yn y Bala, roeddwn yn awyddus i'r arweinydd, Arthur Davison, gyfarfod fy narpar ŵr. Felly daeth Dafydd gyda mi i ddweud 'Helô' wrtho fo a'i wraig. Trodd Mrs Davison at Dafydd mewn ffordd ffroenuchel dros ben a gofyn 'And what do *you* play?' Synnodd Daf at y cwestiwn, a'i ateb swta oedd 'Football'! Yn anffodus, doedd Mrs Davison ddim yn gweld y jôc ac roeddwn yn dyheu am i dwll mawr agor yn y ddaear i'm llyncu! Roedd Dafydd, wrth gwrs, yn wfftio llawn cymaint â hithau, ac yn methu credu bod y ddynes yn meddwl bod *pawb* isio canu offeryn.

Mater o dristwch gwirioneddol i mi ydi'r ffaith na fu'r Eisteddfod Genedlaethol yn llwyfannu cyngerdd gan ein Cerddorfa Ieuenctid Genedlaethol ers blynyddoedd bellach. Collodd yr Eisteddfod gysylltiad pwysig â hufen talent ifanc Cymru pan beidiodd y cyngherddau hyn – a'r gìgs poblogaidd, swnllyd, yn dod yn eu lle.

Ar derfyn y daith efo'r gerddorfa, es adref ar frys at fy

rhieni i baratoi ar gyfer fy mhriodas ymhen llai na phythefnos.

Serch Hudol

Dwy briodas o fewn chwech wythnos i'w gilydd – dyna ddaeth i ran fy rhieni druan yn ystod haf 1967. Mae'n rhaid eu bod wedi gofyn iddynt eu hunain beth ar y ddaear roedden nhw wedi'i wneud i haeddu'r fath dynged!

Priodwyd fy 'chwaer fach', Menna, a'r meddyg David Joynson o Gasnewydd yng Nghapel Salem, Dolgellau, ar y 15fed o Orffennaf, a phriododd Dafydd a minnau yng Nghapel Glanaber, Llanuwchllyn, ar y 26ain o Awst. Roedd priodas ddwbl allan o'r cwestiwn am ddau reswm – byddai raid i briodas Menna a David fod yn ddwyieithog gan fod teulu David yn ddi-Gymraeg, a doedd yna ddim gwesty digon mawr yn yr ardal i fwydo'r holl griw. Prynodd Mam un siwt ar gyfer y ddwy briodas ond trwy gyd-ddigwyddiad anffodus roedd mam Dafydd hefyd wedi dewis yr un wisg yn union ar gyfer ein priodas ni – ond mewn lliw gwahanol, diolch byth!

Erbyn hyn, roedd Dad a Mam wedi symud i fyw o Aberystwyth i Ddolgellau gan fod Dad yn awyddus i gychwyn busnes a gadael Undeb Amaethwyr Cymru, lle bu'n Ysgrifennydd Cyffredinol am bum mlynedd. Yn bum deg a saith oed, sefydlodd fusnes gwerthu tai ac eiddo yn Nolgellau, Harlech a'r Bermo. Yn Nolgellau hefyd yr oedd Anti Elisabeth, chwaer Mam, yn byw efo'i gŵr, Dafydd Hughes, a'i phlant – Wyn, Anna a Jane. Mae Wyn fy nghefnder yn dal i redeg hen fusnes y teulu – Siop y Post yng nghanol y dre.

Er mwyn cael priodi yn Llanuwchllyn roedd yn rhaid i mi brofi fy mod yn byw yn y plwy, ac felly gadewais gês dillad gydag Anti Gwylan ac Yncl Bob yn Nant y Llyn am dair wythnos a threulio ambell noson yno i gadw cwmpeini i'r cês! Hyfrydwch pur oedd cael teimlo tawelwch godidog Cwm Cynllwyd yn cau amdanaf.

Roedd hi'n benwythnos Gŵyl y Banc, a ches broblem fawr i gyrraedd y capel y Sadwrn hwnnw. Cafodd y car o'r Bermo a oedd wedi'i logi i fynd â Dad a minnau o Ddolgellau i Lanuwchllyn ei ddal mewn milltiroedd o draffig wrth bont Llanelltyd. Roedd hyn cyn adeiladu'r bont bresennol ac ymhell cyn amser ffonau symudol. Doedd ganddon ni ddim dewis ond aros ac aros . . . ac aros. Roeddwn yn ymbil ar Dad i drio ffeindio rhyw gar arall i fynd â ni ond roedd pob cerbyd wedi hen fynd am Lanuwchllyn, a'r ddau ohonom yn disgwyl i'r car mawr *posh* gyrraedd unrhyw funud.

Roeddwn dri chwarter awr yn hwyr yn cyrraedd y capel a 'nwy gyfeilles annwyl, Ann a Joan, wedi mynd trwy eu *repertoire* ar y delyn a'r organ sawl gwaith cyn i mi gyrraedd – a Dafydd, druan bach, yn welw, welw . . . Mae'n rhyfeddod i mi hyd heddiw na chollodd ei dymer yn lân a stompio allan o'r capel fel y gwnaeth o'r Senedd flynyddoedd yn ddiweddarach! Ond wnaeth o ddim! Diolch byth, arhosodd y Parchedig Erfyl Blainey, oedd yn ein priodi, amdanaf hefyd. I osgoi'r traffig, aeth y cerbydau trwy goedwig Llanfachreth i'r wledd briodas yng Ngwesty Dolmelynllyn, ger y Ganllwyd. Yno hefyd y bu Menna a David chwe wythnos ynghynt – yn trio'r lle allan!

Fe dreuliom ein mis mêl yn Opatija yn Iwgoslafia (Croatia heddiw), heb fod yn bell iawn o Fenis. Roedd yn dywydd trymaidd, poeth, a theimlem ein bod yn torri cwys newydd wrth fynd am wyliau y tu cefn i'r Llen Haearn, er nad oedd Iwgoslafia dan Marshall Tito i'w chymharu â'r Undeb Sofietaidd yn y cyfnod hwnnw. Nid mis mêl ydi'r adeg orau i fynd ar ôl materion gwladwriaethol ond cawsom lawer o wybodaeth am natur y wlad wrth sgwrsio efo'n tywysydd, Mira. Saith ffin, chwe gwladwriaeth, pum cenedl, pedair iaith, tair crefydd, dwy wyddor ac un blaid ydi'r hyn a gofiaf am y wlad. Wmffra Roberts o Ben-y-groes a drefnodd y daith; fo hefyd a gafodd y bai am sicrhau ystafell a dau wely sengl ynddi!

Gŵr newydd, tŷ newydd a dechrau gweithio ar fy liwt fy hun yn y proffesiwn cerdd oedd o'm blaen wedi cyrraedd yn ôl i Lundain. Roedd Dafydd hefyd yn dechrau ar swydd newydd – roedd hi'n llechen lân dros ben! Tŷ 'semi' yn Orchard Aveune, Heston, Hounslow, oedd ein cartref cyntaf ac, am ryw fis, bocsys oedd ein bwrdd a'n cadeiriau. Rhaid oedd teithio'n ôl i Gymru i gael dodrefn addas gan rieni caredig. Roedd y tŷ ryw filltir a hanner o faes awyr Heathrow ac yn hynod o swnllyd, er i ni ddod i gynefino maes o law â'r angenfilod o awyrennau'n taranu uwchben. Gallem weld pennau pobl yn eistedd yn y *jumbo jets* pan ddaethon nhw drosodd gyntaf tua 1970.

Ddyddiau cyn inni briodi, roedd Dafydd wedi gadael cwmni moduron Ford yn Dagenham i ddechrau ar swydd fel rheolwr cyllid gyda chwmni Mars yn Slough. Roedd y cwmni Americanaidd goleuedig yma'n trin pob un o'i weithwyr yn gyfartal, a'r drefn oedd fod pob gweithiwr (o'r prif swyddog i lawr) yn gorfod clocio i mewn yn y bore. Petai unrhyw un o'r gweithwyr eiliad yn hwyr, fe gollai ddeg y cant o'i gyflog am y diwrnod hwnnw. Disgyblaeth greulon i bâr ifanc newydd briodi!

Sefydlu fy hun fel cerddor proffesiynol yn Llundain oedd yr her fawr i mi, a'r cam cyntaf oedd dod o hyd i asiant. Yn sgil y daith efo'r Gerddorfa Ieuenctid, ysgrifennodd yr arweinydd, Arthur Davison, lythyr cynnes iawn o gymeradwyaeth i mi i'w roi i un o asiantaethau gorau Llundain, sef Ibbs & Tillett, Wigmore Street. Yn y cyfarfod cyntaf gydag Emmie Tillett, gorfu imi wynebu'r ffaith fod fy enw, Elinor Bennett Owen, yn rhy hir a thrwsgl ar gyfer gwaith proffesiynol. Camgymeriad mawr, meddai Mrs Tillett, fyddai defnyddio fy enw priod gan fod cymaint o briodasau'n chwalu, yn arbennig yn fy maes i! Dyna pryd y dechreuais gael dwy hunaniaeth – 'Miss Bennett', y cerddor llawrydd, a 'Mrs Wigley', y wraig. Mantais 'Bennett' ydi ei fod yn nes at ddechrau'r wyddor ac yn un o'r enwau cyntaf mewn rhestr – mae hyn yn handi iawn i gerddor! Hefyd roedd merched yn darganfod eu llais ac yn mynnu cadw'u hunaniaeth, a llawer yn mynnu annibyniaeth oddi wrth eu gwŷr. Roedd mudiad y Women's Liberation yn dechrau magu grym, a llyfrau fel *The Female Eunuch* gan Germaine Greer a *The Feminine Mystique* gan Betty Friedan yn ddylanwadol iawn.

Un o'r pethau pwysicaf i gerddor ifanc ydi cael ei dderbyn gan ei chyd-chwaraewyr, er mwyn eu hannog i drosglwyddo gwaith y naill i'r llall o fewn y proffesiwn. Y ffordd orau o wneud argraff dda ydi trwy fod yn fodlon 'pasio 'nôl' waith i eraill, bod yn gant y cant ddibynadwy'n gerddorol, a gallu troi i fyny yn y lle iawn ar yr amser iawn. Mae cael mentor a chyfeillion dylanwadol yn hynod o bwysig hefyd, ac roeddwn yn ffodus tu hwnt o gael Osian Ellis yn gefn imi. Cawn wahoddiad dro ar ôl tro i chwarae ail delyn gydag o yn yr LSO, ac arweiniodd hyn at gyfleoedd gyda cherddorfeydd eraill fel y Philharmonia a Cherddorfa Ffilharmonig Llundain. Ychydig iawn o swyddi cyflogedig a pharhaol oedd yna yn Llundain gan fod cerddorion yn gweithio ar delerau llawrydd ac yn rhedeg busnesau bach – mae'n dal i fod yr un fath heddiw. Dim ond Cerddorfa Symffoni'r BBC a Cherddorfa'r Tŷ Opera, Covent Garden, sy'n cyflogi cerddorion amser llawn. Telerau am bob job gaiff pawb arall – yn cynnwys yr LSO – ac mae'n rhaid gweithio'n galed tuag at bob cyngerdd neu sesiwn recordio a gwybod pob darn yn drwyadl. Dysgais yn fuan iawn nad oeddwn ddim gwell na gwaeth na'm perfformiad diwethaf! Mae hefyd yn eithriadol o bwysig i gerddor proffesiynol hysbysebu a hyrwyddo'i hun, a chadw cyfrifon am bob incwm ar gyfer pobl y dreth. Ches i ddim eiliad o hyfforddiant busnes ar wahân i'r cwrs cyfreithiol yn Guildford, a theimlwn yn ffodus fod fy ngŵr newydd yn gyfrifydd ac yn gallu fy helpu. Yn wir, dwi'n ddiolchgar iawn iddo am fy nghadw mewn trefn ar hyd y blynyddoedd, gan osgoi talu ffioedd i gyfrifwyr!

Yn ystod fy mlwyddyn olaf yn yr Academi, enillais gystadleuaeth i gymryd rhan mewn cyngerdd yn y South Bank fel rhan o'r gyfres Cyngherddau Westmorland. Perfformio gweithiau siambr oeddwn i, sef Trio Sonata i delyn, ffliwt a fiola gan Debussy, a'r 'Serenade' gwefreiddiol i bumawd gan y cyfansoddwr Ffrengig Albert Roussel. Hanner awr cyn i'r cyngerdd ddechrau torrodd un o dannau isaf y delyn, a sylweddolais nad oedd gen i dant i'w roi yn ei le. Sioc a phanig! Roedd gen i bob un tant arall ond – help! – y 6ed G. Gwyddwn fod fy ffrind mawr a'm mentor answyddogol, Renata Scheffel-Stein, yn chwarae gyda Cherddorfa'r Ffilharmonia Newydd yn y Festival Hall gerllaw, a rhedais nerth fy nghoesau ati gan fegio am dant ganddi. Mi ges un, wrth gwrs, a gosod y tant jest mewn pryd ar gyfer y perfformiad. *Un* munud oedd gen i wrth gefn! Es i erioed â thelyn allan o'r tŷ wedyn heb fod pob tant sbâr gen i. Roeddwn yn ffŵl i beidio cario set gyflawn o dannau gyda mi, a bu'n wers bwysig. Un o'r porthorion yn yr Academi ddysgodd wers bwysig arall imi pan ofynnais ymhle y cedwid yr allwedd diwnio. ''Arpists always carry their own tunin' key wiv 'em,' meddai'n sych. Byth ers hynny dwi'n cario un yn fy mag llaw (sydd â phopeth ond sinc y gegin ynddo!).

Ganwyd y delynores Renata Scheffel-Stein yn Riga, Latfia, ac ar un adeg roedd ei thad yn flaenwr yng Ngherddorfa'r Bolshoi yn y Rwsia Imperialaidd cyn chwyldro'r Bolsiefigiaid. Gwisgai Renata fodrwy a wnaed allan o bìn tei a gawsai ei thaid yn anrheg gan y Tsar Nicholas II. Edrychwn arni fel ail fam a rhoddodd lawer o gynghorion doeth iawn imi. Roedd ganddi lyfrgell o bob rhan telyn roedd hi wedi'i chwarae erioed, a hynny yn ei llawysgrifen ei hun. Doedd neb tebyg iddi mewn cerddorfa ac fe rôi hyder rhyfeddol i delynores ifanc. Cawsai wersi gan y prif athrawon telyn yn Rwsia ac wedyn bu'n astudio wrth draed Marcel Tournier a Lily Laskine ym Mharis. Yn ei gwaith proffesiynol bu'n delynores yn Berlin, yn chwarae o dan faton Klemperer a Furtwängler a sawl arweinydd mawr arall. Roedd wedi dianc o Rwsia adeg y Chwyldro ac wedi cael profiadau erchyll wrth guddio rhag y Rwsiaid yn Berlin ar ddiwedd yr Ail Ryfel Byd. Ni allodd fynd yn ôl i Rwsia tan ddiwedd y saithdegau pan aeth ar daith yno gyda'r Philharmonia. Bu farw yn 1983 ar ôl salwch hir.

Ganol y chwedegau daeth yn amlwg iawn i mi fod yn rhaid i mi chwilio am delyn newydd. Roeddwn wedi rhoi archeb am delyn o'r Almaen gan Obermayer (Horngacher ydi enw'r cwmni hwnnw erbyn hyn), ond dywedodd Gwendolen Mason wrthyf fod cyn-ddisgybl iddi, Sais o delynor a'i galwai ei hun yn Carlos Ames, wedi marw gan adael telyn Lyon & Healy hyfryd ar ei ôl. Wnes i ddim oedi am eiliad ac es yn syth i weld y delyn mewn tŷ bychan ar draws y ffordd i siop Harrods yn Kensington, a phrynu'r delyn yn y fan a'r lle. Wedyn dyma ffonio Dad a dweud beth oeddwn wedi'i wneud, a gofyn iddo plis a allai drefnu benthyciad banc imi yn Nolgellau! Gwyddwn yn dda fod pob telynor a thelynores yn Llundain yn awyddus i brynu'r delyn. Ond yr hyn oedd yn rhyfeddol am y delyn hon oedd y ffaith mai elastic band hir oedd y 'tant' isaf. Ymddengys fod Carlos Ames, fel rhan o'i act, yn tynnu'r elastic band allan ymhell i ddifyrru'i gynulleidfa ac yn ei ollwng yn sydyn gan wneud sŵn ofnadwy. Ces gadair hyfryd i fynd gyda hi, ynghyd ag LP o Carlos yn canu'r delyn. Wrth wrando ar ei berfformiadau, teimlwn fy mod wedi achub y delyn hardd yma â'i thinc nefolaidd! Yn rhyfedd iawn, bu Carlos farw ar y pier yn Llandudno pan oedd yn perfformio yno. Rhoddais fenthyg yr LP i un o'm cyfeillion – byddai'n dda ei chael yn ôl i ddweud wrth fy nisgyblion sut i *beidio* canu'r delyn! Gyda llaw, Caryl Thomas sydd bellach yn berchen ar y delyn honno.

Tua'r un adeg y sefydlwyd yr United Kingdom Harp Association yn Llundain – cymdeithas a fyddai'n trefnu digwyddiadau yn y ddinas i roi llwyfan i'r delyn a dod â thelynorion at ei gilydd. Maria Korchinska, y delynores enwog o Rwsia, oedd y sylfaenydd ac am ddwy flynedd fi gafodd y gwaith o gynhyrchu a golygu cylchlythyr y gymdeithas. Daeth hyn â mi i gysylltiad â llawer o delynorion o wahanol wledydd pan fydden nhw'n dod i Lundain i berfformio, a bu'r profiad yn ddefnyddiol iawn imi'n ddiweddarach wrth drefnu digwyddiadau yng Nghymru.

Mae'n rhyfedd cofio bod y cwmni baco Peter Stuyvesant yn rhoi nawdd sylweddol iawn i gyfres cyngherddau'r LSO yn y Royal Festival Hall. Buasai hyn yn amhosib heddiw; ddeugain mlynedd yn ôl doedd dim cymaint o wybodaeth am y dinistr a achosai tybaco. Heb y nawdd ariannol sylweddol yma mae'n siŵr na fyddai'r LSO wedi tyfu i fod yn un o gerddorfeydd gorau'r byd. Wrth chwarae hefo'r LSO (rhwng 1968 ac 1971 yn bennaf), cefais y fraint o weithio hefo arweinyddion megis Adrian Boult, Malcolm Sargent, Colin Davies, Antal Doráti, Jascha Horenstein, Benjamin Britten, Georg Solti ac André Previn. Cyngerdd efo Erich Leinsdorf yn arwain sy'n dal fwyaf byw yn y cof. Gwaith gan Mahler oedd yn cael ei berfformio a Janet Baker, y mezzo-soprano wych, yn unawdydd. Roedd Leinsdorf yn llwyddo i dynnu cerddoriaeth wefreiddiol o aelodau'r gerddorfa, ac roeddwn wedi fy mesmereiddio'n llwyr.

Mae gen i un neu ddau atgof trwstan o berfformio efo'r LSO – fel y tro y gadewais fy ngwisg gyngerdd gartref yn Heston. Roeddwn tua saith mis yn feichiog efo'm plentyn cyntaf, a fi oedd yr unig ferch ar y llwyfan y noson honno. (Cofiwch nad oedd merched yn cael bod yn aelodau o'r LSO bryd hynny – wel, dim ond y delynores!) Yr unawdydd oedd y chwaraewr *sitar* enwog o'r India, Ravi Shankar, oedd yn rhoi'r perfformiad cyntaf o'i gonsierto newydd eiconig i *sitar* a cherddorfa yn y Festival Hall. Doedd y wisg liw hufen roeddwn yn ei gwisgo i'r ymarfer ddim yn dderbyniol – roedd yn rhaid imi ffeindio gwisg ddu yn rhywle, a doedd dim amser i fynd allan i siop. Doedd dim amdani ond mynd i chwilio am ferch rywbeth tebyg i mi o ran maint yn y gynulleidfa, a honno'n gwisgo du! Yn un o dai bach y merched, gwelais ddynes ifanc weddol lysti mewn ffrog ddu, a dyma fi'n egluro fy mhroblem. Ar ôl mynegi syndod(!), cytunodd i roi benthyg ei gwisg i mi i fynd ar y llwyfan. Gwyddai'r arweinydd, André Previn, am fy mhroblem ac wrth imi sefyll yn y cefn yn aros i fynd ar y llwyfan, gofynnodd i mi yn llawn syrpréis yn ei acen Americanaidd: 'Did you *really* find someone else in your condition?' 'No,' meddwn i, 'just a very kind sympathetic lady in the audience!' Erbyn ail hanner y cyngerdd, roedd Dafydd wedi gallu cyrraedd efo'm gwisg i fy hun.

Mae'n anghredadwy mai dynion yn unig oedd yn yr LSO a theimlwn ei bod yn hollol annheg fy mod yn cael y fraint o weithio efo'r gerddorfa am y rheswm syml mai telynores oeddwn i. Roedd llawer o ferched yn berfformwyr gwych ar offerynnau eraill ac yn cael eu hanwybyddu am eu bod yn perthyn i'r rhyw anghywir. Un eithriad fyddai yna – y chwaraewraig obo Evelyn Rothwell, gwraig Syr John Barbirolli. Erbyn y saithdegau daeth y rheolwyr i sylweddoli mai'r gerddorfa ei hun oedd yn dioddef wrth wrthod cael merched ymhlith ei rhengoedd. Diolch i'r drefn am gydraddoldeb rhywiol – ond bu'r ymgyrch a'r frwydr yn un anodd a maith. Yr unig gerddorfa arall oedd â'r polisi gwaradwyddus hwn oedd y Vienna Philharmonic – roedd hi'n 1997 cyn i ferched gael ymuno â'r gerddorfa honno. Anhygoel, yntê?

Fel y dywedais, bu 'Carlo' yr Hillman Husky yn fy nghludo i a'm telyn i bob rhan o Brydain am sawl blwyddyn, ond cyrhaeddais adref un diwrnod i ddeall bod Dafydd, mewn ffit o dymer, wedi *rhoi*'r cerbyd bach ffyddlon yn anrheg i'w gyfaill Andrew Moore oedd yn stiwdent yn Rhydychen ac yn aros efo ni'n aml fel aelod o Grŵp Ymchwil Plaid Cymru. Roedd Wigli wedi gwylltio wrth orfod defnyddio'r 'cranc' ar fore oer i gychwyn yr injan i fynd i'r gwaith, a finnau wedi mynd â'i gar mawr, smart o i gario'm telyn!

Prynais fan mini yn Llanrwst a llwyddo i gael telyn (a chydymaith) i mewn iddi. Yn 1971 roedd hi'n bosib prynu galwyn o betrol – tua thri i bedwar litr – am 34 ceiniog yn yr arian newydd, ac felly roedd yn rhad iawn i deithio i chwarae mewn dinasoedd ac i glybiau cerdd ac ati drwy Brydain. Profiad hyfryd oedd cael cyfres o gyngherddau fel unawdydd gyda Cherddorfa Siambr y Northern Sinfonia, a pherfformio 'Danses Sacrée et Profane' gan Debussy gyda dau arweinydd ifanc o Gymru – tri chyngerdd gydag Owain Arwel Hughes a'r gweddill efo'm cyfaill John Hywel. Awn i berfformio llawer gyda Cherddorfa'r Hallé, cerddorfeydd dinas Birmingham, a'r 'Ffil' yn Lerpwl. Roeddwn wrth fy modd yn teithio i ble bynnag y byddai angen rhywun i ganu'r delyn. Roedd yn gyfnod gwych a phob math o gyfleoedd yn agor o'm blaen, a cherddoriaeth a gwleidyddiaeth yn gymysg oll i gyd!

Roedd Grŵp Ymchwil Plaid Cymru newydd gael ei sefydlu i ymchwilio i wleidyddiaeth economaidd Cymru, ac un o fannau cyfarfod y criw oedd ein tŷ ni. Deuai'n cyfaill mawr Phil Williams acw'n aml o Gaergrawnt, ynghyd ag Eurfyl ap Gwilym a Rod Evans (Syr Roderick Evans erbyn hyn, un o farnwyr yr Uchel Lys). Cofiaf hefyd gwrdd â'r Prifardd Robat Powell ac yntau heb air o Gymraeg; pan welais o ryw chwe wythnos yn ddiweddarach roedd yn rhugl yn yr iaith!

Cymeriad gwahanol ond hoffus iawn oedd y diweddar Brian Morgan Edwards a ddaeth at y Blaid ar ôl bod yn aelod o'r grŵp adain dde o Doriaid ifainc yn Llundain, yr Hyde Park Tories. Bu o a'i wraig Rona'n gyfeillion mawr inni am flynyddoedd, a'r ddau'n noddwyr hael i fywyd diwylliannol Cymru. Rhoddodd Brian gymorth a chefnogaeth ymarferol i sefydlu llawer mudiad yng Nghymru, yn cynnwys Cwmni Sain a Chymdeithas Tai Gwynedd. Aelod arall o'r grŵp ymchwil oedd y Dr Gareth Morgan Jones, yn wreiddiol o Rostryfan, Caernarfon, oedd yn gweithio yng ngerddi botanegol Kew. Bu'n ymgeisydd i'r Blaid mewn etholiad yn Aberdâr a chredai'r etholwyr mai meddyg go iawn oedd yr hybarch 'ddoctor'! Aeth Gareth i weithio ym Mhrifysgol Alabama a chollwyd talent fawr o Gymru. Harri Webb oedd un arall o'r ymwelwyr a ddeuai draw, a difyr iawn oedd ei gwmni yntau.

Tŷ gweddol fach oedd gennym ac ar achlysuron fel hyn roeddwn i'n aml yn gorfod ymarfer fy nhelyn yn y gegin. Credaf i'r gwaith manwl a wnaed gan y criw o ddynion ifanc, galluog a phenderfynol yma ynglŷn â'r economi fod yn gwbl allweddol i hanes diweddar Cymru, a dechrau newid agweddau pobl Cymru tuag at ymreolaeth. Creu hyder a meithrin awydd ym mhobl Cymru i gredu ynddynt eu hunain oedd y gamp; roedd Gwynfor Evans yn feistr ar hyn yn ei areithiau tanbaid. Cefnogi'r gwaith a wnâi'r Grŵp Ymchwil, ac ar ôl i Gwynfor ennill sedd Caerfyrddin byddai llawer o gyfarfodydd y grŵp yn cael eu cynnal yn y Senedd.

Collais y cyffro o fyw yng Nghymru yn y chwedegau ac felly ni fûm yn rhan o ymgyrchoedd Cymdeithas yr Iaith, ond roeddwn mewn cysylltiad agos â'r hyn oedd yn digwydd yno trwy fod yn briod â Dafydd a chymryd rhan mewn ymgyrchoedd gwleidyddol. Mae isetholiadau diwedd y chwedegau yn y Rhondda a Chaerffili'n fyw iawn yn fy nghof; dyma'r cyfnod pryd y daeth hyder newydd i ymgyrchoedd y Blaid a chynnydd rhyfeddol yn y bleidlais. Ar y cyrion gwleidyddol oeddwn i, yn picio draw i'r Rhondda neu Gaerffili fel y gallwn, ond dylanwadwyd yn drwm arnaf gan y profiad o ymgyrchu mewn mannau megis Ferndale, Tonypandy, Nelson, Bargoed, Gelli-gaer a Bedwas. Cyn hynny roedd y Gymru ddi-Gymraeg yn ddieithr i mi a doedd gen i ddim syniad am strydoedd cul y Cymoedd nac am hiwmor a natur cymdeithas y glowyr, a bu'n gryn agoriad llygad.

Darllenwn am y protestiadau a'r carcharu gan ddilyn hynt a helynt fy nghyfeillion yn fanwl, a chofiaf ryfeddu at weithredu grymus a beiddgar llawer o'm cyfoedion megis Dafydd Iwan a Ffred Ffransis. Ddiwrnod y ffiasco mawr yng Nghastell Caernarfon yng Ngorffennaf chwe deg naw, roeddwn yn recordio gyda'r LSO yn Neuadd Kingsway, Llundain, ac yn gweld cip o'r seremoni ar deledu mewn tafarn. Roedd fy nghyd-gerddorion yn methu credu nad oeddwn eisiau gweld y syrcas! Os cofiaf yn iawn, recordio 'The Sea' gan Vaughan Williams yr oedden ni, a finnau'n falch o beidio bod yng Nghymru. Lai na phum mlynedd yn ddiweddarach byddai pethau'n wahanol iawn yng Nghaernarfon, a 'ngŵr yn dod yn Aelod Seneddol cyntaf Plaid Cymru dros yr etholaeth. Mae'n rhaid fod seremoni Carlo wedi helpu'r achos – mae peth o'r diolch siŵr o fod i'r archfrenhinwr Llafur George Thomas am ei threfnu!

Cawn gyfle o bryd i'w gilydd i chwarae mewn perfformiadau cyntaf o weithiau newydd, fel y *masque* o'r enw *The Jesse Tree* gan Elizabeth Maconchy yn Abaty Dorchester. Lawer tro bûm yn aelod o gerddorfa siambr y London Sinfonietta mewn perfformiadau ar y South Bank a thramor, gan weithio efo'r cyfansoddwr blaengar o'r Eidal, Luciano Berio. Roedd Berio yn gyfansoddwr *avant-garde* iawn a'i ddulliau newydd yn gwthio'r ffiniau cerddorol. Diddorol, cynhyrfus a hynod heriol i ddeallusrwydd oedd bod yn rhan o weithiau megis *Laborintus II* a *Folk Songs*, efo'r cyfansoddwr ei hun yn arwain a'i gyn-wraig, Cathy Berberian, yn unawdydd.

Ar y pegwn cerddorol arall, byddwn yn chwarae mewn sioeau cerdd yn y West End – sioeau fel *The Four Musketeers* efo Harry Secombe, ac *At the Palace*, sioe drag anfarwol Danny la Rue.

'Depio' (cewch eglurhad mewn eiliad!) fyddwn i yn y rheiny, a fyddai yna byth ymarfer go iawn. Y cyfan a wnâi *dep* – talfyriad o 'deputy', mae'n debyg – oedd eistedd yn y pit trwy un perfformiad gan nodi popeth oedd yn y sgôr. Roeddwn yn nerfus gobleinig am dro neu ddau ond yn gorfod dysgu'n gyflym iawn sut i ddarllen miwsig â symbolau yn lle cordiau, a chyfarwyddiadau ailadrodd rif y gwlith. Ces ddigon o brofiad i wybod nad oeddwn eisiau gwneud gwaith felly bob nos o'r wythnos!

Ar y 14eg o Fai 1970 rhoddais fy nghyngerdd *debut* fel unawdydd yn Neuadd Wigmore yn Llundain. Bûm yn paratoi at yr achlysur am fisoedd, gan ymarfer am oriau bob dydd ym mhob mathau o lefydd wrth deithio o gwmpas y wlad. Yn gynwysedig yn y rhaglen roedd y perfformiad cyntaf o waith newydd i'r delyn gan y diweddar Alun Hoddinott, a oedd ar y pryd yn Athro Cerdd Coleg Prifysgol Cymru, Caerdydd, ac yn cael ei gydnabod fel un o brif gyfansoddwyr Cymru. Braint fawr i mi oedd cael addewid ganddo am ddarn newydd i'r delyn. Yr hyn na ragwelais oedd na fuaswn yn derbyn llawysgrif y darn tan y nos Sul cyn y cyngerdd, a hwnnw i'w gynnal y dydd Iau canlynol! Cymerodd oriau i mi ailysgrifennu'r 'Ffantasi i'r Delyn' yn gyfan gwbl er mwyn gallu'i pherfformio. Roedd tua deg newid pedal ym mhob bar a llawer o broblemau dehongli. Yna treuliais naw awr y dydd o'r tridiau oedd ar ôl cyn y cyngerdd yn dysgu'r gwaith, a hynny ar ben ymarfer yr holl weithiau eraill oedd yn y rhaglen. Rywsut neu'i gilydd llwyddais i roi perfformiad ohono ac roedd adolygiadau digon canmoliaethus ym mhapurau Llundain. Mae'n bwysig fod cerddor yn gallu dysgu'n gyflym ond roedd hyn yn fater arall – doedd yr inc ddim wedi sychu ar y tudalennau! Diolch bod modd defnyddio copi o'r gerddoriaeth pan fo gwaith yn cael ei berfformiad cyntaf.

Y diwrnod ar ôl y datganiad rhaid oedd pacio fy mag a mynd adref i Gymru gan fod y Prif Weinidog, Harold Wilson, wedi galw etholiad cyffredinol. Rai misoedd ynghynt cawsai Dafydd ei fabwysiadu'n ymgeisydd dros Blaid Cymru ym Meirion, a threuliai bob yn ail penwythnos yn magu'r etholaeth! Dyma'r etholiad cyntaf erioed i mi fod yn rhan ohono, a cheisiais fod yn gefn i Dafydd trwy fy nhaflu fy hun i mewn i'r ymgyrch. Bûm yn cnocio drysau ledled Meirionnydd ac yn gwrando ar anerchiadau mewn neuaddau di-ri am dros dair wythnos – oedd fel cyfnod o wyliau ar ôl y gwaith caled ar gyfer y datganiad yn y Wigmore Hall! Yn goron ar y cwbl, roedd y tywydd yn wych trwy'r ymgyrch a phleser oedd ymweld â rhannau o Feirion a adwaenwn mor dda a chael hoe dros bicnic canol dydd mewn mannau hyfryd yn sir fy mebyd, fel Llyn y Bala a thraeth Aberdyfi. Cadwodd yr AS Llafur, Wil Edwards, ei afael ar y sedd am bedair blynedd arall ond cynyddodd pleidlais y Blaid yn sylweddol a daeth Dafydd yn ail da. Roedd o o ddifrif ac eisiau ennill y sedd, ond rhaid i mi gyfaddef fy mod yn falch o allu mynd yn ôl i Lundain at y gwaith proffesiynol a garwn.

Mwynheai Dad y cyfle a gâi i drin a thrafod gwleidyddiaeth, ac i ryw raddau mae'n siŵr fod cael tad-yng-nghyfraith oedd yn weddol adnabyddus yn y sir yn gaffaeliad i'r gwleidydd ifanc. Yn ddiweddarach gwn i'r cysylltiad fod yn dipyn o faen tramgwydd. Fel rhan o'i waith fel gwerthwr tir, cafodd Dad ei ddal yng nghanol miri Rio Tinto Zinc, y cwmni rhyngwladol enfawr oedd yn archwilio ac yn cloddio am fetelau (wraniwm, tybed?) yn y mynyddoedd o amgylch Dolgellau. A chydag ymgyrchu yn erbyn tai haf gan Gymdeithas yr Iaith ac eraill, roedd yn anodd i Dafydd barhau i ymladd sedd sir Feirionnydd a phenderfynodd drosglwyddo'i ymdrechion gwleidyddol i Arfon.

Ar yr adeg yma, roeddwn yn gweld bod Dafydd yn prysur hogi'i arfau i gael mynd yn ôl i fyw yng Nghymru. Yn wir, roedd byw yn Llundain yn anathema iddo fo, ond y peth olaf roeddwn i ei eisiau oedd byw yn unrhyw le arall! Roeddwn wrth fy modd yn y ddinas gan fy mod yn cael llawer o waith gwych yno ac yn mwynhau bywyd artistig Llundain yn fawr iawn. Byddai Dafydd yn sôn o dro i dro am chwilio am swydd yng Nghymru, a gwyddwn y byddai hynny'n digwydd rywbryd. Roeddwn yn casáu pob sôn am adael Llundain, ac yn claddu fy mhen yn y tywod gan drio perswadio fy hun na fyddai byth yn digwydd!

Pan hysbysebwyd swydd Cyfarwyddwr Ariannol gyda chwmni Hoover ym Merthyr Tudful, cynigiodd Dafydd amdani a'i chael. Ychydig iawn o drafod a fu rhyngom pa effaith a gâi'r mudo anorfod ar fy ngyrfa i, ond roeddwn yn feichiog gyda'm plentyn cyntaf ac roedd fy agwedd yn dechrau meirioli gan y gwyddwn mai gartref yng Nghymru y dymunwn fagu fy mhlant. Anodd dros ben oedd meddwl am adael fy ngyrfa yn Llundain, a gwyddwn yn dda na fyddai modd parhau ar yr un lefel pan fyddwn yn ôl yng Nghymru – byddai'r gwaith cerddorfaol yn dod i ben yn fuan iawn. Cawn fy rhwygo gan y symud ond teimlwn ar yr un pryd ei fod yn anorfod.

Derbyniais wahoddiad gan yr English Opera Group i gymryd rhan mewn cyfres o operâu gan Benjamin Britten yn y Maltings yn Aldeburgh ddiwedd haf 1971, a ches help gan delynores ifanc o'r enw Ann Jones o Lanllwni i ofalu am fy mab bach oedd erbyn hynny wedi cyrraedd y byd – mwy am hynny yn y man! Roedd Ann yn fyfyrwraig ac yn canu'r delyn yn Ysgol y Delyn yn Aberystwyth yr haf hwnnw (y fathemategwraig ddisglair Ann Coleman o Landegfan ydi hi ers blynyddoedd bellach). Mae angen dwy delyn yn un o operâu Britten, sef *Midsummer Night's Dream*, ond fe dynnodd yr ail delynor yn ôl ar y funud olaf. Bu raid i mi ddysgu chwarae'r ddwy ran efo'i gilydd ar fyrder. Yn ddiddorol iawn, digwyddodd yr un profiad yn union i Osian

Ellis rai blynyddoedd ynghynt pan fu raid cyfuno rhannau'r ddwy delyn. Bryd hynny, roedd Osian wedi ysgrifennu nodiant un act ac Imogen Holst a Benjamin Britten y ddwy act arall!

Bûm yn ôl ac ymlaen yn Aldeburgh sawl gwaith yn recordio ac yn cymryd rhan mewn cyngherddau, gan amlaf gyda'm mentor, Osian Ellis.

Ganwyd Alun, ein mab hynaf, ar y 30ain o Ebrill 1971 yn ysbyty mamolaeth Chiswick ar lan afon Tafwys. Roedd yn wanwyn hyfryd y flwyddyn honno a'r coed ceirios a welwn allan o'm gwely yn yr ysbyty yn hardd dros ben. Anodd iawn a blin oedd yr enedigaeth; eglurwyd i mi fod y pen yn fawr, a bu raid i Alun gael cymorth *forceps* i ddod i'r byd. Ar ôl mynd adref, sylweddolais nad oedd modd rhoi'r babi allan i gysgu yn ei bram yn yr ardd gan y byddai sŵn byddarol yr awyrennau yn ei ddychryn.

Ym mis Mehefin aethom i fyw i ganol cyfoeth Maidenhead, Berkshire, o fewn tafliad carreg i afon Tafwys. Cyn inni bacio'r bocsys i symud i Maidenhead, roedd Dafydd wedi derbyn y swydd newydd ym Merthyr Tudful. Cwta dri mis fuom ni'n byw yn Boulter's Lock, Maidenhead, felly doedd dim pwynt agor y bocsys!

Bu raid imi wynebu realiti a derbyn fy mod yn mynd i adael Llundain a'r proffesiwn yr oeddwn yn ei garu mor angerddol. Bryd hynny, wedi'r cyfan, eilradd oedd gyrfa merch – y gŵr a gâi'r flaenoriaeth. Fuasai hi'n wahanol heddiw, tybed?

Ym mis Hydref 1971, cychwynnodd y bocsys ar eu taith tua'r gorllewin ac am Ferthyr Tudful, a'r teulu bach efo nhw.

Unwaith Eto 'Nghymru Annwyl

'From Maidenhead to Mŷrffyr? You must be bleeding mad!' oedd y cyfarchiad a gafodd Dafydd gan un o werthwyr tai Caerdydd wrth inni chwilio am dŷ ym mwrdeisdref sirol Merthyr. A'r ebychiad a ges innau gan Anti Gwylan wrth iddi'n helpu i symud oedd, 'Elinor bach, ti'n gwybod be ti'n neud, d'wed?'

Y gwir ydi na fûm i erioed yn hapusach nag y bûm ym Merthyr Tudful. Ceisiodd rhai pobl o gwmni Hoover ein darbwyllo mai yn Radyr neu'r Fenni y dylem chwilio am dŷ, gan mai yno roedd y *management* yn byw! Yn ffodus i ni, daeth y tŷ roedd cwmni Hoover wedi'i adeiladu yn 1947 ar gyfer eu prif reolwr ar werth ar yr eiliad iawn. Tŷ hyfryd ydi Maes y Nant, wedi'i leoli yng nghanol y dref yn weddol agos at Barc Cyfarthfa. Wyth ar hugain oed oedd Dafydd a minnau, ac Alun, ein plentyn bach cyntaf, yn bum mis.

Gwelsom ar unwaith fod pobl Merthyr yn falch iawn o'u treftadaeth yn y diwydiant haearn a glo, a byddent yn holi byth a beunydd beth oedd barn y newydd-ddyfodiaid am eu tref, fel petaent eisiau sicrwydd ein bod yn meddwl yn dda ohoni. Ar y dechrau roeddwn yn llawn anghredinedd nad oedd y bobl yn gallu deall na siarad yr heniaith, gan eu bod yn siarad Saesneg ag acen Gymreig mor gref. Sioc arall oedd gweld safon byw isel pobl yr ardal a'r tlodi yn y stadau cyngor o amgylch y dref. *Allai* natur dwy gymdeithas ddim bod yn fwy gwahanol na rhai Maidenhead a Merthyr, a theimlem gynhesrwydd ac agosatrwydd pobl Merthyr yn agor eu breichiau i'n croesawu.

Ar draws y ffordd i'n tŷ ni roedd y bocsiwr enwog Eddie Thomas yn byw gyda'i wraig ifanc, Kay, a'u tri phlentyn, Rhysian, Geraint a Delyth. Bu Kay yn gymorth mawr inni setlo ym Merthyr a byddai croeso inni bob amser yn ei thŷ, a fyddai wastad yn llawn pobl a bwrlwm. Yn ogystal â bod yn baffiwr o fri a hyfforddi enwogion fel Howard Winstone a Johnny Owen, roedd Eddie hefyd yn berchen pwll glo preifat a gwelais o lawer gwaith yn dod adref o'r pwll â'i wyneb yn ddu gan weiddi ar Kay i'w helpu i dynnu ei welingtons budr! Roedd Eddie'n ddyn *macho* go iawn ond roedd hefyd yn un o'r bobl garedicaf ac anwylaf a welais erioed. Cofiaf fel y byddai'r dagrau'n llifo wrth iddo ganu 'Myfanwy' gan ei eilun Joseph Parry. Fo oedd un o'r dynion cyntaf i gyrraedd ysgol Aber-fan ar ôl y drychineb ddychrynllyd; ceisiodd glirio'r slyri â'i ddwylo, a bu yno am ddyddiau heb gwsg.

Cyflwynodd Kay fi i lawer o bobl Merthyr, gan gynnwys mam ifanc o'r Banwen o'r enw Mari Davies a oedd newydd symud i'r dref. Daeth hi a'i gŵr Graham yn gyfeillion mynwesol inni yn syth, ac mae'n amhosib mynegi pa mor bwysig fu'r cyfeillgarwch yma inni. Bu Mari'n gefn mawr pan oedd stormydd bywyd yn galed iawn, ac nid oedd y ffaith fod Graham yn aelod brwd o'r Blaid Lafur yn effeithio dim ar ein perthynas.

Bu gaeaf 1971–2 yn un prysur! O fewn chwe mis i ni gyrraedd Merthyr bu farw'r Aelod Seneddol S. O. Davies, a oedd yn byw o fewn tafliad carreg i ni. Flynyddoedd cyn hynny, fel y soniais, roeddwn wedi bod yn canfasio dros y

Blaid mewn isetholiadau yn y Cymoedd – y Rhondda (1967) a Chaerffili (1968). Cafwyd canlyniadau ardderchog yn y ddau, ond ddim digon da i ennill, yn anffodus.

Galwyd yr isetholiad i ddewis olynydd i S.O. ar gyfer y 13eg o Ebrill 1972. Roeddem yn ymwybodol fod pobl Merthyr yn dyheu am newid, fel y dangosodd canlyniad yr isetholiad pan ddaeth Emrys Roberts o fewn trwch blewyn i gipio'r sedd i Blaid Cymru. O'n garej ni y trefnwyd ymgyrch Ward y Parc, a bu degau o ymgyrchwyr brwdfrydig y Blaid o bob rhan o Gymru yn aros acw. Roedd sachau cysgu ym mhobman, ac un bore paratoais frecwast i dri ar ddeg cyn eu gyrru allan i ganfasio yn stad enfawr y Gurnos. I ddangos ein cryfder, cynhaliwyd un o'r ralïau ceir hiraf a welwyd yn y Cymoedd erioed, ac mae llawer iawn o straeon am hwyl ryfeddol isetholiad Merthyr. Ymhlith y *memorabilia* a drysoraf o isetholiad 1972 mae'r ddwy siwmper y bydd Dafydd yn eu gwisgo i arddio ddeugain mlynedd yn ddiweddarach, ac arnynt y geiriau 'I'm for Em' a 'Vote for Emrys Roberts'!

Fis yn ddiweddarach cafodd Dafydd ei ethol yn swyddogol dros Blaid Cymru ar Gyngor Bwrdeisdref Merthyr Tudful. Yn y cyfrif gwaeddodd rhyw hen wàg 'Welcome to Merthyr!' dros y lle o gefn yr ystafell, i bwysleisio mai newydd-ddyfodiaid go iawn oedden ni.

Roedd dylanwad yr isetholiad yn bellgyrhaeddol. Un o'r pethau rhyfeddaf a wnes yn fy mywyd oedd cytuno i sefyll dros y Blaid ar gyfer y Cyngor Dosbarth newydd a fyddai'n dod i rym ym Mai 1974. Yn ystod y flwyddyn cyn hynny cyngor cysgodol fyddai hwn, gan fod yr hen Gyngor yn dal mewn grym. Sioc aruthrol oedd cyrraedd y cyfrif yng Ngholeg Technegol Merthyr a gweld fy mod yn ail ar y rhestr ar gyfer Ward y Parc (a gynhwysai stadau anferth y Gurnos a Galon Uchaf). Roedd chwe sedd i gyd ac enillodd y Blaid bedair ohonynt. Mae'n siŵr gen i fod pawb yn meddwl mai Dafydd oedd y 'Wigley', ac nid Elinor. Gwyddwn yn dda am y pwysau sydd ar gynghorwyr pan fyddai etholwyr yn cnocio ar ddrws Maes y Nant i ofyn am 'Councillor Wigley' – ond pa un?!

Erbyn 1976 mi fyddai gan y Blaid fwyafrif ar Gyngor Merthyr, ac Emrys Roberts yn naturiol yn dod yn arweinydd. Wna i byth anghofio galwad ffôn a gefais gan un o'r cynghorwyr newydd, y Parchedig Gareth Foster, yn oriau mân y bore yn rhoi'r newydd chwyldroadol i mi fod y Blaid mewn grym, a minnau ar ganol bwydo Hywel, oedd yn fabi deufis oed! Ceir llawer mwy o hanes y cyfnod cyffrous yma yn hunangofiant Dafydd, *O Ddifri*.

Yn ystod y gaeaf cyntaf hwnnw ym Merthyr daeth yn amlwg fod angen to newydd ar Faes y Nant gan fod glaw yn dod i mewn, a'r teils gwael a osodwyd ar ddiwedd y rhyfel yn malu'n racs. Roedd contractiwr ar ganol gwneud y gwaith ym mis Chwefror 1972 pan gododd storm enbyd, a'r cyfan oedd yn cadw'r gwynt a'r glaw allan oedd tarpolin anferth! Daeth fy ffrind Kay draw a mynd ag Alun i'w thŷ hi i gysgu'r nos gan nad oedd dim un ystafell sych ym Maes y Nant. Bu Dafydd a minnau ar ein traed trwy'r nos yn gwagio bwcedi yn y tywyllwch gan fod y trydan hefyd wedi chwythu'i blwc. Byddai pobl gall, brofiadol, wedi bod yn ddigon doeth i aros tan yr haf cyn gosod to newydd a'u rhoi eu hunain ar drugaredd elfennau pen y Cymoedd. Ond ifanc oedden ni ac eisiau i bopeth ddigwydd ar unwaith – gan gynnwys cael mwy o deulu! Oeddwn, roeddwn i'n feichiog unwaith eto.

Ganwyd ein hail fab, Geraint Wyn, ar noson braf y 15fed o Orffennaf 1972 yng nghartref mamolaeth Gwaunfarren. Fo oedd yr unig un o'm plant i gael ei eni'n naturiol. Fy ffrind Mari oedd y gyntaf i'w weld o ar ôl Dafydd. Gwnaed yr holl brofion arferol a chawsom ar ddeall bod Geraint, fel Alun, yn holliach. Yn y gwely agosaf ataf roedd mam ifanc mewn gofid wrth wynebu'r dyfodol efo baban oedd â syndrom Down, a'r ochr arall roedd baban wedi'i eni â *deformity* difrifol. Doedd neb yn gwybod am yr afiechyd milain oedd yn guddiedig yn fy mab bach i.

Wynebwn y dyfodol yn llawn gobaith.

Rhyw fis cyn inni symud yn ôl i Gymru roedd Alwyn Jones, un o benaethiaid Adran Gerdd y BBC yng Nghaerdydd, wedi cysylltu i ddweud ei fod yn trefnu darllediad o ddosbarth meistr ar y delyn gydag Osian Ellis ac eraill yn diwtoriaid, a finnau'n cael gwahoddiad i fod yn un ohonynt. Yn y darllediad, Sioned Williams o'r Wyddgrug fyddai'n cael gwers gen i. Myfyrwraig yng Ngholeg Cerdd a Drama Cymru yng Nghaerdydd oedd Sioned, a gwyddwn yn dda amdani fel telynores addawol iawn. Gwyddwn hefyd ei bod yn wyres i'r undebwr llafur Huw T. Edwards, ac yn meddu ar yr un penderfyniad di-ildio â'i thaid! Yn y dosbarth meistr ceisiais ei helpu gyda rhai problemau technegol ac roeddwn yn falch o roi arweiniad iddi. Penderfynodd hithau fod yn raid iddi newid athrawes, a gwyddai fy mod i wedi symud yn ôl i Gymru i fyw. Bu'n ddyfal yn perswadio Gerallt Evans, pennaeth cerdd y coleg, i ganiatáu iddi gael gwersi gen i a chytunwyd i hynny ddigwydd. Ces alwad ffôn wedyn gan Raymond Edwards, y prifathro, yn gofyn i mi roi gwersi telyn yn y coleg.

Ers blynyddoedd, Sioned ydi prif delynores Cerddorfa Symffoni'r BBC yn Llundain. Caiff ei hadnabod fel un o delynorion gorau'r byd, a chwarae teg iddi mae'n cydnabod yn agored na fyddai wedi gallu cyrraedd uchelfannau'r proffesiwn cerdd heb yr hyfforddiant trylwyr yng Ngholeg y Castell. Ond roedd yr adnoddau yn y coleg yn amrwd iawn bryd hynny, a chofiaf i Sioned neidio ar ben cadair wrth weld llygoden yn rhedeg ar draws yr ystafell! Disgybl arall yno oedd Alwena James (Roberts yn ddiweddarach) o Lanerfyl, y cyfeiriais ati'n barod. Tua'r un cyfnod, rhoddwn wersi hefyd i delynores ifanc arall o'r enw Gillian Green, oedd yn fyfyrwraig ym Mhrifysgol Caerdydd. Mae Gill yn dal yn un o'm cyfeillion pennaf a threfnodd lawer o gyrsiau Coleg Telyn Cymru gyda Meinir Heulyn a minnau. Hi bellach ydi cyfarwyddwraig Live Music Now Cymru. Bu Siwan Jones hefyd yn cael gwersi cyson gen i ym Merthyr; roedd hithau'n delynores ac iddi lawer o botensial cyn i'r ddawn a etifeddodd gan ei thaid, Saunders Lewis, ei harwain i fod mor llwyddiannus ym myd y ddrama.

Yn ystod y cyfnod ym Merthyr, penderfynais sefydlu Clwb Cerdd i ddod â cherddoriaeth fyw i'r dref yn achlysurol, a chefais gefnogaeth barod llawer o'm cyfeillion. Trefnai'r pwyllgor gyngerdd bob mis mewn gwahanol neuaddau ac eglwysi ym Merthyr gan artistiaid megis Isobel Baillie, Côr Meibion Treorci a chôr o Romania, ymysg eraill.

Er fy mod ar ben fy nigon efo dau fachgen bach i ofalu amdanynt, roeddwn hefyd yn ceisio parhau â'm gwaith fel telynores. Cawn lawer o help gan ffrindiau a gwarchodwyr plant i wneud hynny – roedd cadw fy hunaniaeth a'm hannibyniaeth yn bwysig iawn i mi. Doedd rhoi'r gorau i'm gyrfa ac aros adref ddim yn ddewis, felly roedd raid 'jyglo'!

Roedd natur y gwaith a'r her ar lefel wahanol iawn i'r hyn a wnawn yn Llundain. Yn wyrthiol roedd y gwahoddiadau i chwarae gyda cherddorfeydd yn parhau, ac o edrych dros fy hen ddyddiaduron gwelaf i mi fod yn brysur iawn gydag amrywiaeth rhyfeddol o gyngherddau, datganiadau fel unawdydd a rhaglenni radio a theledu. Ym Mryste, Birmingham a Chaerdydd y byddai'r gwaith cerddorfaol, a byddwn yn rhoi datganiadau a chyngherddau ar hyd a lled Cymru a chanolbarth Lloegr. Cawn lawer o hwyl yn ogystal wrth fod mewn bandiau ar raglenni fel *Disc a Dawn*. Cefais un neu ddwy o deithiau tramor, megis yr un i Wiesbaden gyda'r London Sinfonietta a Luciano Berio yn fuan ar ôl i mi gael fy ethol yn gynghorydd ar Gyngor Merthyr.

Braint oedd cael chwarae rhan fechan i helpu i sefydlu ysgol Gymraeg ym Merthyr. Er bod pwyllgor wedi bod yn ymgyrchu ers canol y chwedegau, ni lwyddwyd i dorri trwy'r elyniaeth a'r gwrthwynebiad ffiaidd oedd yn bodoli o fewn Cyngor y fwrdeistref Lafur. Roedd ar y cynghorwyr ofn rhoi unrhyw gonsesiwn i'r iaith Gymraeg gan eu bod yn ei gweld fel bygythiad i'r drefn sosialaidd, hynafol a weithredid yno; tybient y byddai cynnydd yn nifer y siaradwyr Cymraeg yn arwain at leihau pŵer y Blaid Lafur a rhoi mwy o rym i Blaid Cymru. Pan oedd Dafydd ar y Cyngor roedd wyth ysgol feithrin ym Merthyr ond dim un ohonynt yn arddel y Gymraeg. Yn un o gyfarfodydd y Cyngor bachodd Dafydd ar y cyfle i bwyso ar i'r Cyngor sefydlu ysgol feithrin Gymraeg. Ymateb anhygoel un o'r cynghorwyr Llafur oedd: 'We must satisfy the needs of *normal* children first.' Rhwygodd Dafydd ei agenda a cherdded allan o'r siambr mewn tymer, a chafodd lawer o sylw a chefnogaeth yn y wasg leol.

Sefydlodd fy ffrind Mari Davies ysgol feithrin Gymraeg yng Nghapel Soar yn 1971 gyda Jean Pullman yn ei helpu. Mrs Annie Mary Protheroe oedd yr athrawes gyntaf a chafodd lawer o help gan Raymond Gethin, Marcel a Jean Pullman a'r teulu Protheroe. Miss Evelyn Jones oedd y person allweddol a drefnodd fod festri Soar ar gael yn rhad ac am ddim i'r ysgol feithrin, ar yr amod fod y plant yn mynd i'r ysgol Sul yno unwaith y mis. Cafodd Geraint ei fedyddio yn y capel ac roedd Alun yn mynd i'r ysgol feithrin yn rheolaidd. Hwn oedd yr egin bychan a sicrhaodd dwf addysg Gymraeg ym Merthyr Tudful. Erbyn hyn, mae Capel Soar yn ganolfan newydd wych i weithgareddau Cymraeg ym Merthyr, a merch Jean Pullman, Liz McLean, yn gyfarwyddwraig y ganolfan.

Roedd yr hinsawdd a'r egni newydd ym Merthyr yn sgil isetholiad 1972 wedi anadlu bywyd newydd i'r ymgyrch i gael ysgol gynradd Gymraeg yn yr ardal. Trefnwyd pob math o weithgareddau i godi hwyl, brwdfrydedd ac arian at yr achos. Fe godwyd llawer iawn o arian pan ddaeth Max Boyce i ganu yng nghlwb nos Strikers, a rhoddodd y diweddar Dewi Bebb, y chwaraewr rygbi, ei gymorth parod. Cofiaf i Eddie Thomas roi tunnell o lo'n wobr mewn raffl! Roedd yn rhaid i Marc a Nigel, meibion Mari a Graham Davies, deithio i Ysgol Ynys Lwyd, Aberdâr, bob dydd ar gost y rhieni i gael addysg Gymraeg. Hoffwn dalu teyrnged enfawr yma i ymroddiad rhieni di-Gymraeg trwy Gymru am fynnu bod eu plant yn cael cyfle i ddysgu Cymraeg ac adfer eu hetifeddiaeth. Roedd hyn yn arbennig o wir yng nghymoedd y de pan oeddem ni'n byw ym Merthyr. Cofiaf i un o'm ffrindiau o'r gogledd sôn am bobl Merthyr fel Saeson, a chafodd ymateb tanllyd! Cymru wedi colli'u hiaith ydynt ac wedi mynnu ei chael yn ôl.

Daeth llawer o bobl ddylanwadol at ei gilydd i ddwyn pwysau ar y Cyfarwyddwr Addysg, John Beale, a Chyngor Bwrdeistref Merthyr. Yn ystod 1973, trefnwyd cyfarfod yn ein tŷ ni ac ymhlith yr ymgyrchwyr roedd Paul Flynn (Aelod Seneddol Casnewydd yn ddiweddarach), Ifan Wyn Williams (a ddaeth yn brifathro Ysgol Rhydfelen) a Cennard Davies o'r Rhondda. Penderfynwyd ymgyrchu'n galed a chasglwyd nifer sylweddol o enwau rhieni a oedd yn awyddus i'w plant dderbyn addysg Gymraeg. Gwyddai pawb fod John Beale yn wrthwynebus iawn gan iddo, rai blynyddoedd ynghynt, roi terfyn ar obeithion ymgyrchwyr trwy alw pob rhiant yn unigol i'w swyddfa a'u perswadio y byddai addysg Gymraeg yn andwyol i ddyfodol eu plant. Yn 1973, ei dacteg i'n llorio oedd dweud bod angen sicrhau o leiaf hanner cant o blant o'r diwrnod cyntaf i gyfiawnhau ysgol Gymraeg. Ceisiodd unwaith eto ddefnyddio'r hen dric o 'divide and rule' ond y tro hwn roeddem yn barod amdano! Trefnwyd bod dau aelod o'r pwyllgor (Cennard Davies a Dafydd) yn sefyll y tu allan i ddrws y Cyfarwyddwr Addysg yn annog pawb i gadw'n gadarn at eu dymuniad a dweud ar ddiwedd y cyfweliad, 'Rydyn ni'n *dal* i fod eisiau addysg Gymraeg i'n plant!' Dulliau bwli a ddefnyddiai John Beale ond pan welodd faint y galw a'r penderfyniad di-ildio, gwnaeth ddatganiad yn dweud y byddai ysgol Gymraeg yn cael ei sefydlu yn hen ysgol Gellifaelog yn y dref. Adeilad cwbl anaddas, hen a digalon oedd hwn â phroblemau strwythurol mawr iawn. Wedi lobïo eto am gyfnod hir, adleolwyd yr ysgol flynyddoedd yn ddiweddarach mewn adeilad anaddas arall, sef hen ysgol Queen's Road, Merthyr.

Pleser digymysg i Dafydd a minnau ryw ddeng mlynedd ar hugain yn ddiweddarach oedd mynd i Ferthyr ar yr 8fed o Chwefror 2010 i ddathlu agor adeilad newydd, hardd Ysgol Gymraeg Santes Tudful. O'r diwedd roedd yr ysgol wedi dod i'w hoed, a hynny ar yr union ddiwrnod y ganwyd ein hwyres fach, Pegi Wyn Wigley! Roedd wedi cymryd cenhedlaeth gyfan i wyrdroi'r hen ragfarnau'n llwyr. Heddiw, Ysgol Santes Tudful ydi'r ysgol gynradd fwyaf yn yr ardal gyda dros bedwar cant o ddisgyblion, ac mae'n dal i fynd o nerth i nerth gyda Dewi Hughes yn brifathro ardderchog arni. Roedd y Cyfarwyddwr Addysg, Chris Abbott, yn bresennol yn y dathliad yn 2010, ac yn gefnogol iawn i waith yr ysgol. Yn anffodus, aeth John Beale i Abertawe gan barhau i achosi anawsterau i'r mudiad addysg Gymraeg yno.

Mae'r Esgid Fach yn Gwasgu

Credaf fod yna eiliad mewn bywyd pryd y gall rhywun ddweud i amser rewi ac i bopeth ddod i stop. Eiliad sy'n para am byth, yn arswydus ac yn serio'r enaid.

Hyd y cofiaf, dechreuodd y 5ed o Chwefror 1974 yn ddigon arferol: Dafydd yn mynd i bencadlys cwmni Hoover yn Llundain i drafod cynlluniau i helaethu'r ffatri ym Merthyr, a finnau'n mynd ag Alun i'r ysgol feithrin yng Nghapel Soar, a Geraint efo fo yn y goets ddwbl. Roedd pobl yn gyson yn dod atom ar y stryd i ddotio at y ddau fachgen bach hapus a thawel yn y goets.

Bu gan Dafydd a finnau dipyn o amheuon am ddatblygiad Alun a Geraint ac roedd llawer o bethau'n dechrau fy mhoeni. Er enghraifft, roedd Alun yn hir iawn yn dechrau siarad, a Ger yn araf yn cerdded. Bu trafferthion clustiau ac anwydau di-ri ac roedd Ger yn cropian mewn ffordd anarferol a thrwsgl. Ond byddai pawb yn dweud wrthyf am beidio â phoeni – byddai'r ddau'n siŵr o ddal i fyny. Ond *roedd* gen i ofn a phryder.

Cawsai Alun driniaeth fechan ar ei lengig yn ysbyty St Winifred's, Caerdydd, gan y Dr Harry Carr, Aberdâr, yn ystod Awst 1973, a'i gyngor oedd y dylem weld meddyg plant arbenigol heb oedi. Bu raid aros am chwe mis tan ddechrau Chwefror am apwyntiad, gan mai dim ond am un prynhawn y mis y deuai'r arbenigwr plant, Dr Coll, i fyny'r cwm o Gaerdydd i weld y plant oedd dan ei ofal.

Roedd Alun yn ddyflwydd a naw mis a Geraint yn ddeunaw mis ar y diwrnod ofnadwy hwnnw ddechrau Chwefror 1974. Gwn y bydd adrodd yr hanes yma'n agor hen glwyfau ac yn codi hiraeth a fydd yn dod o waelod fy ymysgaroedd. Dysgais fod gadael i'r teimladau dwys yma ddod i'r wyneb yn fodd o leddfu'r galar; mae fel petai fy nghroth yn gwaedu a chri dawel yn cnoi ei ffordd allan. Mae'n anodd cofnodi'r cyfnod trawmatig hwn ond gobeithiaf y bydd y ffaith ein bod ni fel teulu wedi gallu derbyn cryfder a chymorth yn fodd i helpu eraill sydd mewn amgylchiadau tebyg i gario ymlaen.

Pedwar o'r gloch oedd amser yr apwyntiad yng nghlinig yr Hollies, Merthyr Tudful, ond welsom ni mo Dr Coll tan chwarter wedi pump. Roedd tipyn o annwyd ar Alun a Ger ond doedd hynny'n ddim byd newydd. Roedd y nyrs wedi gofyn imi dynnu eu dillad sbel dda cyn inni gael ein galw, ac roedd pob plentyn a rhiant arall wedi hen fynd adref. Roeddwn yn methu deall pam ein bod wedi gorfod aros mor hir, a gwyddwn fod Alun a Ger yn mynd i fod yn llwglyd iawn. Hefyd roeddwn ar fy mhen fy hun yn y clinig a Dafydd ar ei ffordd adref o Lundain ar y trên.

Yr eiliad nesaf, chwalwyd fy myd. Pan welodd y meddyg fy nau blentyn, ebychodd mewn dychryn: 'Why haven't I seen these children before? Don't they come to the clinic regularly?' Wedi iddo sylweddoli fy mod i'n sefyll yno ac yn edrych yn hurt arno, trodd ataf ac ynganu'r frawddeg ddeifiol: 'You see, dear, we doctors see lots of colds and bronchial conditions every day in clinics, but we get very excited when we see children like these.'

'Children like *these*' ddywedodd o? Beth ar y ddaear oedd y dyn yn ei olygu?

Meddai wedyn: 'Why has nobody told me?'

Gofynnodd y cwestiynau hyn heb unwaith ystyried yr effaith a gaent arnaf i. Pan ddeallodd y meddyg fy mod dros bedwar mis yn feichiog gyda'n trydydd plentyn, cyffrôdd eto a dweud bod yn rhaid gwneud profion ar fyrder. Gofynnodd imi fynd â'r plant i'r ysbyty lleol yn gynnar fore trannoeth ac y dylai Dafydd fynd yno efo fi. Mae gen i ryw frith gof iddo ddweud geiriau fel 'big heads, distended stomachs' a 'developmental' rhywbeth-neu'i-gilydd, a synhwyrwn fod rhywbeth mawr iawn o'i le ar fy nau fab bach.

Does gen i ddim syniad sut y cyrhaeddais adref i Faes y Nant. Llwyddais i roi'r plant yn y fan fach Mini gyda chymorth un o'r nyrsys a oedd yn poeni'n fawr amdanaf. Roedd merch o Ferthyr, Janet, yn helpu efo'r plant pan fyddwn yn gweithio, ac wrth lwc roedd hi acw'r noson honno. Gwelodd fy mod mewn cyflwr difrifol, a heb ofyn i mi ffoniodd Mari, fy ffrind, a daeth hithau draw. Allwn i ddweud 'run gair wrth Mari gan gymaint fy sioc a'm dychryn. Disgynnais i gadair mewn cryndod. Gofalodd Janet am Alun a Geraint a'u rhoi yn eu gwlâu. Gwyddai Mari fod un o'r doctoriaid lleol, Dr Mazunda, yn byw ar draws y ffordd inni ac aeth ato i ofyn am gymorth. Chwarae teg iddo, daeth acw yn ei slipars ar ganol ei swper. Gwelodd ar unwaith fy mod mewn cryn stad a rhoddodd dabled i'm tawelu. Cofiaf ddweud wrtho fy mod yn feichiog ac iddo fy sicrhau na ddeuai unrhyw niwed i'r baban o gymryd y dabled.

Ar ei ffordd adref o Lundain, roedd Dafydd wedi galw mewn cyfarfod cymdeithasol yn neuadd Aber-fan i ail-fabwysiadu Emrys Roberts yn ymgeisydd i'r Blaid, a Max Boyce yn canu yno. Dyma'i eiriau yn ei hunangofiant

O Ddifri: 'Nid anghofiaf byth y man a'r amser pan gefais wybod fod ein byd yn deilchion. Daeth imi'r newydd cyntaf am ansicrwydd cyflwr y bechgyn mewn galwad ffôn gan Mari Davies . . . pan oeddwn mewn cyfarfod o Blaid Cymru yng Nghanolfan Aber-fan. Dyna eironi – sefyll yn y fan honno lle bu farw dros gant o blant ysgol yn clywed am ffawd ein plant ninnau.'

Doedd yr un ohonom yn gallu credu'r newyddion am y bechgyn. Arhosodd Mari efo ni am weddill y noson. Cofiaf yn dda ei bod wedi ceisio fy nghynghori cyn hynny i beidio â mynd i unrhyw glinig plant ar fy mhen fy hun. Roedd Mari wedi bod yn gweithio llawer mewn clinigau clyw ac wedi amau efallai y gallai fod rhyw afiechyd ar y bechgyn, ond fuasai hi ddim yn briodol iddi ddweud dim wrthyf.

Roedd cwsg yn amhosib y noson honno, a'r bore trannoeth aeth y pedwar ohonom i weld y meddyg yn Ysbyty Santes Tudful. Ces sioc ofnadwy wrth weld bod yr arbenigwr plant wedi dod â chwech o ddoctoriaid ifanc dan hyfforddiant o Gaerdydd efo fo i weld yr hogiau, ac roedd yn gofyn cwestiynau i'r doctoriaid o flaen Dafydd a finnau, megis: 'Have you seen conditions like this before?' a 'Which one do you think it is?' Yn y diwedd, dywedodd y byddai'n rhaid inni fynd i Ysbyty'r Brifysgol, Caerdydd, i gael profion ar fyrder oherwydd fy mod dros bedwar mis yn feichiog. Roedd y meddyg mewn panic ac yn methu cuddio hynny! Roedd y ffordd y deliodd â'n sefyllfa'n drychinebus o drwsgl ac ansensitif.

Aethom yn syth o'r ysbyty ym Merthyr i Gaerdydd. Bu Alun, Geraint a minnau'n aros mewn ystafell yn ward y plant yn Ysbyty'r Brifysgol am dridiau yn cael pob math o *biopsies* a phrofion eraill. Dyma amser tywyllaf fy mywyd. Eglurodd

Dr Laurence a Dr Peter Harper, y meddygon oedd yn arbenigo ar gyflyrau genetig, eu bod yn gwneud profion i ddarganfod beth oedd y cyflwr oedd yn effeithio ar ddatblygiad Alun a Ger. Soniwyd am afiechyd genetig o'r enw *mucopolysaccharidosis* (MPS) a bod yna saith math gwahanol ohono – i gyd yn gyflyrau difrifol a fyddai'n arwain at farwolaeth gynnar. Dyna'r eiliad y disgynnodd y gwaelod o'n bywydau. Roedd gwaeth i ddod. Byddai'r plant yn fethedig iawn yn gorfforol ac yn feddyliol, yn gynyddol sâl ac yn marw yn eu harddegau cynnar. Pan ofynnais beth oedd y driniaeth, yr ateb oedd, 'There is none.' Dywedodd y meddygon fod ymchwil yn cael ei wneud i'r cyflwr ond dim byd a allai helpu'n plant ni. Pan ofynnais ble y gallem droi am gymorth, yr ateb a gefais oedd, 'Carry on as you are – you are doing very well already.'

Roedd gofid mawr am gyflwr y baban yn fy nghroth. A fyddai o neu hi yn dioddef o'r un afiechyd? Y rheswm dros fy rhuthro i'r ysbyty oedd er mwyn i mi gael profion i ddarganfod a oedd y *foetus* hefyd wedi'i effeithio. Pe bai angen erthyliad roedd yr amser yn mynd yn dynn iawn. Roedd y gyfraith yn caniatáu erthylu hyd at wyth wythnos ar hugain ac roeddwn eisoes wedi mynd dros bedair wythnos ar hugain. Roedd y profion *amniocentesis* i ddarganfod abnormalrwydd yn newydd iawn pan gynigiwyd y driniaeth i mi.

Cyn cytuno i gael y profion, rhaid oedd penderfynu yng nghanol ein trallod beth fuaswn i'n ei wneud pe bai'r prawf yn bositif? A fuaswn yn cael erthyliad fel roedd y meddygon yn ei argymell? Sut ar y ddaear y gallwn roi terfyn ar fywyd plentyn bach fyddai'n frawd neu chwaer i Alun a Geraint, oedd mor annwyl i ni? Y nhw oedd canolbwynt ein bywydau ac roeddem wedi edrych ymlaen at gael brawd neu chwaer fach yn gwmpeini iddynt – ac, yn y man, at gael eu gweld yn tyfu i fyny i fod yn oedolion.

Teimlwn fod pwysau trwm o du'r meddygon imi gymryd y prawf gan y gwyddent y byddai'r gwaith o ofalu am Alun a Geraint yn drwm iawn, a theimlent gyfrifoldeb i'n helpu i beidio â chael plentyn arall ag MPS. Disgrifiwyd yr anableddau a'r gofal eithriadol o ddwys y byddai ei angen ar Alun a Ger, ac aeth Dafydd a minnau adref i Faes y Nant ar ein pennau ein hunain am noson gan adael y bechgyn yn yr ysbyty er mwyn ceisio dod i benderfyniad. Es yn ôl i'r ysbyty'r diwrnod canlynol i gymryd y prawf, a dwi'n dal i gredu hyd heddiw mai dyna oedd y penderfyniad cywir. Wedi clywed beth oedd gan yr arbenigwyr i'w ddweud, credem y byddai'n anghyfrifol iawn i ddod â phlentyn arall i'r byd a fyddai'n dioddef cymaint ag a wnâi Alun a Ger.

Y prawf cyntaf oedd un i ddarganfod pa un ai mab neu ferch fach a gariwn. Os mab, yna byddai angen mwy o brofion; os merch, fe fyddem, yng ngeiriau Dr Lawrence, 'out of the woods'. Credai'r arbenigwyr ar y pryd mai syndrom Hunter oedd ar yr hogiau, afiechyd sy'n effeithio ar fechgyn yn unig ac yn cael ei drosglwyddo trwy'r fam. Golygai'r prawf hwnnw fod yn rhaid rhoi nodwydd i mewn i'r groth i dynnu sampl o'r dŵr sy'n amgylchynu'r baban. Erbyn heddiw mae'r prawf yn un soffistigedig ac ni chaniateir i'r fam symud nac anadlu, bron, ar ôl y sgan sy'n cael ei roi cyn y prawf ei hun. Yn fy achos i, cerddais i lawr grisiau hir ac ar hyd coridor ar ôl y sgan! I ychwanegu at yr ansicrwydd, roedd hi'n mynd i gymryd hyd at fis inni gael gwybod canlyniadau llawn y prawf.

Ar y 7fed o Chwefror 1974, ac Alun, Ger a minnau yn yr ysbyty, clywodd Dafydd ar y newyddion amser cinio fod etholiad cyffredinol annisgwyl o gynnar wedi cael ei alw gan Edward Heath ar gyfer yr 28ain o Chwefror. Roedd Dafydd yn ymgeisydd yn etholaeth Arfon. Roedd mewn gwewyr llwyr ac ni wyddai beth ar y ddaear y dylai ei wneud – mynd ymlaen i sefyll fel ymgeisydd yn yr etholiad ai peidio. Gofynnodd am farn y meddyg, a holodd hwnnw a gredai ei fod yn debygol o ennill. Ateb Dafydd oedd fod hynny'n bosib! Cyngor y meddyg oedd y dylai gymryd un diwrnod ar y tro.

Anodd ac arteithiol oedd ceisio dod i benderfyniad. Teimlem fod pethau'n gorfod mynd yn eu blaenau ond roedd ein bywydau'n racs. Daethom i'r casgliad mai mynd i fyny i Gaernarfon oedd yr unig ddewis ac aros efo Taid a Nain (rhieni Dafydd) yn y Bontnewydd er mwyn i Dafydd ymladd yr etholiad. Aethom yn syth o'r ysbyty adref i Ferthyr i bacio'n cesys, a mynd mewn cyflwr o sioc ac afrealrwydd i Arfon i ymladd etholiad, a chan gario'n cyfrinach ddirdynnol.

Roedd cyffro yn y tir a'r sibrwd yn gryf y byddai'r Blaid yn ennill Arfon. Cafwyd ymgyrch lew a oedd yn rhyw fath o leddfu'r boen i Dafydd a minnau – neu o leia'n tynnu'n meddyliau oddi ar y düwch a'n llethai. Ond roeddem yn sylweddoli hefyd y gallai Dafydd orfod mynd i ffwrdd bob wythnos i Lundain a'm gadael ar fy mhen fy hun gyda'r plant. Roedd yn well peidio â meddwl gormod a bwrw i mewn i'r gwaith o ennill y sedd. Ceisiais fynd i gymaint o gyfarfodydd ag y gallwn, canfasio rhyw ychydig yn ogystal ag edrych ar ôl y plant. Roedd Arfon yn dir dieithr i mi a phob pentref yn lle newydd, ond roedd y croeso a gâi Dafydd

Sarah Bennett,
fy hen hen nain

Fy hen daid a'm hen nain,
John a Sarah Evans

Nicholas Bennett, hen ewythr i mi
a gyhoeddodd y casgliad o
alawon Cymreig Alawon fy Ngwlad
yn y flwyddyn 1896

Fy hen nain arall,
Gwen Jones

Nain Fron – Jane Davies (Hamer, wedyn), mam fy mam

Menna a fi efo Taid a Nain Bennett Owen, rhieni fy nhad

Priodas Mam a Dad yn 1937
– ar y dde, olion yr eira a ohiriodd y briodas!

Fi tua dyflwydd oed efo 'Mynw'
(Morfudd Jervis)

Efo Menna
o flaen Llwynderw
tua 1948

Dosbarth Miss James yn Ysgol Llanuwchllyn, 1949–1950.
Fi ac Olwen Cefn Gwyn ar y chwith yn y blaen,
a Robin Rhydsarn yn y canol

Menna a fi yn y Gwyndy, Llanuwchllyn, tua 1952

Cyngerdd cyntaf Côr Godre'r Aran yn y Dorchester yn Llundain yn 1949: Dad (chwith, cefn), Tom Jones, yr arweinydd (canol, cefn), Yncl Bob (yn y siwt olau!) a Heulwen Roberts, y delynores

Parti Deulais Llanuwchllyn yn fuddugol yn Eisteddfod Genedlaethol yr Urdd y Bala, 1954: Dorothy, Olwen (Bryn Caled), Menna, Olwen (Tegfan), Ifora, fi, Llywela, Olwen (Cefn Gwyn) – a Dad

Dosbarth Miss Buddug James yn Ysgol Merched y Bala, 1955. Fy ffrind, Glenys Thomas, a fi yn bedwerydd a phumed o'r dde yn y cefn

Cystadlu am y tro cyntaf ar yr unawd telyn yn y Genedlaethol (ac ennill!) – Glyn Ebwy, 1958

Côr Aelwyd Llanuwchllyn yn yr Almaen yn 1959, a finnau'n 16 oed

O diar, ail eto! Mags (Margaret Rees, Casllwchwr) yn ennill y tlws yn Eisteddfod yr Urdd Llanbedr Pont Steffan, 1959

Côr Merched Llanuwchllyn yn fuddugol
yn Eisteddfod yr Urdd Dolgellau, 1960

Fi a'm ffrind Joan Wyn Hughes
ger Rhaeadr Niagara yn Awst 1961

Fy athrawes telyn, Alwena Roberts,
yn canu'i thelyn Lyon & Healy
yn y tridegau

Ysgol y Delyn, 1961 – yr un gyntaf erioed. O'r chwith: Ann Griffiths, Elizabeth Fontan-Binoche, Eleri Owen, Susan Drake, Bronwen Marsden, John Thomas, Buddug Davies, Sian Morgan a finnau

LLUN: PICKFORDS

Côr Madrigal Coleg Prifysgol Cymru, Aberystwyth – y 'Mads' – cyn y daith gofiadwy i'r Unol Daleithiau yn haf 1961, efo'r arweinydd Roy Bohana. Fi, Rhiannon, Beti a Joan yn yr ail res; Ina o'm blaen i, Alan Wyn ar y dde eithaf, a Margaret a Llinos o'i flaen

Graddio yn y Gyfraith yn Aberystwyth yn 1963

Dafydd newydd raddio ym Manceinion yn 1962

Dechrau canlyn – o ddifri!

Rhoi cymorth i fyfyriwr cyfansoddi yn yr Academi Frenhinol yn Llundain. (Mae'r llun hwn ohonom yn dal i fod ar wal yr Academi!)

LLUN: GWYN EVANS

Clymu'r cwlwm yng Nghapel Glanaber, Llanuwchllyn, yn Awst 1967

LLUN: GWYN EVANS

Mam ar ddiwrnod ein priodas

Fi ac Alun yn ein cartref ym Maidenhead, haf 1971

Fy ffrind ym Merthyr, Mari Davies

LLUN: JOHN YATES

Dafydd, Geraint, fi ac Alun ym Maes y Nant, Merthyr, yn 1973

LLUN: GEORGE THOMAS

Eluned wedi ymuno â'r teulu,
a ninnau bellach
yn y Bontnewydd

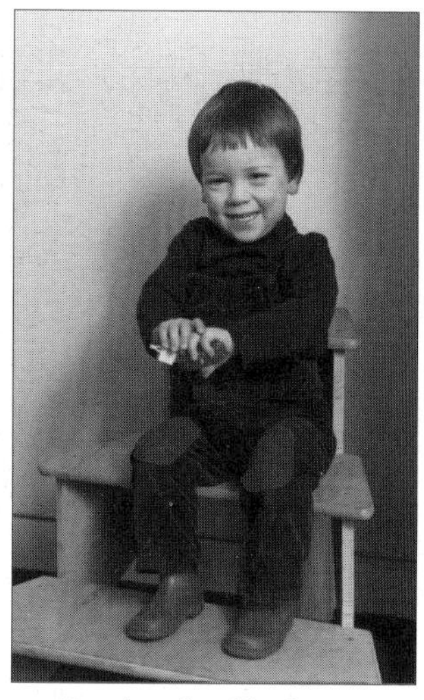

Hywel yn flwydd a hanner
yn 1977

Taid a Nain Wern
(Elfyn a Myfanwy Wigley),
rhieni Dafydd

Mam a Dad
mewn priodas
ddiwedd y saithdegau

Amser gwely
yn yr Hen Efail
– Eluned a Geraint

Huw Rolant ac Esyllt Mererid
('Huw ac Es') efo Eluned a Hywel
yn Nhyddewi

Efo Iona (Roberts),
a fu'n gymaint o gefn inni fel teulu

Delyth (Jones)
– angel arall

LLUN: ARWYN HERALD

Dathlu buddugoliaeth yn Etholiad Cyffredinol 1987

Mam yng Nghlywedog
yn ystod sychdwr mawr 1984
– ar safle cegin orau
ei hen gartref, Aberbiga

Hywel
yn canu mewn gìg
efo'r band Aros Mae
yn yr wythdegau

Menna (Bennett Joynson),
fy chwaer

Fy nhelyn Horngacher,
a brynais ganol yr wythdegau
ac sy'n dal gen i

Efo Osian Ellis, fy mentor

Fi a'm merch-yng-nghyfraith
Catrin (Finch) ar ôl cyngerdd,
yn y ffrogiau a gynlluniwyd gan
fy ffrind, Jane Davies o Ferthyr

Serenâd ar wyliau
efo Eluned ym Mecsico!

Efo'm ffrind, Meinir Heulyn

Canolfan Gerdd William Mathias:
grŵp Doniau Cudd yn y Senedd yng Nghaerdydd
gydag Alun Ffred Jones a Meinir Llwyd Jones
(cyfarwyddwraig y Ganolfan Gerdd, yn y cefn) a chyfeillion eraill

Y can telyn yng nghyntedd Canolfan y Mileniwm
– digwyddiad a aeth i'r Guinness World Records

Dafydd, John Major a finnau yn America, 17 Ebrill 2004
– diwrnod fy mhen-blwydd!

LLUN: ARWYN HERALD

Dafydd a finnau'n bwrw pleidlais yn Etholiad Cyffredinol 1997 – y flwyddyn yr enillwyd y refferendwm ar gael Cynulliad i Gymru

Priodas Hywel a Catrin yn 2003

Priodas Eluned a Dai yn 2005

Ana Gwen, fy wyres

Pegi Wyn, fy wyres

Cai Dafydd a Jac Ben, fy wyrion

Y teulu ynghyd yn Awst 2011

yn rhyfeddol a'r frwydr yn boeth rhwng y Blaid a Llafur. Y bwriad oedd diorseddu Goronwy Roberts a fuasai'n Aelod Seneddol ers wyth mlynedd ar hugain. Ychydig a feddyliwn bryd hynny y byddai Dafydd hefyd yn dal y sedd am gyfnod tebyg!

Mae llawer o fanylion yr ymgyrch wedi mynd yn angof – *amnesia* dewisol, mae'n siŵr. Doeddem ni ddim hyd yn oed yn gallu rhannu'n pryderon â'n rhieni, heb sôn am bobl eraill, gan na wyddem beth yn union fyddai'r diagnosis terfynol. Roedd hyn ynddo'i hun yn achosi baich annioddefol o drwm. Trwy'r ymgyrch roeddem yn disgwyl clywed am gyflwr y baban yn fy nghroth ac yn gweddïo'n daer na fyddai'r prawf yn bositif.

Atebwyd fy ngweddïau. Ychydig ddyddiau cyn yr etholiad cawsom alwad ffôn yn hwyr y nos yn dweud mai merch fach oedd gennym. Ar gyfnod mor dywyll ac angerddol o drist, roedd y goleuni llachar yma ar ben y twnnel yn falm i'r enaid. (Wyddem ni ddim y byddai profion diweddarach yn dangos mai syndrom Sanfilippo oedd ar Alun a Ger ac y gallai hwnnw effeithio ar fechgyn a merched, yn wahanol i syndrom Hunter.) Arbedwyd bywyd y ferch fach yn fy nghroth ac ni fu raid i mi wynebu'r driniaeth ddychrynllyd a'r trawma o gael erthyliad.

Ond rhaid oedd inni dderbyn y sefyllfa a cheisio dygymod â'r ffaith ddiymwad nad oedd gwella i fod i Alun a Geraint, er cymaint o waith arbrofol gwyddonol oedd eisoes yn digwydd. Byddai'r cyfan yn rhy hwyr i achub bywydau ein plant ni. Yn ystod ymgyrch yr etholiad roedd rhaid cadw wyneb llawen, a dim ond un person – Wmffra Roberts, asiant Dafydd – a wyddai am ein trallod. Bu Wmffra'n gefn anhygoel inni trwy'r ymgyrch, a thrwy'r cyfnod anodd a ddilynodd hynny.

Gweddïem am waredigaeth ac am gael deffro o'r hunllef.

Diwrnod yr etholiad ei hun es o gwmpas llawer o fythod pleidleisio yn Llŷn gyda Gwenan Lewis, Nefyn, ac ar ddiwedd y diwrnod roeddwn yn sâl gan flinder y beichiogrwydd yn ogystal â'r nerfusrwydd a deimlwn wrth ystyried y posibilrwydd cryf, bellach, fod Dafydd yn mynd i ennill. Roedd un pôl piniwn ar ôl y llall yn ystod yr ymgyrch yn darogan hyn.

Roedd y cyfrif yn gyffrous iawn a golwg hynod o bryderus ar wyneb Goronwy Roberts oedd wedi bod yn Aelod Seneddol gweithgar yn Arfon am gyfnod mor hir. Teimlwn gryn gydymdeimlad ag o os byddai'n cael ei wthio allan trwy'r broses ddemocrataidd. Yn oriau mân y bore daeth y newydd syfrdanol fod Dafydd Êl wedi ennill Meirion, ac eiliadau'n ddiweddarach cafodd Dafydd ar ddeall ei fod yntau wedi ennill Arfon! Bu lluniau'r teulu ar flaen sawl papur newydd gan fod y canlyniad yn dipyn o syndod. Wrth gwrs, wyddai neb o'r cyhoedd am yr ing oedd yn ein calonnau.

I mi, roedd pob ystyriaeth am yrfa a cherddoriaeth wedi diflannu. Roedd y meddyg yn iawn – yr unig ffordd o ddelio â'r sefyllfa oedd cymryd pob dydd yn ei dro.

Ar ôl etholiad Mawrth 1974 newidiodd popeth yn ein bywydau a rhaid oedd dysgu sut i fod yn wraig i Aelod Seneddol – sydd ddim yn beth hawdd! Ar lefel Brydeinig ni chafodd yr un blaid fwyafrif clir yn yr etholiad, ac yng Nghymru methodd Gwynfor Evans adennill Gaerfyrddin o dair pleidlais yn unig. Rhagwelai pawb y byddai Harold Wilson yn galw etholiad arall yn fuan, ac roedd yr holl ansicrwydd ar ben popeth arall yn rhoi pwysau aruthrol ar ein teulu ni.

Yn fuan ar ôl yr etholiad, cafodd Alun a Geraint brofion pellach yn ysbyty Great Ormond Street, Llundain, a chadarnhawyd ein hofnau dwysaf mai'r cyflwr MPS oedd arnynt. Buom yn byw am wythnosau yng nghartref rhieni Dafydd yn y Bontnewydd tra oeddem yn chwilio am dŷ i fyw ynddo, ac aeth Taid a Nain i aros yn eu bwthyn pysgota ar lannau afon Dyfi yn Llanwrin.

Roedd yna gwestiynau di-ri i'w hystyried. A fyddai'r babi bach newydd yn iawn, fel y dangosodd y profion? A ddylai Dafydd roi'r gorau i'w swydd o dan amgylchiadau gwleidyddol mor ansicr? (Chwarae teg i gwmni Hoover, roeddynt yn fodlon cadw'r swydd ar agor iddo am chwe mis.) A fuasem yn symud o Ferthyr? A fuasai Dafydd yn debyg o gadw'i sedd yn yr etholiad nesaf? Gan mai Dafydd ydi Dafydd, ei ateb o i'r cwestiynau oedd gweithio'n ddiarbed a *sicrhau* y byddai'n ennill pe gelwid etholiad arall yn fuan! Roeddwn innau'n dal i ddysgu yn y Coleg Cerdd a Drama, Caerdydd, ac yn gynghorydd ym Merthyr. Rhoddais y gorau i'r sedd ddechrau Mehefin 1974 pan ddaeth y Cyngor newydd i rym.

Cynheliais gyngerdd llawn fy hun yn Theatr y Chapter yn Nghaerdydd ddiwedd Mai a minnau wyth mis yn feichiog. Pan oeddwn yn chwarae gwaith hyfryd Fauré, ei 'Impromptu' i'r delyn, dechreuodd y babi gicio mor egr nes oeddwn yn sicr y byddai'r gynulleidfa'n clywed sŵn taro ar y delyn! Yn ystod ail wythnos Mehefin, cynhaliwyd seremoni cyhoeddi Eisteddfod Genedlaethol Bro Dwyfor yng Nghricieth, a Dafydd a minnau yno. Mynnodd fy ffrind Robyn Léwis fod meddyg wrth fy ochr ar hyd yr adeg!

Trwy gydol gwanwyn 1974, felly, roeddem yn nofio mewn môr o ansicrwydd. Wedi inni gael cadarnhad mai cyflwr Sanfilippo oedd afiechyd Alun a Ger, y cam cyntaf a'r un anoddaf oedd derbyn y gwirionedd yna dygymod â'r ffaith fod y ddau fachgen bach yn blant anabl yn feddyliol ac yn gorfforol, y byddai eu hiechyd yn sicr o ddirywio'n raddol, ac y byddent angen gofal dwys maes o law.

Ni allwn feddwl am eu colli – roedd wynebu hynny'n amhosib. Byddai gennym tua deng mlynedd i ofalu amdanynt ac i baratoi ein hunain, yn deulu, cyfeillion a gofalwyr, am yr anorfod creulon.

Ganwyd Eluned Haf fin nos yr 21ain o Fehefin – ie, y dydd hwyaf! – yn Ysbyty Dewi Sant, Bangor, ar ôl diwrnod hir o wewyr esgor. Hwn oedd y diwrnod canol haf poethaf ers blynyddoedd, yn ôl yr arbenigwyr tywydd. Roeddwn wedi dewis cael pigiad *epidural* gan fy mod yn gwegian dan yr holl boen meddwl roeddwn wedi'i gael ond nid oedd yn gwbl effeithiol, felly, yn y diwedd bu raid imi gael triniaeth frys *Caesarean*.

Mae'n arwyddocaol iawn i mi fod Eluned yn blentyn troad y rhod a hirddydd haf. Daeth â llawenydd a gobaith i'n bywydau na allaf ddechrau eu mynegi. Rhoddodd hefyd nerth anhygoel i Dafydd a minnau byth er hynny, ac erbyn hyn mae'n fam ei hun i'r efeilliaid Jac a Cai, ein hwyrion holliach, annwyl.

Dwi'n falch iawn, iawn o'i llwyddiant gyrfaol fel cyfarwyddwr Celfyddydau Rhyngwladol Cymru. Mi gafodd sain y delyn ddylanwad arni, mae'n rhaid!

Ar ôl iddo ennill yr ail etholiad yn Hydref 1974 daeth y

dyfodol – o safbwynt gwaith Dafydd, beth bynnag – ychydig yn gliriach, ac aeth pawb ohonom (neiniau, teidiau, plantos, Dafydd a minnau) i Lundain ar y trên arbennig o Fangor gyda channoedd o etholwyr i ddathlu'r buddugoliaethau yn Arfon, Meirion a Chaerfyrddin. Ces help gwerthfawr gan Marian, merch Wmffra, efo'r tri phlentyn. Roedd Eluned yn dri mis oed ac mewn cot bach, Geraint yn ddwy ond ddim yn cerdded, ac Alun yn tueddu i redeg i ffwrdd ar y cynnig cyntaf: yn fachgen tair oed roedd Alun yn orfywiog a doedd o ddim yn gweld perygl. Y gwir oedd fod gennym dri phlentyn â'u hoedran meddyliol o dan chwe mis.

Aeth ein teulu bach wedyn am benwythnos hir i westy yn Eastbourne ond doedd dim llawer o orffwys er bod Marian efo ni. Ychydig yn ddiweddarach, ar ymweliad tebyg â'r Alban (dros gynhadledd yr SNP lle roedd Dafydd yn siarad), cawsom aros mewn gwesty braf yn Perth. Deffrais yn gynnar y bore olaf i glywed sŵn dŵr yn fy ymyl. Heb yn wybod i mi roedd Alun wedi codi o'i wely ac wedi troi pob tap ymlaen yn yr ystafell ymolchi, a'r dŵr yn llifo dros lawr y llofft. Amser brecwast, clywsom bobl ar fyrddau cyfagos yn dweud bod dŵr wedi bod yn diferu o'r llawr uwch eu pennau a'u deffro'n gynnar yn y bore. Aethom allan fel fflamiau o'r gwesty!

Bu raid gwerthu Maes y Nant. Roedd symud o Ferthyr yn anodd; mewn cyfnod byr iawn, roeddwn yn teimlo 'mod i wir wedi bwrw gwreiddiau. Pacio bocsys unwaith eto fu'n hanes, felly, ac agor rhai ohonynt yn Bron Wenda, Llanrug. Yno y buom am ddeng mis yn ceisio setlo i lawr.

Teimlwn yn syth fod natur cymdeithas y chwareli'n wahanol iawn i'r un lofaol, a chymerodd amser i arfer â'r ffaith fod pobl Arfon yn cadw iddynt eu hunain lawer mwy. Amser anodd oedd hwn i mi gan fod gen i lawer iawn i'w ddysgu a theimlwn ar goll yn aml, yn arbennig gan fod Dafydd oddi cartref cymaint. Ychydig iawn o amser oedd yna i sgwrsio am ein sefyllfa newydd, ac i holi pwy oedd pwy!

Un achlysur hapus iawn oedd bedyddio Eluned yn Llanrug gan ein cyfaill, y diweddar Barchedig Meurwyn Williams, Pen-y-groes. Roedd ei wraig, Carys Puw, yn ffrind mawr i mi yn Ysgol Merched y Bala.

Roedd ein cymdoges yn Llanrug, Mrs Roberts (mam-yng-nghyfraith Megan Roberts, Pennaeth Cerdd Ysgol Dyffryn Nantlle), yn un o'r angylion fyddai'n fy helpu. Byddai'n dod i mewn yn wirfoddol bob bore i gadw cwmpeini i Geraint ac Eluned tra byddwn i'n mynd ag Alun i'r ysgol feithrin yn hen ysgol Glanmoelyn, Llanrug. Teimlwn yn aml fod gen i dripledi gan fod Eluned wedi dal i fyny efo Alun a Ger, ac wedi'u pasio o ran datblygiad ymhell cyn bod yn naw mis oed. Petawn i wedi rhoi genedigaeth i Eluned yn gyntaf, byddwn wedi sylweddoli'n llawer cynt fod rhywbeth mawr o'i le ar Alun a Ger, ond gan mai nhw oedd ein plant hynaf – a bod y ddau yr un fath – credwn mai dyna oedd datblygiad arferol plant.

Am ychydig wythnosau wedyn bu Alun a Ger yn mynd i ysgol feithrin yn yr adeilad a elwir yn Feed my Lambs yng Nghaernarfon, ond daeth problemau i'r amlwg. Doeddwn i ddim eto wedi derbyn y byddai angen iddynt fynd i ysgol wahanol i'r un ar gyfer pob plentyn arall yn y pentref. Roedd hwnnw'n gam na allwn ei wynebu eto. Ymweliad ag ysbyty Great Ormond Street ddechrau 1975 a'n perswadiodd y dylem agor ein meddyliau ac ystyried pa ddarpariaeth oedd fwyaf addas i anghenion Alun a Geraint.

Digwyddodd rhyw fath o dro trwstan i mi ar fy ffordd adref i orsaf Bangor o Lundain ar ôl treulio diwrnod caled yno'n siarad â'r meddygon. Roeddwn wedi blino'n lân pan ddaliais y trên hwyr o Euston – yr hen deip gyda 'compartments' lle gallwch orwedd i lawr. Wrth gwrs, syrthiais i gysgu – a deffro yng Nghaergybi am un o'r gloch y bore heb gar! Roedd yn noson rewllyd yng nghanol Ionawr: popeth ar gau yn yr orsaf, dim tacsi yn unman a dim trên i Fangor tan y bore. Mam oedd yn gwarchod y tri phlentyn, a'r unig beth y gallwn feddwl am ei wneud oedd ffonio fy ffrind Megan Roberts yn Llanrug. Cododd Gareth, ei gŵr, o'i wely i'm nôl. Fûm i erioed mor ddiolchgar i neb. Diolch, diolch am angylion.

Bore trannoeth, dywedais y cyfan roeddwn wedi'i ddysgu yn Llundain am afiechyd Alun a Geraint wrth Mam.

Buom yn ymweld yn gyson ag ysbyty Great Ormond Street a thyfodd cyfeillgarwch hyfryd rhyngom a Dr Rosemary Stephens, un o brif arbenigwyr y byd ar y cyflwr MPS. Hanai o sir Gaerfyrddin – gwraig dawel, yn llawn cydymdeimlad a sensitifrwydd. Cawsom gynhaliaeth arbennig ganddi. Teimlem y gallem droi ati unrhyw bryd am gyngor a gofyn myrdd o gwestiynau am ddyfodol y plant.

Eglurodd y byddai tri phrif gyfnod yn oes fer Alun a Geraint: y blynyddoedd cynnar, y cyfnod yr oeddem ar ei ganol pan gafwyd y diagnosis, ac a fyddai'n arwain yn araf at yr ail *plateau* o fod yn mynd, mynd, mynd mewn ffordd orfywiog (*hyperactive*). Yn yr ail gyfnod hwnnw byddent yn effro yn y nos, yn chwarae gyda thapiau dŵr ac yn cnoi popeth y gallent roi eu dwylo arno. Dywedwyd wrthym hefyd y byddai'r ychydig iaith oedd ganddynt yn graddol ddiflannu, a dulliau eraill o gyfathrebu megis cerddoriaeth a gwenu'n dod yn llawer pwysicach. Yn y trydydd cyfnod byddent yn arafu, yn syrthio llawer, yn methu cerdded ac angen llawer iawn o ofal nyrsio dwys. Byddent yn marw yn eu harddegau cynnar.

Diolch i'r drefn, mae'n gyflwr prin iawn a rhwng 1980 ac 1990 dim ond 88 o fabanod a anwyd â'r clefyd hwn ym Mhrydain. Enwyd yr afiechyd yn Sanfilippo ar ôl y meddyg o'r Unol Daleithiau a ddarganfu'r afiechyd yn 1963, Sylvester Sanfilippo. Erbyn hyn mae pob math o wybodaeth am y cyflwr i'w gael ar wefannau di-ri – y fwyaf dibynadwy, mae'n debyg, ydi gwefan y gymdeithas MPS.

Genyn ymgiliol *(recessive)* sy'n gyfrifol am y salwch. Os ydi'r tad *a*'r fam yn cario'r genyn, mae siawns ystadegol y bydd un o bob pedwar o'u plant yn cael ei effeithio. Ein tynged drasig ni oedd bod dau o'n plant yn araf ddirywio o'r clefyd creulon hwn. Mae'n debyg fod y genyn etifeddol yn cael ei drosglwyddo trwy'r cenedlaethau, ac fel afiechyd Tay-Sachs sy'n fwyaf cyffredin mewn rhai cymdeithasau Iddewig, mae'n digwydd lle mae llawer o berthnasau agos yn priodi o fewn teuluoedd – fel dros y canrifoedd y bu cyndeidiau Dafydd a minnau ar fryniau Maldwyn.

Dim ond ein rhieni ac Wmffra a wyddai o hyd am gyflwr Alun a Geraint, ond un min nos ddiwedd Ionawr 1975 roeddwn ar ben fy nhennyn a thorrais i lawr. Wedi bod mewn clinig cynllunio teulu yng Nghaernarfon roeddwn i, a Nain Wern (mam Dafydd) yn gwarchod yn ein cartref yn Llanrug.

Holodd meddyg y clinig a oedd gennyf eisoes blant, a dywedais y cyfan wrthi am Alun a Geraint gan geisio cadw rheolaeth arnaf fy hun. Aeth fy emosiynau'n drech na fi a chyrhaeddais adref yn crio'n hidl. Wrth geisio fy nghysuro, gofynnodd fy mam-yng-nghyfraith yn sydyn: 'Fasech chi'n licio dod i fyw i'r tŷ newydd mae Taid a finnau'n ei adeiladu'r drws nesa i'r Wern?' Atebais innau fel mellten, 'Byswn!' Gwyddwn na allwn ddal ati fel roeddwn i, ar fy mhen fy hun. Roedd hi'n sefyllfa amhosib.

Y cam nesaf oedd dweud wrth Dafydd pan ddaeth adref o Lundain beth oedd y ddwy ohonom wedi'i benderfynu! Ei ymateb cyntaf, mewn anghrediniaeth a sioc, oedd: 'Wyt ti *wir* yn meddwl y gelli di fyw drws nesa i *Mam*?!' Roedd Nain Wern yn ddynes alluog iawn a chanddi bersonoliaeth gref, a doedd Dafydd ddim yn credu y gallwn fyw mor agos i'm mam-yng-nghyfraith a chadw harmoni teuluol!

Allai dim byd fod ymhellach o'r gwir. A doedd dim troi'n ôl i fod!

Yn sgil ei fuddugoliaeth a'i waith fel Aelod Seneddol, roedd Dafydd yn ffigwr cyhoeddus a'i broffeil yn uchel. Ar yr 21ain o Fawrth 1975 gwnaeth ddatganiad i gyfarfod dwys iawn o bwyllgor rhanbarth y Blaid yn Arfon yn egluro'n union beth oedd cyflwr y bechgyn a'r goblygiadau i'r teulu, ac yn arbennig i egluro y byddai'n anobeithiol i mi fod yn flaenllaw yn wleidyddol a chyhoeddus.

Trwy gydol y blynyddoedd dilynol, teimlodd y ddau ohonom gynhesrwydd a chonsŷrn y gymuned yn cau amdanom gan ein cysuro a'n cynnal. Mae rhannu'r baich yn help i gario'r pwysau, a phenderfynodd Dafydd a minnau o hynny ymlaen y ceisiem fod mor agored â phosib am gyflwr Alun a Ger, a defnyddio'n profiadau i helpu teuluoedd eraill a oedd yn dioddef fel ni. Y ffaith ydi, mae teulu â phlentyn anabl yn *deulu* anabl.

Un o gyd-ddigwyddiadau rhyfeddol bywyd ydi i Hywel Arthur, ein pedwerydd plentyn, gael ei eni ar yr 21ain o Fawrth 1976, flwyddyn union i'r diwrnod y gwnaeth Dafydd ei gyhoeddiad. Trwy drugaredd, roedd yntau'n holliach. Mwy am yr amgylchiad hapus hwnnw'n nes ymlaen!

Byddai Wmffra Roberts yn galw heibio i'n cartref yn Llanrug yn aml pan fyddai Dafydd i ffwrdd yn Llundain i sicrhau fod popeth yn iawn, ac roedd yn hynod o sensitif. Un diwrnod dywedodd yr hoffai imi gyfarfod â gwraig arbennig oedd wedi sefydlu ysgol yn Neiniolen rai blynyddoedd ynghynt i blant tebyg i Alun a Geraint, ysgol a gawsai ei hadleoli wedyn mewn adeilad yng Nghaernarfon. Trefnodd imi gyfarfod â Catherine Jones, prifathrawes Ysgol Pendalar, mewn caffi yn y dre. Yn ystod yr awr a dreuliais efo hi sylweddolais fod ganddi weledigaeth arbennig iawn a fyddai o gymorth i Alun a Geraint ddatblygu hyd eithaf eu gallu. Fyddai staff ysgolion cynradd arferol, wrth reswm, ddim wedi derbyn y math o hyfforddiant oedd yn eu galluogi i ddelio â phlant oedd angen cymaint o sylw; yn sicr, cael eu gadael yng nghefn y dosbarth fyddai tynged yr hogiau.

Un noson, mewn gwewyr, rhoddais gnoc ar ddrws Mary West, seicolegydd plant Cyngor Sir Gwynedd, oedd yn byw wrth ein hymyl yn Llanrug. Eglurais na allwn dderbyn bod angen i'r ddau fach fynd i ysgol arbennig, rhywbeth a fyddai'n eu rhwygo oddi wrth blant eraill yn y gymuned. Gofynnodd i mi a oeddwn eisiau i'm plant dderbyn y sylw gorau er mwyn datblygu i'w potensial llawn. Doeddwn i ddim wedi meddwl am y sefyllfa fel yna – rhywbeth tywyll, llawn anobaith i mi oedd meddwl am yrru fy mhlant o'r ysgol leol. Wedi siarad efo Catherine a Mary, a theimlo cariad ac arddeliad y ddwy, deuthum i weld bod angen wynebu realiti a derbyn unrhyw gymorth oedd ar gael er mwyn sicrhau ansawdd bywyd gwell i Alun a Geraint, a thrio sicrhau eu bod yn dysgu cymaint â phosib cyn i'r afiechyd dieflig eu concro.

Daeth bendithion lu yn sgil y penderfyniad i yrru Alun a Ger i Ysgol Pendalar. Yn syth, codwyd baich trwm iawn oddi ar ysgwyddau pawb yn y teulu. Roedd y stigma o fod yn blentyn anabl yn dal i fodoli yn y saithdegau a gwyddwn y byddai pobl – plant yn arbennig – yn llygadrythu ar y ddau. Teimlwn yr hoffwn geisio addysgu'r cyhoedd fod gan bobl â 'nam meddwl' – y term hwnnw na chaiff ei arddel bellach – lawer iawn i'w ddysgu i bobl eraill yn y gymdeithas, ac roeddwn ar dân eisiau dangos nad oedd rhai fel Alun a Geraint yn beryglus mewn unrhyw ffordd.

Dyma'r cymhelliad a'm gyrrai i gymryd rhan mewn rhaglenni radio a theledu i siarad am blant a phobl fethedig – rhaglenni megis *Two Lives* ar Radio 4, *'Day in the life of . . .'* ar HTV, *At Home* a *Songs of Praise* ar BBC1, a *Bywyd* efo'r diweddar Gwyn Erfyl.

Mae Mrs Catherine Jones, cyn-brifathrawes Ysgol Pendalar ('Musus Jôs 'Roffis' fel y galwai'r plant hi!), yn berson arbennig iawn. Roedd plant Pendalar wastad yn ganolbwynt ei meddyliau, a buasai'n symud nef a daear i sicrhau gwell darpariaeth a chyfleusterau i'r ysgol, fel y gwelais pan oeddwn ar Fwrdd y Llywodraethwyr. 'Ew, mi fasa'n *dda* cael hynny i'r plant!' oedd ei hoff ddywediad. Roedd ganddi griw gwych o gyd-athrawon – pobl garedig a chwbl ymroddedig a phroffesiynol, â llond eu calonnau o gariad tuag at y plant oedd yn eu gofal. Ymhlith athrawon Alun a Geraint roedd Nesta Jones (mam Bryn Terfel), Sheila Davies, Alwena Hughes-Jones a Collette Thomas. Mae'n amhosib gorganmol eu gofal dros y plant a'u dymuniad i weld pob un yn cael y cyfle gorau posib i ddatblygu i'w botensial, ac i fyw bywyd llawn o fewn ei gymdeithas.

Ond cei angylion i'th wylio hefyd . . .

Roedd gobaith arall ym mhen draw'r twnnel ar ddiwedd 1975 wedi i mi ddarganfod fy mod yn disgwyl teulu unwaith eto. Roeddwn yn hapus iawn yn meddwl y byddai gan Eluned gwmni pan fyddai'r bechgyn wedi'n gadael. Unwaith eto, bu raid cael y profion genetig i sicrhau nad oedd y baban wedi'i heintio â'r afiechyd. Bu'r Dr Rosemary Stephens yn gymorth rhyfeddol wrth imi wynebu'r beichiogrwydd a'r trawma o fynd i ysbyty yn Hammersmith i gael y profion. Teimlem gonsỳrn y gymdeithas leol am y beichiogrwydd, gan fod y gred ar led trwy'r ardal y buasai'r babi wedi'i effeithio gan yr MPS os bachgen roeddwn yn ei gario.

Do, cyrhaeddodd ein pedwerydd 'angel' bach y byd yn holliach. Bu Hywel yntau'n gefn a chryfder aruthrol i Dafydd a minnau, gan roi pwrpas go iawn i fywyd a dod â chariad aruthrol i'r teulu. Roedd rhyw olwg fach gellweirus ar ei wyneb o'r diwrnod cyntaf, ac mae 'na hwyl a chariad o'i gwmpas o hyd!

Roedd yr hen furddun y drws nesaf i'r Wern yn y Bontnewydd yn dyddio'n ôl i'r bymthegfed ganrif. Bwriad a gobaith tad Dafydd oedd adfer yr hen le ond gwelwyd bod ei gyflwr y tu hwnt i achubiaeth. Gyda gofid mawr y bu raid ei ddymchwel er mwyn adeiladu cartref newydd i ni a fyddai'n para am ganrifoedd.

Wrth i'r jac codi baw chwalu un gornel, daeth parau o

esgidiau plant bach i'r golwg. Ar ôl i'r lorri fynd â nhw i'r domen byd, clywsom am yr hen ofergoel fod cuddio esgidiau cyntaf plentyn yn fodd i gadw ysbrydion aflan i ffwrdd. Teimlad trist iawn oedd deall ein bod wedi difa'r esgidiau roedd rhieni ifanc wedi'u claddu bum cant o flynyddoedd ynghynt wrth adeiladu'r tŷ.

Gaeaf 1974/5 oedd hi a chwyddiant ar ei waethaf, ac er bod y gwaith adeiladu'n mynd rhagddo'n dda roedd y costau'n cynyddu bob eiliad. Er mai ar gyfer Taid a Nain Wern y bwriadwyd y tŷ newydd, bu'n bosib i ni ailwampio'r cynlluniau mewnol ar gyfer y dyfodol i Alun a Geraint, a darparu ystafell ar gyfer rhywun i fyw i mewn i'm helpu i.

Rhagluniaethol ydi'r unig air y gallaf ei ddefnyddio i ddisgrifio'r fantais enfawr o symud i fyw wrth ymyl Taid a Nain. Heb hyn, ni fuaswn wedi gallu cario 'mlaen, a fuasai Dafydd ddim wedi gallu parhau i fod yn Aelod Seneddol. Roeddem wedi symud i'r Hen Efail bedwar mis cyn i Hywel gael ei eni, ac o'r diwedd ces y pleser digymysg o wagio pob bocs!

Byddai Alun yn deffro'n aml tua hanner awr wedi pedwar y bore, a dyna pryd y byddwn yn gwnïo llenni'r tŷ! Bu sawl merch ifanc yn fy helpu – Janet o Ferthyr, Gwawr o Lanrug, Gillian o Borthmadog a Susan o Ddeiniolen, pob un ohonynt yn fendith ac yn gymorth amhrisiadwy. Ar ôl i Hywel gael ei eni, daeth Eleri Davies o Aberystwyth, myfyrwraig i mi ym Mangor, i'm helpu yn gyfnewid am wersi telyn. Credaf fod y cysylltiad agos ag Alun a Geraint wedi dylanwadu ar Eleri i gymhwyso fel therapydd cerdd yn nes ymlaen.

Rhagluniaethol hefyd fu'r alwad ffôn a ges gan bennaeth Cartref Bontnewydd, y diweddar Barchedig Gareth Maelor, yn dweud ei fod wedi clywed si ein bod yn chwilio am help, a bod efeilliaid deunaw oed o'r enw Iona a Dilys Roberts yn gadael y Cartref ac yn chwilio am waith. Roedd Iona wedi dilyn cwrs gofal plant yn y coleg ym Mangor – perthnasol iawn i ni – a daeth i fyw i'r Hen Efail gan ddod yn rhan annatod o'r teulu'n syth, ac yn 'llinell bywyd' i minnau.

Roedd angylion lu o'n cwmpas!

Pan oedd y pedwar plentyn yn fach roedd yn amhosib mynd oddi cartref i weithio, a'r unig waith cyson y cawn fy nhalu amdano oedd fel athrawes telyn yng Ngholeg Prifysgol Gogledd Cymru, Bangor. Roeddwn wedi cael lythyr gan yr Athro William Mathias yn fy ngwahodd i ymuno â'r staff yn rhan amser – ar gymeradwyaeth Ann Griffiths, oedd wedi fy nilyn fel hyfforddwraig yn y Coleg Cerdd a Drama yng Nghaerdydd. Roedd cael mynd allan o'r tŷ a bod yn 'Elinor Bennett' yn hytrach na 'Mam' neu 'wraig Dafydd Wigley' yn rhyddhad ac yn llesol i'm hunanhyder, a bûm yn dysgu yn y coleg am ddeng mlynedd ar hugain!

Yn 1975 ces wahoddiad gan Huw Jones, cwmni Sain, i recordio albwm o gerddoriaeth telyn. Roedd hyn yn apelio'n fawr gan y gallwn fynd i'r hen feudy yng Ngwernafalau, Llandwrog, cartref Osborn a Glesni Jones lle roedd stiwdio wreiddiol cwmni Sain, ddim ond dwy filltir o'm cartref. Casgliad o gerddoriaeth telyn o Gymru yn cynnwys 'Tri darn byrfyfyr' gan William Mathias ac alawon gwerin ydi'r LP *Telyn a Chân*; fy ffrind John Hywel drefnodd yr alawon gwerin, a Hefin Elis oedd y cynhyrchydd. Hwn ydi'r unig recordiad sydd ar gael o'r feiolinydd gwych Eric Morris. Yr offerynwyr eraill oedd Rona Morgan Edwards (ffliwt) a Bronwen Naish (bas dwbl). Ar gyfer y sesiwn recordio olaf, cofiaf yn dda imi adael y plant adref yng ngofal eu tad ac un o'r merched oedd yn gofalu, ac Eluned druan yn crio 'Mami!' wrth ddrws y ffrynt fel roeddwn yn gadael. Roedd y greadures fach yn dal i grio yn yr union fan dair awr yn ddiweddarach!

Bu'r LP yn help mawr i gynnal fy ffydd a'm hunan-barch fel cerddor, gan gadw'r gobaith ynghynn y gallwn ryw ddydd, efallai, fynd yn ôl i weithio'n broffesiynol. Ond, ar y pryd, doedd gen i'n sicr mo'r egni nerfol i wneud hynny. Ceisiwn sicrhau bod y plant yn cael sylw a gofal, a bod Dafydd yn teimlo bod ganddo gefn.

Am sbel wedi i Dafydd gael ei ethol yn Aelod Seneddol, doedd ganddom ni ddim lle parhaol i aros ynddo yn Llundain. Trefnodd ein cyfaill Brian Morgan Edwards fod Dafydd yn cael ystafell wely yn ei swyddfa yn ardal Baker Street – gallai aros yno dros nos cyn belled â'i fod yn mynd allan cyn i'r fflat droi'n swyddfa am naw o'r gloch y bore!

Yn lled fuan cawsom help ymarferol i brynu fflat gan Bryan Rees Jones, Porthmadog, a Maldwyn Lewis (a oedd erbyn hyn yn asiant etholiad i Dafydd ar ôl marwolaeth drist Wmffra Roberts yn ddim ond 41 oed). Teimlem ei bod yn bwysig i Eluned a Hywel ddeall beth oedd eu tad yn ei wneud pan fyddai oddi cartref, ac roedd hefyd angen rhywle addas i aros arnom yn ystod yr ymweliadau aml ag ysbyty Great Ormond Street. Roedd y ddarpariaeth ar gyfer plant yn y Senedd yn drychinebus – doedd 'na ddim! Roedd yn gorfforol amhosib mynd â phlant bach anabl i mewn i'r 'ystafell deulu', oedd yn lle digroeso iawn. Yn ddiweddarach byddai Hywel wrth ei fodd yn mynd i'r Senedd am ei fod yn cael chwarae yn swyddfa Dafydd efo Meilyr, mab Dafydd Elis-Thomas. Un tro bu raid i Meinir, cynorthwyydd y ddau

Ddafydd, gau Hywel a Meilyr yn y cwpwrdd brwshys am rai munudau er mwyn cael trefn arnynt. *Sin bin* pwrpasol iawn!

Mae'n ofid mawr i mi fod y tynhau ar gostau seneddol wedi arwain at anawsterau i deuluoedd. Roeddwn yn ymwybodol fod priodasau llawer iawn o Aelodau Seneddol yn chwalu, ac roedd ein sefyllfa ni efo dau o blant anabl yn galetach na'r rhan fwyaf. Cadw pethau i fynd gartref oedd y ffordd orau y gallwn i helpu i sicrhau llwyddiant i'r Blaid a datganoli i Gymru, gan ei gwneud yn bosib i Dafydd fynd i Lundain gyda hyder fod popeth yn iawn adref. Rhaid dweud bod maint ein problem ni'n gwneud i anawsterau priodasol arferol ymddangos yn bitw iawn. Cawsom help aruthrol gan gyfeillion fel Margaret a Geraint Jones, Frank a Rhiannon Jones, a Nona a'r diweddar Stephen Breese yn y Bontnewydd i ddal y straen a'r pwysau ac i gadw pethau i fynd.

O haf 1975 ymlaen, ac am weddill eu hoes, bu Alun a Geraint yn hapus iawn fel disgyblion yn Ysgol Pendalar. Mae'n amhosib cyfleu'r gymwynas fawr wnaeth y staff i gyd â'n teulu ni. Pedair oed oedd Alun pan ddechreuodd yno a Geraint yn dair – dim ond pedwar mis ar ddeg oedd rhyngddynt. Gallai'r ddau siarad rhyw ychydig o dair hyd tua chwech oed, ond dirywiodd hyn yn gyflym. Un o'r problemau ymarferol dwysaf oedd fod y ddau'n gwlychu ac yn baeddu trwy gydol eu hoes, a chafwyd 'damweiniau' lu o ganlyniad i'r dolur rhydd parhaol. Mae'n debyg y gallai rhai sefyllfaoedd anodd fod wedi ymddangos yn ddoniol oni bai am y tristwch mawr oedd yn waelodol i bopeth, sef y byddai'n meibion bach yn dal yn fabanod yn feddyliol am byth. Gan fod Geraint yn syrthio'n aml, byddai ganddo lwmp parhaol ar ei dalcen a bu raid iddo gael helmed i'w arbed ei hun. Pan oeddwn yn dal yn yr ysbyty ar ôl genedigaeth Hywel cefais hunllef ddychrynllyd. Yn fy mreuddwyd gwelais Geraint yn syrthio o'm gafael ac yn rowlio i lawr mynydd fel Humpty Dumpty. Roedd anabledd, plant a hwiangerddi i gyd yn un poitsh mawr yn fy isymwybod.

Plant bach hoffus a chariadus iawn oedd Alun a Geraint a chawsom lawer iawn o hwyl a llawenydd efo nhw. Byddai Alun yn hoff iawn o lyfrau a chanu, a Ger yn chwerthin a'i lygaid duon yn pefrio. Roeddynt yn hapus, ac roedd hynny'n fendith fawr. Bendith hefyd oedd y ffaith nad oeddynt yn ymwybodol o'r hyn oedd yn digwydd iddynt. Teimlwn eu bod yn denu cariad a charedigrwydd ac yn dod â'u natur orau allan mewn pobl. Doedd gan yr hogiau mo'r gallu i ffraeo na bod yn gas a blin.

Pryderai Dafydd a minnau lawer am yr effaith a gâi'r anabledd a'r salwch ar Eluned a Hywel, ond sylweddolais fod gan y ddau fach ddealltwriaeth reddfol o anghenion eu brodyr hŷn a'u bod yn naturiol warchodol ohonynt. Roedd Ger yn arbennig o hoff o ddobio pethau gydag unrhyw beth a fyddai ar gael, gan ganu ar yr un pryd. Cofiaf iddo ddobio Eluned un tro ac imi ddweud y drefn wrtho. Dim ond pedair oed oedd hi ond dywedodd wrthyf yn gadarn, 'Na, Mam. Allwch chi ddim rhoi *row* i Ger, dydi o'm yn dallt!'

Deuai car i gludo'r hogiau yn ôl a blaen i Bendalar a chofiaf yn dda fel y byddai Eluned yn rhoi ochenaid o ryddhad wrth i'r hogiau adael efo Yncl Jackie ac Anti Gwen. Dydi bywyd chwiorydd a brodyr plant mor anabl ag Alun a Geraint byth yn hawdd, ond mae yna fendithion hefyd. Am y pedair blynedd y bu Iona Roberts yn byw acw fel rhan o'r teulu estynedig, roedd Eluned a Hywel yn ei charu fel ail fam neu chwaer fawr. Roedd cyflwr Alun a Geraint yn ddigon gwael inni allu derbyn lwfansau gofalu a symudedd, oedd yn ein galluogi i gyflogi Iona (a Delyth yn ddiweddarach) i ofalu am Alun a Geraint gartref yn hytrach na'u rhoi mewn ysbyty anaddas. Byddwn yn diolch â'm holl enaid am help y Wladwriaeth Les.

Yn 1975 agorodd cartref ar gyfer pobl ag anghenion arbennig yng Nghaernarfon o dan adain Cyngor Sir Gwynedd, a byddai'r hogiau'n treulio ambell benwythnos yno. Er mor arbennig oedd gofal staff cartref Frondeg, doedd mynd â'r ddau yno ddim yn beth hawdd â Ger yn crio ac yn dweud 'Na!' wrth fynd trwy stad Maesincla. Ond y peth anoddaf oll, i mi, fyddai eu gadael yn Ysbyty Bryn y Neuadd, Llanfairfechan, pan fyddai'r pedwar arall ohonom yn mynd dramor ar wyliau. Nid oherwydd natur y gofal yno ond oherwydd yr euogrwydd mawr y byddwn yn ei deimlo. Ond roedd Dafydd a minnau wedi dod i benderfyniad y dylem geisio byw mor 'normal' â phosib, a cheisio cael amser i'r pedwar ohonom arfer bod hefo'n gilydd i ryw fath o baratoi at y dydd pan na fyddai Alun a Geraint gyda ni.

Roedd yna un bachgen bach arall yn dioddef o MPS yn Ysgol Pendalar. Syndrom Hunter oedd y cyflwr oedd ar Steven, mab Ann a Raymond Hughes, Maes Cadnant, Caernarfon, a thyfodd cyfeillgarwch naturiol rhyngom fel dau deulu. Roedd Steven yn edrych yn debyg iawn i Alun a Geraint, a bu Dr Rosemary Stephens yn gymorth mawr iddynt hwythau. Cofiaf yn dda am y sgwrs gyntaf a ges gydag Ann dros goffi un bore, a darganfod bod y ddwy ohonom yn gofyn yn union yr un cwestiynau i ni'n hunain: 'Pam fi? Pam fod fy mhlentyn i mor wahanol?' 'Does neb yn deall beth yden ni'n mynd trwyddo.' Un o'r dywediadau a'm brifai i, er bod y bwriad yn dda, oedd, 'Mae Duw yn gwbod i bwy i roi'r plant bach 'ma.' Roedd yn rhyddhad i mi ddeall bod Ann yn teimlo'n union yr un fath.

Yn dilyn ein sgwrs, cytunodd y ddwy ohonom yr hoffem sefydlu grŵp ar gyfer rhieni plant Pendalar, i gefnogi'i gilydd. 'Grŵp Rhieni' oedd yr enw ond mewn gwirionedd grŵp o famau oedd o gan nad oedd y tadau'n awyddus i siarad am eu problemau. Yr unig eithriad oedd y diweddar Gwynn Davies, Waunfawr, ond ei wraig Mary fyddai'n mynychu'r sesiynau hyn gan amlaf. Bu cyfarfodydd cyson unwaith y mis am sawl blwyddyn; roedd yn gyfle i rieni agor eu calonnau a dweud yn onest beth oedd yn eu poeni mewn awyrgylch a sefyllfa ddiogel a chyfeillgar lle roedd pawb yn deall. Yn nhai'n gilydd y byddem yn cwrdd er mwyn arbed rhywfaint ar gostau ac osgoi gorfod cael gwarchodwyr plant. Ymhlith yr aelodau eraill roedd Meinir Williams, Pat Pritchard, Sue Skillicorn, Mary Richards a Gwen Parry (mam Melfyn Parry o Ben-y-groes sy'n gymeriad hoffus ac annwyl iawn). Byddem yn gwahodd swyddogion mewn awdurdod i'n cyfarfod a byddai pawb yn cael cyfle i ddweud pwy yr hoffai ei holi. Bu cyfarwyddwraig yr Adran Gwasanaethau Cymdeithasol, y seicolegydd plant, Cadeirydd y Cyngor Sir, nyrs leol a llawer eraill yn ein cyfarfod ac yn ateb ein cwestiynau, a datblygodd y grŵp i fod yn gyfrwng da i lobïo'r awdurdodau. Mewn undeb mae nerth – dyna oedd ein harwyddair answyddogol.

Yn y gorffennol, buasai plant fel Alun a Geraint wedi cael gofal mewn ysbytai mawrion a'u cuddio o olwg cymdeithas. Fel roeddwn wedi'i rag-weld flynyddoedd ynghynt, roeddwn bellach yn ymwybodol iawn fod plant eraill yn eu gweld yn wahanol ac yn llygadrythu arnynt ar y stryd. Yn y cyfnod yma roedd polisi cyhoeddus yn dechrau rhoi pwyslais ar integreiddio plant a phobl anabl i gymdeithas. Mewn ymdrech fechan leol i geisio bwrw i lawr furiau artiffisial, sefydlodd aelodau o'r grŵp rhieni glwb – Clwb Plant Ni – yng Nghaernarfon ar foreau Sadwrn, er mwyn i blant Ysgol Pendalar gael chwarae efo plant eraill tra byddai'r rhieni'n siopa.

Mae gen i un atgof o'r cyfnod yma sy'n dal i 'mhoenydio. Roedd yr Eisteddfod Genedlaethol yng Nghaernarfon yn 1979, ac Alun a Geraint yn aros yng nghartref Frondeg oedd yn agos iawn i'r maes. Roedd Pasiant y Plant yn ei anterth ac roeddwn i'n hwyr yn mynd yno gan imi fod yn ymarfer hefo'r tenor Kenneth Bowen ar gyfer cyngerdd y diwrnod wedyn. Pwy welais i ar y Maes gydag un o ofalwyr Frondeg ond Alun a Geraint yn eu cotiau bach oren llachar. Aeth fy nghalon i'm gwddf pan ddywedodd y wraig garedig wrthyf: 'Mae ganddyn nhwtha gystal hawl i fod yma i weld y pasiant â'r plant erill 'na i gyd!' Er bod y pafiliwn dan ei sang bu un o'r stiwardiaid yn ddigon caredig i ffeindio cornel fach i'r pedwar ohonom. Bu'r profiad yma'n un ysgytwol i mi a daw ton o euogrwydd drosof wrth gofio amdano – a diolchgarwch am gonsŷrn a meddylgarwch pobl garedig Caernarfon.

Ddiwrnod olaf Tachwedd 1980 bu farw Steven Hughes, ffrind Alun a Ger. Pedair oed oedd Hywel ar y pryd a chofnodais y sgwrs fach yma:

'Mami! Fydd Steven, ffrind Alun a Ger, yn gallu cerddded a petha yn "lle Duw"?'

Fy ateb i oedd fod pawb yr un fath yn 'lle Duw' ac y buasai Steven yn hapus am nad oedd neb o dan anfantais yno.

'Bechod, 'te,' meddai Hywel, 'bod Steven o dan anfantais.

Ma 'na Stephen yn dosbarth fi hefyd. Neith Stephen bach helpu Steven, ffrind Alun a Ger? Neith Duw edrych ar 'i ôl o hefyd?'

'Gwneith, wrth gwrs,' meddwn innau – ac aeth i gysgu'n dawel.

Roeddwn wedi dechrau sylweddoli mai ychydig iawn oedd yna rhwng llwyddo i ddal ati a methu. Y pethau bach oedd yn galluogi rhywun i barhau i roi gofal mor ddwys. Pethau bach fel digon o glytiau parod, rhywun i gasglu ffisig o'r fferyllfa, peiriant golchi oedd yn gweithio'n iawn, gallu taro i mewn drws nesaf at Nain a Taid i ofyn am gymorth a chyngor pan fyddai pethau'n anodd.

Sink or swim oedd hi.

Pan briododd Iona, daeth Delyth Jones o Fethel i gymryd ei lle, gan aros i mewn pan fyddai angen. Roedd iechyd yr hogiau'n dirywio'n sylweddol ac roedd ganddynt annwyd parhaol ar y frest a phroblemau clyw ac anadlu. Cafodd y ddau gromets yn eu clustiau i'w helpu i glywed. Sylweddolais fod Alun yn dechrau cael anhawster i ddringo stepiau bychain, a bod ei glyw'n dirywio ymhellach. Roedd coesau Geraint yn gwbl fethedig ac ni allai gerdded. Roedd y ddau'n cael trafferth cynyddol i lyncu a rhaid oedd malu bwyd yn fân, ac roeddynt yn dal i wlychu a baeddu heb reolaeth. Darparwyd cadeiriau olwyn iddynt gan yr adran Gwasanaethau Cymdeithasol, gosodwyd lifft ar y grisiau pan waethygodd y cerdded, a chawsant welyau ag ochr cot i'w harbed rhag syrthio allan. Roedd y ddau'n fwndeli bach o gariad pur ond roedd yr afiechyd yn gosod moleciwlau *saccharide* yn eu horganau gan eu dinistrio'n araf.

Pan ballodd eu geiriau, gwelsom bwysigrwydd canu a

cherddoriaeth. Un o'r dyfyniadau mwyaf treiddgar a welais ydi'r cyfieithiad canlynol o eiriau'r cyfansoddwr Janáček o Tsiecoslofacia: 'When speech can express nothing, when words fail us, when the infinite ambiguity of a meaning cannot be expressed in ordinary language, then it is time to sing. It is then, when speech is silent, that music . . . can express what it alone can express, and whisper in our soul's ears unutterable things.'

Hyd yn oed ar ddiwedd eu hoes, byddai llygaid Alun a Geraint yn goleuo wrth glywed cân, a rhyfedd ydi nodi bod Alun wedi dechrau canu 'Tôn y Botel' pan oedd yn flwydd oed! Symbylodd hyn fi i gymryd diddordeb mawr mewn therapi cerdd ac, yn ddiweddarach, i ymchwilio i'r pwnc. Roedd llawer iawn o gerddoriaeth yn Ysgol Pendalar pan oedd Alun a Geraint yno, ac un o'r athrawon oedd Arfon Wyn. Cefais sawl cyfle i sgwrsio ag Arfon am gerddoriaeth greadigol, a gwyddwn am ei uchelgais (fel pawb arall ym Mhendalar) i integreiddio plant anabl i'r gymdeithas. Roedd gen i freuddwyd o weld plant anabl ar lwyfannau eisteddfod fel pob plentyn arall, a rhannai Arfon yr un ddelfryd. Er mawr glod i'r Urdd, sefydlwyd cystadleuaeth ar gyfer plant ag anabledd dysgu yn yr Eisteddfod, a bu fy ffrind Joan Wyn Hughes yn teithio o gwmpas Cymru yn gwrando ar fandiau a dewis tri grŵp i berfformio ar lwyfan Eisteddfod Genedlaethol yr Urdd. Anhygoel o braf ydi gweld bod y gystadleuaeth i grŵp Cerddoriaeth Greadigol i Ysgolion Anghenion Addysgol Arbennig yn dal i fynd o nerth i nerth, a'r thema yn Eisteddfod yr Urdd Arfon yn 2012 fydd 'Y Gêmau Olympaidd'. Edrychaf ymlaen!

Yn ystod gwyliau hir yr haf byddai cynllun chwarae i blant ym Mhendalar, ac yn nechrau'r wythdegau byddai dau fab i un o athrawon yr ysgol, Nesta Jones, yn helpu i edrych ar ôl y plant. Roedd Bryn Terfel Jones a'i frawd Ian yn eu harddegau, ac wrth gario Geraint i mewn i'r tŷ un diwrnod dywedodd Bryn wrthyf, 'Cymwch o gen i, achos dwi ofn 'i dorri fo!'

Cyn hir roedd Ger yn arbennig yn sâl iawn ond roedd staff Ysgol Pendalar yn gwneud popeth o fewn eu gallu i ddal i edrych ar ôl yr hogiau, gan gynnwys darparu gwelyau iddynt. Erbyn haf 1984, fodd bynnag, daeth yn glir fod iechyd Alun a Geraint yn dirywio'n enbyd a rhoddodd Dafydd y gorau i lywyddiaeth y Blaid er mwyn treulio mwy o amser adref. Erbyn hyn roedd y bechgyn angen gofal nyrsio dwys, a threfnodd yr Awdurdod Iechyd fod nyrs yn dod i'n helpu yn y tŷ. Bu 'Anti Elsi' o gymorth arbennig. Roedd hi wedi bod yn nyrsio plant a gawsai eu heffeithio gan y cyffur *thalidomide* yn y chwedegau (ar yr un pryd roedd ei gŵr, Jack Thomas, yn torri gwalltiau'r brodyr Kray yn Soho!).

Er ein bod yn benderfynol o edrych ar ôl Alun a Geraint adref, roedd rhaid derbyn bod y gofal yn llawer rhy drwm a bod angen help o fath gwahanol erbyn hyn. Roeddynt yn rhy wael i fynd i gartref Frondeg a Bryn y Neuadd. Teimlwn nad oedd Ysbyty Gwynedd yn addas gan mai gwella plant ydi pwrpas ysbyty, nid rhoi gofal lliniarol iddynt ar derfyn bywyd.

Soniodd y Dr Rosemary Stephens am Helen House, yr hosbis cyntaf yn y byd i blant, a oedd newydd gael ei agor yn Rhydychen. Sylfaenydd yr hosbis oedd y Chwaer Frances Dominica, a saif yr adeilad ar dir Eglwys Loegr yn Rhydychen. Ei gweledigaeth hi oedd creu hosbis i ofalu am blant sy'n dioddef o salwch difrifol a therfynol, a chefnogi eu teuluoedd trwy gynnig cyngor iddynt a chyfnodau o seibiant. Bu Alun a Geraint yn aros yno sawl gwaith yn ystod 1984 gan gael y gofal dwys gorau posib, ac roedd ystafell yno i'r teulu i gyd. Yr anhawster mawr oedd fod y daith o Gaernarfon i Rydychen yn cymryd dros chwe awr. Bu modd inni roi gwely yng nghefn y Volvo am gyfnod, ond trefnodd Awdurdod Iechyd Gwynedd fod ambiwlans yn dod a'r ddau adref am y tro olaf. Bu'r ymweliadau â Helen House yn gynhaliaeth i'r teulu i gyd ac roeddwn i'n arbennig o ddiolchgar am gyfle i ymlacio ac ymgyfnerthu gan wybod bod y plant yn cael y gofal gorau posib. Cawn dawelwch meddwl a nerth ysbrydol i osgoi teimladau drwg a dinistriol wrth fod gyda phobl mor dda a charedig – pobl a roddai gymaint o gariad i Alun a Ger pan oeddynt mor sâl, ar adeg pan oedd ein hangen ni am gynhaliaeth mor fawr. Diolch i bobl ymroddgar a charedig fod Tŷ Gobaith ar gael erbyn hyn i gynnal plant a theuluoedd o ogledd Cymru.

Daeth cymorth bendithiol iawn i ni pan ddarparwyd ystafell i'r hogiau yn hen Ysbyty'r Bwth, Caernarfon. Roeddem wedi gobeithio y gallai Alun a Geraint ddod adref am awr neu ddwy ddydd Nadolig 1984, ond Ger yn unig a ddaeth. Tua hanner nos ar noson Nadolig cafodd Dafydd a minnau ein galw i Ysbyty'r Bwth, a thridiau'n ddiweddarach, am chwech o'r gloch y bore ar Ragfyr y 29ain, bu Alun farw ar ôl bod yn anymwybodol am y tridiau. Roedd y ffaith mai marwolaeth fy mhlentyn hynaf o'r pedwar oedd yr un gyntaf yn ddirdynnol i mi. Cefais edrych ar ei ôl o'r gri fach gyntaf gynhyrfus honno yn Ysbyty Chiswick i'r anadliad olaf, dawel, yn Ysbyty'r Bwth yng Nghaernarfon dair blynedd ar ddeg yn ddiweddarach.

Roedd Dad a Mam efo ni yno, ac Eluned a Hywel efo Taid a Nain yn y Wern. Yna aeth Dafydd a minnau adref gan adael Geraint efo Delyth a'r nyrsys yn Ysbyty'r Bwth, ac ar ôl i Eluned a Hywel ddod adref bu'r pedwar ohonom yn ein gwely ni am amser maith yn llefain ac yn cysuro'n gilydd. Ar ôl hyn roeddwn eisiau gofalu am Geraint adref, ac roedd Delyth ac Anti Elsi'n ein helpu â'r nyrsio dwys roedd arno'i angen. Roedd yn denau ac yn wan iawn, ac yn cael anhawster llyncu gan dagu ar ei fwyd. Carwn ei fagu fel babi ar fy nglin a goleuai ei lygaid wrth glywed cân fel 'Dacw Mam yn dŵad' a 'Heno, heno, hen blant bach'. Bu Ger farw'n dawel yn Ysbyty'r Bwth, Caernarfon, ddau fis a hanner ar ôl ei frawd, ar Fawrth y 18fed 1985, yn ddeuddeg oed.

Roedd Capel Siloam, Bontnewydd, yn llawn i'r ymylon i'r ddau angladd, a char Yncl Jackie aeth i fynwent Rhos Isa y ddau dro. Roedd caredigrwydd a thristwch pobl trwy Gymru a thu hwnt i'w deimlo, a bu cyfeillion yn gefn anhygoel inni. Mae'n amhosib anghofio geiriau teyrnged ein cyfaill Alwyn Roberts i'r plant. Honnodd fod Alun a Geraint wedi gwneud argraff ddofn ar gymdeithas heb orfod gwneud unrhyw beth – dim ond trwy eu bodolaeth. Daeth fy mywyd i i stop ddwywaith drosodd, a chofiaf deimlo sioc enfawr wrth sylweddoli bod bywydau pawb arall yn dal i fynd ymlaen fel arfer – fy ffrindiau'n dal i siopa, yn dal i yrru ceir ac yn mynd i'r gwaith. Gwerthfawrogodd y teulu'r holl arwyddion o gydymdeimlad a charedigrwydd a lifodd tuag atom.

Gwyddai'n cyfaill Wynford Ellis Owen fod Hywel yn cael ei ben-blwydd ddeuddydd ar ôl i Ger farw. Aeth â fo allan am dro i Gastell Caernarfon a chafodd Hywi ddiwrnod i'r brenin gan ei eilun 'Syr Wynff', a'i sbwylio'n racs. Dyna feddylgarwch rhyfeddol. Un arall a ddaeth acw lawer tro i afael yn llaw Ger oedd Angharad Tomos. Roedd hyn i gyd yn ychwanegol at y cariad a dderbyniem fel teulu gan bawb yn y fro a thu hwnt, ac yn arbennig Iona, Delyth, y neiniau a'r teidiau, Ysgol Pendalar, y Frondeg a Helen House.

Ces ofalu am fy nau fab o'r dechrau i'r diwedd, a gweld dau gylch bywyd yn ei gyfanrwydd. I ni, y rhieni a'r teulu, roedd y gwaeledd yn frwnt a chreulon wrth weld dau blentyn bach yn dirywio; anodd iawn oedd eu clywed yn crio ond yn methu dweud wrthym beth oedd yn bod na lle roedd y boen. Ond daeth Alun a Geraint â chyfoeth o gariad i ni, a diolchem am gael iechyd i ofalu amdanynt. (Mor ddirdynnol o anodd ydi hi ar rieni plant a phobl ifanc anabl pan fo'r rhieni'n methu rhoi'r gofal iddynt, ac yn poeni beth fydd yn digwydd ar ôl iddynt hwy farw.) Y darn o gerddoriaeth a roddodd fwyaf o gysur i mi – ac a agorodd fy nghalon a'm henaid – oedd 'Adagio for Strings' y cyfansoddwr o America, Samuel Barber.

Flynyddoedd yn ddiweddarach, ysgrifennais y canlynol:

Rhod

Deuthum â chi i'r byd
gyda gobaith mam
yn sicr
o'ch gweld ryw ddydd
yn ddynion
cryf a chadarn
i barhau
cadwyn bywyd.

Yn ddeuddeg
a thair ar ddeg oed,

daeth eich dau gylch bach
i gyflawnder eu rhod –

wedi goleuo bywydau,
ennyn cariad a llawenydd
digwestiwn, dirwgnach, diddeall

cyn dychwelyd
i'r ddiddymdra mawr
yn ôl.

Bron yn syth ar ôl y ddau angladd, bu raid i Dafydd fynd yn ei ôl i Lundain, a gresynwn na allem fod wedi treulio amser hirach efo'n gilydd. Bwrw'i hunan yn ôl i'w waith oedd ei ffordd o o ymdopi. Roedd gen innau gyngerdd yng Nghlwb Cerdd Rhuthun ddyddiau'n unig ar ôl colli Geraint, a daeth Dafydd gyda mi yno i fod yn gefn i mi. Gwyddai pawb am ein profedigaeth ac roedd rhannu fy ngherddoriaeth â'r gynulleidfa yn fodd o alaru.

Diwrnod anodd i mi oedd y diwrnod y daeth swyddogion yr Awdurdod Iechyd acw i gasglu'r holl offer a fu gennym i nyrsio'r hogiau – y gwelyau arbennig, y cadeiriau olwyn, yr offer ocsigen, y peiriant sugno a'r holl glytiau a chewynnau. Daeth fy nghyfeilles Dorothy Owen i fod yn gwmni imi. Roedd hyn fel pe bai'n dynodi diwedd cyfnod. Wedyn, es am dro i'r caeau tu cefn i'r tŷ ac udo fel anifail.

Fe all ymddangos bod bywyd ein teulu ni'n troi'n llwyr o amgylch Alun a Geraint, ond rhan yn unig o'r darlun ydi hyn. Eluned a Hywel oedd y pileri a gadwai'n ffydd ac a oedd yn rhoi egni ifanc inni a phwrpas i fywyd. Roeddem yn ceisio sicrhau eu bod yn tyfu i fyny'n blant hapus, a heb gael eu heffeithio'n negyddol gan anabledd eu brodyr. Mae'n hyfryd clywed gan y ddau eu bod yn edrych yn ôl ar eu plentyndod â llawenydd, ac yn cofio'r hapusrwydd a'r cariad a ddeuai o fod yng nghwmni Alun a Geraint.

Roedd Eluned ar fin dechrau yn yr ysgol uwchradd ac yn cymryd rhan mewn pob math o weithgareddau. Fi oedd ei hathrawes telyn gyntaf a byddwn yn trysori'r munudau prin hynny pryd y gallem gau'r drws a chael amser i ni'n hunain. Ond y ffliwt oedd ei hoff offeryn, a braf oedd cael cyfeilio iddi wrth iddi gystadlu yn Eisteddfod Genedlaethol yr Urdd, Merthyr Tudful, yn 1987. Tua'r adeg yma y cafwyd y datganiad pendant hwn ganddi: 'Mae 'na hen ddigon o sŵn telyn yn y tŷ yma. Y ffliwt ydw i am 'i chanu'!

Fel y soniais, roeddwn wedi cael cyfle sawl tro i fynd ar y cyfryngau i siarad am yr afiechyd a lethai Alun a Geraint. Er mai gwneud hynny am fy mod yn teimlo y gallwn wneud cyfraniad i helpu teuluoedd eraill roeddwn i, roedd y straen yn drwm. Sgwrs mewn rhaglen efo'm ffrind Beti George oedd y gyntaf imi'i gwneud, a honno oedd yr anoddaf gan fod raid egluro cymaint am yr afiechyd.

Gweithiodd Dafydd yn galed yn y Senedd i wella'r ddarpariaeth i bobl anabl ac roedd ei lais yn cario cymaint mwy o ddylanwad gan fod ganddo brofiad personol ac uniongyrchol o hyn. Roedd 1981 yn Flwyddyn Pobl Anabl a llwyddodd i lywio deddf trwy'r Senedd i wella mynediad i adeiladau. Cafwyd gwrthwynebiad anhygoel i'r ddeddf gan aelodau o'r llywodraeth Doriaidd a gredai y byddai hyn yn ormod o 'imposition' ar bobl. Clywsom Thatcher yn dweud nad oes y fath beth â chymdeithas, a dwi'n siŵr fod llawer o unigolion barus yn gyfeillion iddi. Ond credo fy nghyfaill Gwynn Davies, y Waunfawr, a'm hysbrydolai i. 'Mesur gwareiddiad cymdeithas ydi maint ei gofal am y gwan,' meddai.

Bu Gwynn yn lladmerydd huawdl dros anghenion a hawliau pobl 'araf eu meddwl' (dyna'r term a ddefnyddid ar y pryd), a gweithiodd o a'i wraig Mary'n ddiflino dros yr achos am flynyddoedd meithion. Cofadail i'w gwaith nhw ydi Antur Waunfawr, y ganolfan wych sy'n hyfforddi ac yn creu gwaith i griw mawr o bobl ag anableddau dysgu, gan greu hyder ynddynt eu hunain a darparu gwasanaeth gwerthfawr i'r gymuned leol. Braf iawn ydi cael mynd yno am baned i'r caffi a phrynu cynnyrch yn y siop.

Sefydlodd cyfeilles i mi o ochrau Llundain, Christine Lavery, gwraig oedd â phlentyn fel Alun a Geraint, gymdeithas i godi ymwybyddiaeth o afiechydon MPS a daethom i gysylltiad â llawer o deuluoedd tebyg i ni. Un diwrnod atebais y ffôn yn y tŷ a chlywed llais ar y pen arall: 'This is Malcolm Williamson here. Do you know anything about me?' Mi wyddwn, wrth gwrs, ei fod yn gyfansoddwr enwog ac mai fo oedd y Master of the Queen's Music. 'Yes, I *do* know exactly who you are!' meddwn. Roedd yn ffonio i ddweud iddo glywed sgwrs roeddwn wedi'i rhoi am yr hogiau ar Radio 4, a'i fod yn gyfeillgar â theulu yng Nghaergrawnt oedd â dau fachgen yn dioddef o afiechyd Sanfilippo ac yn perthyn i'r Gymdeithas MPS. Byddai Malcolm yn fy ffonio o bryd i'w gilydd i estyn cysur, gan sgwrsio am oriau am gerddoriaeth a phlant anabl, a rhoi cefnogaeth emosiynol. Deallais iddo fo a'i wraig golli baban ar ei enedigaeth.

Yn ystod y sgyrsiau ffôn hyn bu'n disgrifio'r gwaith

ardderchog oedd yn cael ei wneud gan gerddorion yn Hwngari ac yn Awstralia (ei wlad enedigol) ym maes therapi cerdd. Clywais gan fy nghyfaill Hywel Ceri Jones fod Ymddiriedolaeth Winston Churchill y flwyddyn honno'n cynnig ysgoloriaethau teithio i rai oedd yn awyddus i ymchwilio i therapi cerdd. Cofiaf yrru fy nghais i mewn pan oedd Alun yn wael iawn yn Helen House, yn sicr na ddôi dim o'r peth. Ond ces gyfweliad yn Llundain yn Chwefror 1985 – dair wythnos cyn marw Geraint – a bu'r panel o dan gadeiryddiaeth y cerddor enwog Sir David Willcox yn ddigon caredig i gynnig arian i mi fynd i astudio therapi cerdd yn Awstralia pan fyddai amgylchiadau'n caniatáu. Roedd Ysgoloriaeth Churchill yn 'llinell bywyd' mewn argyfwng, ac yn ffactor arall i'm gorfodi i edrych ymlaen i'r dyfodol.

Teimlwn fod angylion yn dal o'm cwmpas . . .

Daeth cerddoriaeth unwaith eto i symud fy meddwl. Roedd Cwmni Sain yn awyddus i gyhoeddi casgliad o gerddoriaeth telyn o Gymru, ac ym mis Mai 1985 recordiais LP o fiwsig gan John Parri Ddall, Edward Jones a John Thomas yn ystafell yr organ ym Mhlas Glynllifon. Wrth gynllunio recordiad a chyngherddau gallwn unwaith eto edrych ymlaen i'r dyfodol mewn ffordd adeiladol, a dechrau adfer fy hunanhyder. Rhaid hefyd oedd trefnu'r daith i ben draw'r byd, ac ym mis Tachwedd 1985 cychwynnais ar yr antur fawr i Awstralia.

Roeddwn yn trafaelio ar fy mhen fy hun bach am y tro cyntaf ers tair blynedd ar ddeg, ond roedd Dafydd, Eluned a Hywel am ddod ataf i dreulio gwyliau'r Nadolig. Bûm yn Melbourne a Sydney am bum wythnos yn ymweld ag ysbytai, cartrefi a chanolfannau i weld y gwaith a wnâi therapyddion cerdd. Roedd y diwrnod cyfan a dreuliais yn y War Memorial Hospital yn Sydney gyda Ruth Bright yn un o ddyddiau mwyaf cofiadwy fy mywyd. Gwaith Ruth oedd helpu pobl oedd wedi dioddef colled i alaru, a gwneud hynny trwy gyfrwng cerddoriaeth. Gweithiai lawer gyda rhieni oedrannus oedd wedi methu parhau i ofalu am eu plant, gan eu helpu i ail-fyw'r profiad o gael gwybod am yr anabledd am y tro cyntaf a'u helpu hefyd i orffen y broses o alaru. Roedd fy ymweliad â Ruth yn rhagluniaethol ac yn wyrthiol, a minnau wedi colli dau o'm meibion ychydig fisoedd ynghynt. Eglurodd fod gan rieni deimladau wedi caledu sydd wedi'u cloi y tu mewn iddynt. Sicrhaodd fi y byddai'r crio yn dod i ben ryw dro ond y gallai'r broses iacháu barhau am flynyddoedd. Cerddoriaeth oedd yr allwedd a ddefnyddiai i ryddhau teimladau, ac fe wyddwn yn dda iawn fy hun am werth cerddoriaeth fel grym pwerus i leddfu poen ac emosiynau. Roedd yr iachâd a gefais ganddi'n werth mynd i ben draw'r byd i'w dderbyn.

Ces y fraint fawr o aros yng nghartref un o sylfaenwyr Canolfan Therapi Cerdd Nordoff-Robbins, a gweld y gwaith gwych a wnâi Clive Robbins a'i wraig Carol yn yr Ysgol Steiner yn Warrah. Roedd un o gredoau Steiner yn berthnasol iawn: 'Our highest endeavour must be to develop free human beings who are able to impart purpose and direction to their lives.' Mae gwaith Canolfan Nordoff-Robbins yn enwog trwy'r byd, ac mae Clive yn dal i ddatblygu syniadau newydd er ei fod bellach yn ei wythdegau.

Wedi cwblhau'r cyfnod ymchwil ac ymweld â sefydliadau a therapyddion, cynheliais gyngherddau i gymdeithasau Cymraeg a thelynorion ym Melbourne, Sydney a Brisbane, ac fe wnes sawl cyfweliad radio a theledu yn y wlad.

Doeddwn i ddim wedi gweld fy nheulu ers pum wythnos a phan gyrhaeddodd Dafydd, Eluned a Hywel, roedd yr aduniad cyn fy nghyngerdd yng Nghapel Cymraeg Sydney yn fythgofiadwy o lawen! Treuliodd y pedwar ohonom Nadolig 1985 ar draeth Bondi yn Sydney – hwn oedd y Nadolig mwyaf egsotig a gawsom erioed! Hyfryd iawn oedd mynd i Seland Newydd dros y flwyddyn newydd a theithio mewn *camper van* anferth trwy ynys y gogledd i'r Bay of Islands. Roeddem yno ar 'ben-blwydd' cyntaf colli Alun. Y gân oedd ar dop y siartiau ac yn ein dilyn i bob man oedd 'The Power of Love' gan Jennifer Rush. Hwn yn ddi-os oedd sŵn y cyfnod, ac roedd Eluned a Hywel wedi gwirioni arno. Yr unig beth anffodus ddigwyddodd i mi yn Seland Newydd oedd 'mod i wedi dioddef twymyn haul ddrwg pan oeddwn yn aros ym mwthyn cyfaill, a'r bwthyn hwnnw ddeng milltir ar hugain o'r ffordd darmac agosaf ac mewn ardal is-drofannol.

Bûm yn hemisffer y de am naw wythnos gan fynd mor bell o adref ag y gallwn, yn meddwl y gallwn redeg i ffwrdd oddi wrth yr atgofion oedd yn fy llethu. Ond dydi mynd i ben draw'r byd, hyd yn oed, ddim yn lleddfu'r galar. Amser a chariad fyddai'n gwneud hynny.

Wedi gweld y gwaith gwych a wnâi'r therapyddion cerdd yn dawel bach o fewn y gymdeithas yn Awstralia, roeddwn ar dân eisiau gweld yr un peth yn digwydd yng Nghymru. Ysgrifennais adroddiad ar fy mhrofiadau i Ymddiriedolaeth Churchill. Hoffwn feddwl i hyn ddylanwadu ar Gyngor Sir Gwynedd a'u perswadio i greu swydd ar gyfer therapydd cerdd. Y gyntaf i'w phenodi oedd cynfyfyrwraig i mi, Eleri Davies, y soniais amdani eisoes. Gwnaeth waith gwych gyda phlant yng Ngwynedd cyn symud yn ôl i Geredigion a dod yn fam ei hun, a pharhau â'r gwaith yno.

Ces fy nhemtio lawer gwaith i ddilyn cwrs therapi cerdd fy hun ond roedd yr ysfa i berfformio cerddoriaeth yn rhy gryf. Teimlwn y gallwn fod yn fwy effeithiol yn hybu'r achos o'r tu allan. Dros y blynyddoedd roedd y gobaith y byddwn, ryw dro, yn dychwelyd at berfformio yn nod pendant i anelu ato, ac yn fodd i'm cadw rhag drysu.

Un o'r mesurau seneddol oedd yn bwysig dros ben i ni fel teulu ond a ddaeth ar amser gwirioneddol anodd oedd 'Mesur Enoch Powell', oedd yn Aelod Seneddol dros sedd yng Ngogledd Iwerddon. Yn fras, pwrpas y mesur oedd rhwystro ymchwil ar embryo – ymchwil a allai arwain at oresgyn namau genetig yn ogystal â chynorthwyo rhai oedd yn methu cael plant. Byddai'n ddiwedd ar ymchwil *in-vitro* a llawer techneg arall sydd erbyn hyn yn gydnabyddedig a chyffredin; byddai'n nos ar ymchwil i gyflyrau megis *cystic fibrosis*, *muscular dystrophy* ac MPS. Roedd Powell wedi derbyn cefnogaeth frwd i'w fesur gan yr Eglwys Gatholig yn ogystal â chan rai sectorau ffwndamentalaidd. Goblygiadau pasio'r mesur fyddai rhoi statws 'person' ar yr embryo yn y groth o fewn ychydig oriau i'r ffrwythloni ddigwydd.

Daeth ei fesur gerbron Tŷ'r Cyffredin mewn cyfnod difrifol o anodd i ni – ganol Chwefror 1985, o fewn chwe wythnos inni golli Alun, a Geraint yn gwaelu'n ddifrifol. Oherwydd pwysigrwydd y gwaith ymchwil, doedd gan Dafydd ddim dewis ond ceisio rhwystro'r mesur rhag dod yn ddeddf gwlad, a chadeiriodd gyfarfod ar y cyd rhwng Aelodau Seneddol a meddygon. Roedd yn gyfarfod cwbl anhygoel; yn ôl Dafydd, roedd y meddygon yn deall ei gilydd o ran y dadleuon meddygol a'r Aelodau Seneddol yn deall ei gilydd o safbwynt y drefn ddeddfwriaethol, ond doedd gan y naill grŵp fawr o syniad beth ddywedid gan y llall!

Penderfynwyd sefydlu grŵp o'r enw Progress i ddod â'r ddwy ochr at ei gilydd yn gyson er mwyn gwarchod ymchwil feddygol. Roedd y ffordd yr aeth y mesur trwy San Steffan yn hynod o gythryblus, a'r gwrthwynebwyr yn defnyddio pob dull posib i'w rwystro. Yng nghanol y ddadl, yn hollol annisgwyl ac yn groes i bob rheol ac arferiad, rhoddodd y Dirprwy Lefarydd ganiatâd i Enoch Powell ddod â'r ddadl i ben yn gynnar gan ddatgan bod y mesur wedi'i gario, er na fu pleidlais ar lawr y Tŷ! Aeth Dafydd yn wenfflam ac ysgrifennodd am y profiad wedyn yn ei hunangofiant *Dal Ati*:

> Ni welais ac ni chlywais y fath beth ar lawr y Tŷ na chynt na chwedyn. Dyna pryd y codais o'm sedd, rhuthro i lawr at gadair y Dirprwy Lefarydd yn wyllt gacwn oherwydd ei ymddygiad trahaus, a thrawo ochr y gadair â'm dwrn. Yn anffodus, roedd yr ochr yn rhydd a neidiodd i'r awyr! Bu gweiddi a dwrdio a gohebwyr y wasg uwch ein pennau yn heidio i un ochr i geisio gweld beth oedd yn digwydd . . . Yr wythnos wedyn bu raid imi ymddiheuro i'r Tŷ ac addo y byddwn yn fwy gofalus o'r dodrefn o hynny ymlaen!

Funudau'n ddiweddarach, a finnau wrthi'n paratoi te i'r plant, daeth galwad ffôn i'r Hen Efail gan ohebydd y *Daily Express*, a chanddo fo y cefais y newyddion am yr 'incident by the Speaker's chair'. Dychrynais braidd gan feddwl bod y straen wedi mynd yn ormod i Dafydd a bod rhywbeth difrifol iawn wedi digwydd. Roedd y gohebydd eisiau gwybod pam roedd Dafydd yn teimlo mor gryf am y mesur. Rhoddais amlinelliad byr iddo o'n sefyllfa fel teulu ac roedd yn llawn cydymdeimlad. Dywedais fod Dafydd mewn galar am Alun ac mewn poen a gofid am Geraint. Y diwrnod canlynol roedd llun Eluned a minnau ar dudalen flaen y *Daily Express*.

Ni chafodd Enoch Powell y pleser o weld ei fesur ar y Llyfr Statud. Y gwron Dennis Skinner o Bolsover a achubodd y dydd trwy ddarganfod dyfais seneddol i'w drechu, sef trwy alw isetholiad ym Mrycheiniog a Maesyfed yn dilyn marwolaeth y Ceidwadwr Tom Hooson. (Mae hanes hynt y mesur yn fanwl yn *Dal Ati*.)

Dydw i erioed wedi bod yn un dda iawn am gadw dyddiaduron manwl; nodiadau i'm hatgoffa am gyfarfodydd, cyngherddau, gwersi ac ati sydd ynddynt. Yn nyddiaduron dechrau'r wythdegau gwelaf gyfeiriadau di-ri at gyfarfodydd megis rhai Llywodraethwyr Ysgol Pendalar, Pwyllgor Mencap Caernarfon (yr oeddwn yn gadeirydd arno), pwyllgor Gwasanaethau Cymdeithasol Cyngor Gwynedd, ac ati. Soniais ynghynt am y Grŵp Rhieni: o ganlyniad i weithgarwch a lobïo'r grŵp hwnnw, tyfodd llawer iawn o syniadau a arweiniodd at bwysau i wella'r gwasanaethau ar gyfer pobl anabl.

Ysgrifennydd Gwladol Cymru ar y pryd oedd y Tori Nicholas Edwards. Roedd perthynas iddo ag anableddau dysgu a sylweddolodd fod y cymorth a gai'r teulu'n dila iawn; chwarae teg iddo, ymdynghedodd i wneud ei orau i geisio gwella'r ddarpariaeth. Ces wahoddiad i fod yn aelod o'r gweithgor a sefydlodd i gynghori'r Swyddfa Gymreig ar ddatblygu gwasanaethau o fewn y gymuned, a symud pobl allan o'r ysbytai mawrion. Yn 1983 cyhoeddwyd ein hargymhellion yn 'Strategaeth Cymru gyfan i rai araf eu meddwl'. Prif nod y strategaeth oedd sicrhau bod pobl ag anghenion addysgol arbennig yn cael byw'n normal o fewn eu cymuned, yn cael help gan eu cymdeithas a'u trin fel unigolion. Roedd yn adroddiad pwysig gan fod y cynlluniau blaengar yn rhoi dyheadau plant a phobl anabl eu hunain ar flaen yr agenda, ac roedd Cymru'n dangos y ffordd ymlaen i weddill Prydain ac Ewrop. Am y tro cyntaf erioed daeth rhai awdurdodau megis awdurdodau iechyd a chynghorau sir at ei gilydd i ddechrau cynllunio'n ystyrlon ar draws y ffiniau traddodiadol. Teimlwn gyfrifoldeb mawr wrth siarad dros blant anabl a'u teuluoedd, a meddyliwn o hyd am yr hyn a ddywedai fy nghyfeillion yn y Grŵp Rhieni.

Addawodd Nicholas Edwards y byddai £26 miliwn ychwanegol yn cael ei glustnodi dros gyfnod o ddeng mlynedd, a dynodwyd Môn, Arfon a'r Rhondda yn ardaloedd *vanguard* i ddatblygu cynlluniau newydd, blaengar. Meddai Nicholas Edwards yn y rhagymadrodd: 'The principal measure of our success will be the extent to which we can say after ten years that mentally handicapped people throughout Wales receive the respect and equal opportunities that are their due.'

Dwi'n dal i ryfeddu at yr eironi mai'r Blaid Geidwadol yng nghyfnod Thatcher (o bawb) a dorrodd y gŵys newydd hon. Hoffwn feddwl bod gwaith y gweithgor wedi arwain at ansawdd bywyd gwell i bobl anabl a'u teuluoedd. Honnodd ambell sinig mai cynlluniau i arbed pres oedd y cyfan, ond dwi'n rhoi'r clod i Nicholas Edwards am ariannu cynlluniau mentrus a llawn dychymyg. Ni chafodd Alun a Geraint fyw i weld manteision y strategaeth (ar wahân i'r cynllun Ewythr a Modryb, pan gaent fynd i aros am benwythnos hapus iawn yng nghartref Iona a'i gŵr, Robert).

Ddeng mlynedd ar hugain yn ddiweddarach, tybed beth ydi barn rhieni a theuluoedd pobl anabl? Arswydaf wrth feddwl y gallai toriadau'r cyfnod hwn erydu'r gwasanaethau.

Bûm hefyd yn aelod o bwyllgor oedd yn ymchwilio i Therapïau Celfyddydol i Bobl Anabl o dan gadeiryddiaeth Syr Richard Attenborough. Daeth ein hadroddiad allan yn Rhagfyr 1986, ac roedd yn pwyso ar awdurdodau iechyd, addysgol a chymdeithasol trwy Brydain i ddod at ei gilydd i ledaenu'r defnydd o therapïau celfyddydol yn cynnwys drama, celf weledol a cherddoriaeth. Caiff y therapi ei ddefnyddio'n glinigol i adfer neu wella cyflyrau, ac mae'n hanfodol i therapyddion gymhwyso eu hunain yn broffesiynol i weithio â phobl a phlant ag anghenion arbennig.

O'm profiad i, gwelais sut roedd cyrff fel Cyngor y Celfyddydau yn dadlau mai cyfrifoldeb awdurdodau iechyd oedd ariannu'r therapïau gan ei fod yn waith clinigol. Ar y llaw arall, atebai swyddogion iechyd na allent hwy fforddio talu am sesiynau gan mai gweithgaredd celfyddydol ydoedd – a'r bobl druan fyddai'n elwa o'r gwasanaeth yn cael eu gadael yn y canol heb help! Fel mam, byddwn yn ceisio darbwyllo'r awdurdodau i roi anghenion y plentyn methedig yn gyntaf bob amser ac addasu'r rheolau i helpu'r teulu. Yn rhy aml mae swyddogion yn warchodol o'u cyllideb ac o'u 'patsh', ac yn ofni torri tir newydd. Dwy ymgais i symud ffiniau ac agor meddyliau oedd adroddiad Strategaeth Cymru Gyfan ac adroddiad Attenborough.

Aildiwnio

Roedd Eluned yn ddeg oed a Hywel yn naw pan fu farw eu brodyr. Roedd y ddau'n blant rhyfeddol o gytbwys ar waethaf popeth. Canolbwyntio ar roi'r gorau iddyn nhw oedd y ffordd ymlaen. Roedd y ddau mewn awyrgylch ddiogel a chefnogol yn Ysgol Gynradd y Bontnewydd, ac yn cael cynhaliaeth sensitif a gwerthfawr gan yr athrawon a chan eu ffrindiau.

'Chwarae ffwti' oedd canolbwynt bywyd Hywel a rhannai'r un diddordeb â'i ddau brifathro, Arwel Jones (Hogia'r Wyddfa) a'r diweddar Aled Roberts o'i flaen. Gyda'i gyfaill Geraint Jones ac eraill, sefydlodd Dafydd glwb pêl-droed i blant yn y Bontnewydd – a Hywi oedd un o'r rhai mwyaf brwdfrydig! Yn anffodus, roedd yn anodd perswadio bechgyn yr ardal i ymddiddori mewn cerddoriaeth; yr unig ffordd y ces i Hywel i chwarae yng ngherddorfa'r rhanbarth oedd trwy drefnu gwersi drymiau iddo yn yr ysgol. Rhaid dweud nad oedd yn hoffi'r gwersi piano, clarinét na'r cello ond mwynhaodd y gwersi gitâr a gafodd gan ein cyfaill Bert Parry, Llanberis, yn fawr ac fe flodeuodd ei dalent!

Roedd ffrindiau Eluned i gyd yn cael gwersi piano; i'r genod, wrth gwrs, roedd hyn yn 'normal'. Doedd dim anhawster chwaith ychwanegu gwersi ffliwt, yn ogystal â chanu a cherdd dant. A chan fod athrawes telyn yn digwydd byw yn ein tŷ ni, cafodd Eluned wersi telyn gartref. Pan gyrhaeddodd lwyfan Eisteddfod Genedlaethol yr Urdd yn yr

Unawd Telyn o dan 12 oed roedd ei mam yn falch iawn ohoni.

Llwyddais i chwalu'r myth mai merched yn unig all baratoi prydau blasus! Ar nosweithiau Sul pan fyddai Alun a Ger yn Frondeg anogwn Eluned a Hywel i goginio, a Hywel ydi cogydd mwyaf dychmygus a mentrus y teulu erbyn hyn. Roedd hefyd yn aelod o dîm Ysgol Bontnewydd yn y Cwis Llyfrau Cymraeg a ddaeth yn fuddugol trwy Gymru, ac roeddwn yn arbennig o falch o hynny. Un o'm hoff bleserau fel mam fyddai ymdawelu i ddarllen stori i'r plant. Weithiau byddai'n well ganddynt i mi lunio stori newydd sbon a gadael i'r dychymyg redeg yn rhydd, a byddent hwythau wrth eu boddau'n ychwanegu pytiau eu hunain am eu hoff gymeriadau dychmygol – fel Pwnci a Pompom, y creadigaethau doniol o ddychymyg byw Nain Wern. Mae'r rheiny'n dal yn fyw ac iach yn nghartref Eluned yn Southerndown!

Roedd gan Eluned a Hywel gyfeillion lu, ond Huw ac Es oedd y 'ffrindiau mawr'! Roedd Esyllt (Dr Esyllt Mererid, y Waunfawr, erbyn hyn) ac Eluned yn yr un dosbarth, a Huw (sydd bellach yn gyfreithiwr gyda chwmni Eversheds, Caerdydd) bedair blynedd yn hŷn na Hywel. Datblygodd cyfeillgarwch hyfryd rhwng y pedwar, a Huw fel brawd mawr i Hywel – rôl nad oedd yn bosibl i Geraint nac Alun ei llenwi. Bu rhieni Huw ac Esyllt, Margaret a Geraint Jones, yn aruthrol o bwysig i ni fel teulu ac yn gefn anhygoel i mi gan fod Eluned, yn arbennig, yn edrych ar 'dŷ Huw ac Es' fel dihangfa. Pan oedd Alun a Geraint yn fyw ceisiwn drefnu bod cyfeillion Eluned a Hywel yn dod yn aml i chwarae yn ein tŷ ni, ac felly'n cael cyfle i ddod i adnabod eu cyfoedion anabl. Bûm hefyd yn ddigon ffodus o gael cydweithrediad

Ysgol Bontnewydd i dderbyn plant ag anghenion arbennig o Ysgol Pendalar i'w plith bob bore Iau.

'Y Wigley *campus*' oedd fy enw i ar ein tŷ ni a thŷ Taid a Nain drws nesa. Pan fyddai pethau'n drwm gartref (neu ar ôl cael row gan eu mam), gallai Eluned a Hywel redeg drwy'r giât fach i'r Wern at Nain a Taid a chael sylw a chariad rhyfeddol. Pysgota a garddio oedd prif ddiddordebau Elfyn Wigley, tad Dafydd, a oedd wedi ymddeol o fod yn drysorydd hen Gyngor Sir Gaernarfon pan ffurfiwyd Gwynedd yn 1974 (yn yr un mis ag yr enillodd Dafydd y sedd seneddol). Treuliai Hywel oriau efo'i daid yn yr ardd ac, yn ddiweddarach, yn pysgota ar lannau afon Dyfi.

Brawychwyd ni pan gafodd Nain Wern drawiad ar ei chalon yn Awst 1982 tra oedd ar ei gwyliau yn Llanwrin. Digwyddodd hyn ar fore Llun yn syth ar ôl i'r rhaglen *Hymns of Praise* a recordiwyd yn yr Hen Efail gyda Harry Secombe ymddangos ar BBC1. Ofnwn mai'r straen o weld ei hwyrion ar y teledu oedd wedi bod yn ormod iddi, a gweddïwn y byddai'n dod trwy'r salwch fel y gallai Eluned a Hywel gael ei chwmni wrth iddynt dyfu i fyny. Yn wyrthiol, fe ddaeth hi dros yr anhwylder, a bu fyw am dair blynedd ar hugain arall.

Câi Eluned a Hywel fynd i aros yn aml at fy rhieni innau yn Nolgellau. Roedd y ddau wedi hen gartrefu yno, a Dad wedi sefydlu Côr Gwerin y Gader erbyn hynny – alawon gwerin oedd ei 'bethe'. Dywedodd Mam lawer tro fod rhieni Dafydd yn lwcus iawn o gael byw mor agos atom a chael heneiddio yng nghwmni eu hwyrion. Dagrau pethau ydi i Mam ddod i fyw i'r Bontnewydd ar ei phen ei hun yn 1988 ar ôl i Dad ddioddef strôc drom a olygai fod angen gofal ysbyty arno.

Roeddwn yn cadw noson i'r Blaid efo John Ogwen ym

Mhlas Maenan, Llanrwst, ddechrau Rhagfyr 1986 pan ffoniodd Dafydd i ddweud wrthyf am fynd yn syth i Ysbyty Dolgellau – roedd Dad mewn 'coma'. Daeth allan ohono ddyddiau'n ddiweddarach yn berson anabl a thrist; ni allai symud ac roedd wedi colli'i leferydd yn gyfan gwbl. Cafodd ymgeledd yn Ysbyty Dolgellau ac wedyn yn ysbytai Eryri a Bryn Seiont, Caernarfon, lle bu farw ar y 12fed o Ebrill 1988. Collais gefn anhygoel o ganlyniad i'r strôc a chollodd Mam gymar bywyd. Credaf i afiechyd ei wyrion bwyso'n drwm arno yntau, er mai dim ond unwaith y gwelais o'n torri'i galon. Bu Dad farw'n greulon o fuan ar ôl inni golli Alun a Geraint. Lluniwyd yr englyn yma gan ei gyfyrder, y diweddar Iorwerth Jones o Aberhosan, i'w roi ar ei fedd ym mynwent Penffordd-las:

Em o ddawn; troi'n hamddenol – i lywio'r
Alawon gwerinol,
Clod ei wlad yn wastadol
Yn hir iawn fydd ar ei ôl.

Ysgrifennaf y geiriau hyn ar 'ben-blwydd' Dad yn gant oed ar y 30ain o Orffennaf 2011. Heddwch i'w lwch.

Dafydd sy'n mynnu'r clod am gyflwyno Hywel i gerddoriaeth roc, trwy fynd ag o i glywed y gitarydd Eric Clapton yn yr Albert Hall a hefyd i wylio'r ffilm *Hail! Hail! Rock 'n' Roll* gyda Chuck Berry pan oedd Hywel tua deuddeg oed – a daliodd Eluned y byg yn ogystal! Fe brynodd hi set o ddrymiau gyda'r arian roedd wedi'i ennill wrth gymryd rhan mewn cyfres deledu i blant o'r enw *Sblat* ar S4C, gan ei gwneud yn bosib i Hywel a hithau ffurfio'r grŵp Aros Mae efo'u ffrindiau Cian Ciaran, Meilyr Tomos a Stephen Thomas

– ag Eluned yn gantores. Wedi dyddiau Aros Mae, ffurfiodd Eluned a Hywel fand arall yng Nghaerdydd o'r enw Baby Oilrig. Yn yr wythdegau hwyr roedd llawer o gyfleoedd i'r criw ifanc ar S4C a Radio Cymru wrth i'r cyfryngau chwilio am dalentau newydd. Mae'n debyg mai ar ddrymiau Eluned y dechreuodd Cian chwarae'r drymiau, a dod maes o law yn aelod o'r Super Furry Animals.

Dydw i ddim yn gallu gwrando ar gerddoriaeth roc heb deimlo'n flin, ond yn rhyfedd iawn, clywed seiniau hyfryd Hywi wrth iddo ymarfer ei gitâr drydan oedd y symbyliad i minnau arbrofi gyda thechnegau cyfoes a phrynu telyn drydan yn y nawdegau. Yr hyn fedra i mo'i ddioddef ynglŷn â cherddoriaeth roc ydi'r curiadau unffurf, parhaus a'r seiniau caled ac amhersain. Ond fel 'Mam dda' roeddwn eisiau cefnogi Hywel gan ei fod yn dangos talent gref fel 'entrepreneur' – trefnai gigiau yn dair ar ddeg oed mewn trefi fel Porthmadog, y Bala a Dolgellau (doedd dim neuadd addas yng Nghaernarfon). Edmygwn ei fentergarwch yn fawr. Gweithiodd efo'i ffrindiau i sefydlu rhwydwaith o drefnyddion gìgs, trefnwyr bysiau a gwerthwyr tocynnau mewn ysgolion ledled y gogledd, gan hysbysebu'r gìgs ar y Sgrîn Roc, Ceefax a rhaglenni hwyr ar Radio Cymru. Roedd cael *captive audience* yn yr ysgolion, tad a mam goddefgar yn ogystal â llungopïwr yn Swyddfa'r Blaid yn gaffaeliad mawr! Hawliodd Aros Mae ein garej fel man ymarfer, a chofiaf i Meilyr (mab Dafydd Elis-Thomas) ddod acw lawer gwaith ar y bws o Ddolgellau gan gario'i gitâr fas mewn 'cês' pren o'i waith ei hun – ac a oedd yr un faint â fo'i hun! Diwedd yr wythdegau oedd hi, a'r tadau'n Aelodau Seneddol ac yn dadlau am bolisi ac ati; lawer gwaith y meddyliais mor braf fuasai hi petai'r tadau'n cydweithio cystal â'r meibion! Un o'r pethau rhyfeddaf wnes i yn y cyfnod hwnnw oedd prynu hen garafán yn 1990 i Eluned a'i mêts fynd i Eisteddfod Cwm Rhymni – a hynny pan oedd Eluned yn 16 oed. Am flynyddoedd cafodd y garafán ei pharcio o flaen ein tŷ ni er mwyn i'r plant gael cymdeithasu heb amharu arnom, ond yn ddigon agos i mi gadw golwg arnynt o bell!

'Plant Thatcher' ydi un ffordd o ddisgrifio cenhedlaeth Eluned a Hywel. Rhwng 1986 ac 1988, a'r ddau yn yr ysgol uwchradd, bu llawer o streicio gan yr athrawon fel protest yn erbyn newidiadau addysgol 'y ddynes o haearn'. Er fy mod yn cytuno â safiad yr athrawon yn erbyn Thatcher, does gen i ddim amheuaeth na fu effeithiau ymarferol y streic yn andwyol i rai fel Hywel, oedd angen tipyn o berswâd i astudio. Fel pob bachgen arall, allan yn yr awyr iach roedd Hywi eisiau bod, ond cafodd Eluned ac yntau ganlyniadau TGAU o safon uchel er i mi boeni llawer nad oeddwn wedi rhoi digon o sylw iddynt pan oedd eu dau frawd mawr yn fyw.

Tuag wythnos cyn Nadolig 1989 roeddwn i a thri ar hugain o delynorion eraill yn perfformio yn yr Albert Hall, Llundain, fel rhan o ddathliadau Nadolig a sbloet ysblennydd *One World* gyda Cliff Richard. Gosodwyd y telynau ar blatfform uchel, amlwg, ar lefel yr organ – fel telynau angylion! – a'm telyn hardd i yn un ohonyn nhw. 'There goes your life!' ebychodd y delynores nodedig Sidonie Goossens wrth weld y cludwr yn ei chario ar ei ysgwydd i'r uchelfannau.

Anwybyddais y poen drwg oedd gen i yn fy ochr a gwyddwn fod fy ngwres yn uchel, ond roedd yn rhaid i'r sioe fynd yn ei blaen. Gyrrais yn fy ôl i'r fflat wedi'r cyngerdd ac adref i'r Bontnewydd y diwrnod canlynol, a dos ddrwg o'r ffliw gafodd y bai am fy salwch dros y Nadolig a'r Flwyddyn Newydd. Roeddwn yn llusgo fy hun o gwmpas y tŷ ond fore Llun, y 14eg o Ionawr ces fy nharo'n wirioneddol sâl ac roedd poen difrifol yn fy rhwygo'n ddau. Galwodd Taid Wern y doctor, a thrwy'r poen erchyll deallais mai *renal colic* oedd achos y salwch. Roedd yn boen llawer gwaeth na'r un a gawswn wrth roi genedigaeth bedair gwaith! Aeth ambiwlans â mi ar frys i Ysbyty Gwynedd a gwelwyd bod un o'm harennau wedi chwyddo i ddwbl ei maint arferol, a bod carreg wedi'i sefydlu'i hun yn fy *urethra* gan rwystro'r llif allan o'r aren chwith.

Yn ystod y llawdriniaeth y diwrnod canlynol dihangodd peth o'r hylif heintiedig i'r gwaed gan achosi imi fynd yn wirioneddol wael ar fwrdd y theatr. Ataliwyd y driniaeth yn syth a dihunais â drychiolaethau erchyll yn fy arswydo. 'Discretion is the greater part of valour' oedd eglurhad y llawfeddyg John Roberts am atal y driniaeth ar ei chanol. Bu bron imi â dweud 'ta ta' wrth y byd yma oherwydd roeddwn yn dioddef o *septicaemia* a niwmonia. Fel y dywedodd cyfaill meddygol yn America wrthyf: 'You started to die a little bit on the operating table!'

Roeddwn yn teimlo'n flin dros Eluned gan ei bod ar ganol ei harholiadau 'mocs' TGAU ar y pryd, ond mae ganddi gryfder cynhenid a daeth trwy'r arholiadau 'go iawn' yn ardderchog. Tair ar ddeg oed oedd Hywel a'i lais ar dorri, a heb wybod p'run ai bachgen ai dyn oedd o! Y mis Ionawr hwnnw, hefyd, roeddwn i fod i gynnal cyngherddau yn Llundain gyda'r ffliwtydd Judith Hall; nid ar lwyfan cerdd yr oeddwn ond mewn theatr wahanol iawn yn Ysbyty Gwynedd, Bangor.

Bûm yn yr ysbyty am bron i dair wythnos a dechreuais

deimlo fy mod yn rhan o'r dodrefn. Ffawd, mae'n siŵr, a barodd fod yna Almaenwr ifanc yn feddyg ar y ward a oedd hefyd yn gerddor gwych. Roedd yn falm siarad hefo'r Dr Moritz von Bredow am farddoniaeth, cerddoriaeth, celf ac athroniaeth bywyd. Dôi â chasetiau imi, a ches dawelwch rhyfeddol yn feddyliol ac yn ysbrydol wrth wrando ar Gôr Coleg Sant Ioan, Caergrawnt, yn canu gweithiau gan Thomas Byrd o'r unfed ganrif ar bymtheg dan arweiniad y gŵr o Fangor, yr hynod George Guest. Bu'r gerddoriaeth, barddoniaeth Rilke a Tagore, yr Almaenwr ifanc a'r gofal meddygol yn fodd i mi wella'n gyflym iawn, gan beri syndod i'r staff meddygol.

Wrth edrych dros yr hen luniau pelydr-X, gwelodd y meddygon fod carreg wedi dechrau ffurfio yn yr *urethra* sawl blwyddyn ynghynt ond fy mod wedi'i hanwybyddu yng nghanol y gofalu am Alun a Geraint. Yn ystod y cyfnod cyn y salwch teimlwn weithiau fy mod fel petawn yn carlamu at ddibyn, a chawn lawer o hunllefau. Roeddwn wedi cyrraedd creisis canol oed gwirioneddol, a gwnaeth imi sylweddoli fy mod wedi bod yn cymryd fy nghorff yn ganiataol. Roedd hi'n wers galed ac anodd ond teimlwn fod y salwch fel catharsis, ac yn fodd i'm corff gael gwared â'r dolur a'r galar a oedd wedi cronni ers cyfnod Alun a Geraint.

Ymhlith y sgyrsiau a gefais efo Moritz roedd un am yr athronydd o'r Almaen, Eugen Herrigel, a'i lyfr *Zen in the Art of Archery*, y llyfr a gyflwynodd syniadau *Zen* i'r Gorllewin yn 1948. Bu Herrigel yn astudio'r gelfyddyd Siapaneaidd hynafol *kyudo* sy'n rhoi pwyslais ar ochr ysbrydol meithrin sgiliau gyda'r bwa a saeth. Hanes disgybl ymroddedig yn dysgu wrth draed meistr sydd yma – rhywbeth sy'n arbennig o berthnasol i gerddor wrth ddysgu darn o gerddoriaeth a datblygu *motor memory*. Y syniad canolog ydi y bydd unrhyw weithgaredd corfforol, ar ôl blynyddoedd o ymarfer, yn dod yn ddiymdrech yn feddyliol ac yn gorfforol, ac y bydd y corff yn gallu gwneud symudiadau cymhleth ac anodd heb i'r meddwl ei reoli'n ymwybodol. Rhyddhau'r meddwl oddi wrth y dasg gorfforol ydi'r bwriad (ei roi ar beilot awtomatig ac yn yr isymwybod, fel petai), fel y gall cerddor, er enghraifft, fod yn rhydd i roi mynegiant i'r gerddoriaeth.

Gadawodd cyw bach arall y nyth yn Awst 1990 pan ddechreuodd Eluned ar gwrs chweched dosbarth yng Ngholeg Iwerydd, yng Nghastell San Dunwyd ger Llanilltud Fawr ym Mro Morgannwg. Fi gafodd y syniad yn wreiddiol mewn sgwrs efo'r diweddar annwyl Ddafydd Owen o Lanbedrog oedd yn bennaeth ar Goleg y Bala. (Am flynyddoedd yn yr wythdegau cynnar, byddai plant o Ysgol Pendalar a'u teuluoedd yn treulio penwythnos bendigedig yn y Bala.) Roedd o wedi bod yn fyfyriwr yng Ngholeg Iwerydd yn y chwedegau, a dywedai mor bwysig iddo fu ei brofiadau yno. Gwnaeth hyn argraff fawr arnaf.

Plentyn yn yr ysgol gynradd oedd Eluned ar y pryd ond pan oedd tua tair ar ddeg oed, penderfynodd mai i'r coleg rhyngwladol yma yr hoffai fynd i astudio tuag at y Fagloriaeth (Baccalaureate) Ryngwladol. Yr unig ffordd y gellir sicrhau mynediad i'r coleg hwn yw trwy ennill ysgoloriaeth. Mae ethos cryf iawn yno sydd wedi'i seilio ar feithrin dealltwriaeth ryngwladol gan fod y myfyrwyr yn byw'n agos at ei gilydd ac yn rhannu popeth gyda phobl ifanc eraill o ddegau o wledydd. Rhaid cyfaddef fy mod yn awyddus iawn i weld fy mhlant yn astudio mewn coleg o'r fath er mwyn agor eu meddyliau a dysgu mewn ffordd uniongyrchol iawn sut i fyw gyda phobl o gefndiroedd tra gwahanol i'r hyn y gwyddent amdano.

Pan aeth Eluned oddi cartref gyntaf roeddwn i ar goll, ac yn cael pangfeydd o euogrwydd wrth weld Hywel ar ei ben ei hun yn gweithio tuag at ei TGAU, yn ogystal â threfnu gìgs ym mhob cwr o ogledd Cymru. Llwyddodd yn ei arholiadau a chafodd yntau ei dderbyn i Goleg Iwerydd yn Awst 1992 – a dyna'r cyw bach melyn ola wedi hedfan o'r nyth!

Cafodd Hywi yntau addysg eang iawn yno, a phrofiadau newydd wrth rannu ystafell fechan â thri arall – Dennis o Rwsia (ei dad yn un o'r dynion busnes cyntaf i fasnachu â'r Gorllewin ar ôl i'r Llen Haearn ddod i lawr), Hishman o Oman (bachgen cefnog, a'i dad yn gweithio i'r Swltan), a Blendi o gefndir tlawd yn Albania (a gyrhaeddodd Goleg Iwerydd yn cario popeth a feddai mewn bag plastig). Ond ei ffrind pennaf yn y coleg oedd Rocco Renaldi o Verona. Maes o law, Rocco fyddai ei was priodas; fo hefyd ddysgodd iddo sut i goginio bwyd Eidalaidd mor wych – handi iawn i Catrin!

Cafodd Eluned a Hywel addysg arbennig iawn yng Ngholeg Iwerydd, ac mae'r rhwydwaith o gyfeillion a'r cysylltiadau a wnaethant yno wedi para hyd heddiw. Mae'n diolch fel teulu i'r coleg yn fawr iawn, ac yn arbennig i'r prifathro ar y pryd, Colin Jenkins, a'i wraig Isobel, am eu gwaith gwych. Mae'n dipyn o gyd-ddigwyddiad fod y ddau yng Ngholeg Aberystwyth hefo mi ddechrau'r chwedegau.

Yn 1992, ar ddiwedd ei chwrs llwyddiannus yng Ngoleg Iwerydd, penderfynodd Eluned gymryd 'blwyddyn gap' ac aeth i ffwrdd i Fecsico am chwe mis. Teimlad emosiynol iawn oedd ffarwelio â hi yn Gatwick a'i gweld yn mynd mor bell ar ei phen ei hun i chwilio am brofiadau newydd. Cyfaddefodd 'rhen Luns ei bod wedi crio llawer iawn ar y daith gan ei bod mor nerfus ac yn gofidio beth tybed fyddai o'i blaen. O edrych yn ôl, mae'n rhaid bod eisiau darllen ein pennau fel rhieni'n caniatáu iddi fynd mor bell, mor ifanc. Ond roedd hi'n ddeunaw oed a doedd dim angen caniatâd rhieni, ac roedd ganddi rwydwaith o gysylltiadau trwy'r coleg – yn cynnwys ei ffrind Magali, oedd yn byw yn ninas Mecsico. Un fantais o fod yn gerddor ydi bod modd i mi drefnu cyngherddau mewn amrywiol wledydd i gyd-fynd â symudiadau'r teulu! Llwyddais i fynd i weld Eluned ym Mecsico ar ôl cynnal cyfres o gyngherddau a dosbarthiadau meistr yn yr Unol Daleithiau.

Bûm yn perfformio mewn colegau a phrifysgolion ac i gymdeithasau telynorion yn Chicago, San Ffransisco, New Orleans a Minneapolis. Yn Los Angeles perfformiais yng nghartref y teulu Ziering yn Bel Air; Zigi Ziering oedd sylfaenydd a pherchennog cwmni Diagnostics Products a pherchennog y ffatri fawr Euro/DPC yn Llanberis. Gŵr o dras Iddewig oedd Ziering a chawsai ei ddal yn un o wersylloedd Hitler yng ngogledd yr Almaen yn ystod y rhyfel. Llwyddodd i oroesi oherwydd bod y rhyfel wedi dod i ben cyn i'r bobl oedd ag enwau'n dechrau â 'Z' gael eu lladd. Roedd yn hoff iawn o gerddoriaeth, a phrofiad dymunol iawn i mi oedd cynnal cyngerdd yn ei gartref i delynorion a cherddorion eraill o Los Angeles. Yn Chicago perfformiais mewn neuadd hyfryd oedd wedi'i chynllunio gan Frank Lloyd Wright, y pensaer enwog o dras Cymreig. Treuliais sawl awr hefyd yn chwarae telynau yn ffatri'r gwneuthurwyr Lyon & Healy, ddeng mlynedd ar hugain ar ôl yr ymweliad cyntaf hwnnw fel myfyrwraig ifanc gyda Chôr Madrigal Aberystwyth yn 1961.

O Los Angeles teithiais i Ddinas Mecsico ac roeddwn yn anhygoel o falch o weld Eluned yn y maes awyr! Roedd yn gweithio mewn ysgol i blant bach mewn tref o'r enw Cholula, ac yn aros gyda'r brifathrawes yn ei thŷ Mecsicanaidd anferth ar gynllun agored ag ystafelloedd heb na waliau na drysau. Wyddwn i ddim tan ddiwrnod olaf fy ymweliad fod Eluned fel arfer yn rhannu rhan o'r tŷ agored yma gydag ewythr i'r brifathrawes – gŵr yn ei saithdegau. Pan ddywedodd hyn wrthyf, es yn balistig! Mynnais ei bod yn mynd oddi yno ar unwaith, ac aeth i fyw gyda theulu annwyl yn y gymuned lle gwelodd dlodi go iawn. Dwy ystafell oedd gan y teulu, a châi Eluned a'i ffrind Fiona un o'r rhain tra oedd y teulu (yn cynnwys chwech o blant) yn byw ac yn cysgu yn y llall. Pres oedd yn siarad – roedd y rhent yn werth llawer i'r teulu bach.

Tra oeddwn ym Mecsico es i weld pyramidiau enwog yr haul a'r lleuad yn Teotihuacan. Rhyfeddod oedd dysgu bod llwyth y Maya wedi mapio'r ffurfafen, datblygu system ysgrifennu ac yn feistri ar fathemateg tra oedd trigolion Ewrop yn dal yn yr Oesoedd Tywyll. Cawsom wyliau yn Vera Cruz gan aros mewn gwesty ar y *socola* (sgwâr y dref). Bob nos byddai grŵp o gerddorion Mecsicanaidd yn perfformio o gwmpas y byrddau ac yn canu i'r ymwelwyr hynny a oedd yn fodlon talu. Yn y band roedd dynion yn chwarae gitâr, banjo, marimba – a thelyn! Gofynnodd Eluned am gân ganddynt yn Sbaeneg gan ychwanegu fy mod i'n delynores, a ches innau roi tonc arni. Mae telynau De America yn wahanol iawn i'n rhai ni ac yn dal i fod ar yr un patrwm â'r telynau Sbaenaidd a gludwyd yno gan y Conquistadores yn yr unfed ganrif ar bymtheg, ond mai neilon ydi'r tannau amryliw erbyn hyn! Gofynnodd yr hen foi, y gitarydd, rywbeth i mi mewn Sbaeneg ac atebais innau 'Si!' 'Www, Mam . . .' ebychodd Eluned, 'wyt ti'n sylweddoli dy fod ti wedi addo priodi hwn?!' Yna gwahoddodd y telynor ifanc golygus a hunanfeddiannol ni am bryd o fwyd yn un o strydoedd cefn y ddinas, a bu bron i ni gael ffit pan ddaeth â phlât anferth inni ac arno dau ddwsin o wyau wedi'u berwi'n galed a *chillis*. Fe fwytodd y ddwy ohonom y cyfan rhag ymddangos yn anniolchgar ac anghwrtais.

Roeddwn yn hynod o anesmwyth wrth adael Eluned ym Mecsico. Roedd byw mewn gwlad Ladinaidd yn sioc ddiwylliannol. Teimlwn hefyd fod ychydig o ragfarn yn y wlad tuag at bobl groenwyn, yn arbennig ferched ifanc. Anodd iawn oedd cadw mewn cysylltiad â Chymru bryd hynny a rhaid oedd archebu pob galwad ffôn ymlaen llaw. Daeth Eluned adref tua mis cyn diwedd y cyfnod penodedig, ar ôl cael profiad peryglus iawn yn hwyr un noson pan achubwyd hi gan chwiban roeddwn wedi'i rhoi iddi cyn gadael Cymru. Argol fawr! Roeddwn mor falch o'i gweld yn fyw ac yn iach, ond fuodd hi ddim adre'n hir cyn codi pac unwaith eto – y tro yma i Sevilla yn Sbaen i wella'i Sbaeneg.

Yn 1994 gorffennodd Hywel ei gwrs yng Ngholeg Iwerydd a llwyddo yn y Fagloriaeth Ryngwladol. Penderfynodd yntau gymryd 'blwyddyn allan' er mwyn ceisio penderfynu beth i'w wneud gyda gweddill ei fywyd!

Penderfynais geisio'i helpu ym myd cerddoriaeth gan ei fod wedi dangos tipyn o 'fflêr' yn y maes, a chan fy mod yn ofni y buasai'n gwastraffu blwyddyn werthfawr trwy aros yn y gwely bob bore, gwylio'r teledu yn y pnawn a threulio pob min nos yn y dafarn! Roeddwn yn awyddus i recordio CD newydd ohonof yn chwarae a chanu cerddoriaeth o'r gwledydd Celtaidd. Gwelais pa mor boblogaidd oedd cerddoriaeth Iwerddon a'r Alban yn America – ond doedd dim siw na miw o gerddoriaeth o Gymru yno. Gwelwn gyfle i roi profiad ymarferol i Hywel i ddysgu tipyn am y busnes cerdd, a rhoddais her iddo gynhyrchu CD o gerddoriaeth werin o'r gwledydd Celtaidd.

Yn neuadd ganoloesol Cochwillan, ger Bangor, y bu'r recordio, a John Hywel (a oedd newydd ymddeol o fod yng ngofal yr Adran Gerdd yn y brifysgol ym Mangor) yn cyfarwyddo, Meilyr Tomos yn beiriannydd sain, a'r peiriannau recordio wedi'u llogi gan gwmni o Fethesda. Wedi cwblhau'r golygu rhaid oedd cofrestru'r caneuon â chyrff fel y Performing Rights Society a'r Mechanical Copyright Protection Society er mwyn cael rhyw gymaint o incwm yn y dyfodol. Dyna sut y dysgodd Hywel am gymhlethdodau masnachol y byd cerddorol. Hyfryd oedd cael cyhoeddi'r CD *Breichled* ar label DoReMi – CD wedi'i chynhyrchu gan fy mab fy hun! – a chredaf i'r profiad hwn fod yn werthfawr iddo wrth sefydlu'i stiwdio recordio ei hun ymhen blynyddoedd.

Wedi cynhyrchu'r CD, y cam nesaf oedd ceisio'i gwerthu. Aeth Hywel rownd siopau tref Caernarfon un diwrnod a dod adre'n llawn cyffro ar ôl cyfarfod â gwraig ddiddorol iawn yn Neuadd y Farchnad a oedd yn fodlon gwerthu'r CD. Roedd hi'n rhoi gwersi ar Dechneg Alexander – techneg i gael gwared o densiynau yn y corff. Dyna'r tro cyntaf i mi glywed am Frances Lockstone a ches i, Dafydd ac Eluned lawer iawn o gymorth ganddi'n ddiweddarach. Mae'n wraig ryfeddol a chanddi bwerau anarferol iawn, ac mae'n gyfeilles i bawb yn y teulu hyd heddiw. Trwy Frances y des i'n ymwybodol o rin a gwerth aruthrol therapïau amgen, a dysgodd imi sut i adnabod fy nghorff yn well a sut i ymlacio, a'm cyflwyno i lawer o therapyddion amgen. Bu ei gallu i iacháu yn bwysig aruthrol i Dafydd wedi iddo gael ei daro i lawr gan heddwas y tu allan i'r Senedd yn Llundain yn ystod protest, gan anafu asgwrn ar waelod ei gefn.

Daeth Eluned adref o Fecsico yn dioddef o ryw anhwylder a amlygodd ei hun fisoedd yn ddiweddarach. Byddai'n llewygu'n aml, roedd wastad yn flinedig iawn a châi boen drwg yn ei chylla. Methodd meddygon yng Nghaerdydd a Bangor ddod at wraidd y broblem, felly aeth i ganolfan amgen yn Llundain am brofion. Cafodd wybod ei bod yn dioddef o lefel uchel iawn o *candida*, math o ffwng sy'n gallu difetha system imiwnedd y corff. Roedd yn rhaid iddi fod yn ofalus iawn beth fyddai'n ei fwyta; roedd ganddi alergeddau lu ac anoddefiad tuag at lawer iawn o fwydydd – hyn pan oedd yn astudio tuag at radd mewn Astudiaethau Ewropeaidd ym Mhrifysgol Caerdydd. Trefnais iddi gael sesiwn efo Frances, ac ar ôl triniaeth dyner ond pwerus ganddi cysgodd Eluned fel baban o flaen y tân yn yr Hen Efail am oriau. Bu'n fodd iddi droi'r gornel a dechrau gwella.

Cadw fy hun yn brysur oedd fy ffordd i o ymdopi heb blant gartref. Er fy mod yn rhydd o ofalon teulu roedd Mam yn heneiddio ac yn ddibynnol arnaf. Pan awn dramor ceisiwn drefnu ei bod yn mynd at fy chwaer, Menna, i Abertawe, a byddai'n cymdogion a rhieni Dafydd yn gymorth mawr iddi.

Hwn oedd fy nghyfle i'm hailsefydlu fy hun ar y llwyfan rhyngwladol, a bwriais fy hun i mewn i'r gwaith o drefnu cyngherddau a theithiau tramor. Bûm yn perfformio mewn gwyliau rhyngwladol gan ddechrau gyda Chyngres Telynau'r Byd ym Mharis yn 1990, Gŵyl Telynau'r Byd Caerdydd 1991, Symposiwm Ewropeaidd Nuremberg 1992, Cyngres Telynau'r Byd ym Mhrâg yn 1993, ail Ŵyl Telynau'r Byd yng Nghaerdydd yn 1994 a Chyngres Telynau America yn Baton Rouge, Louisiana, yn 1996, a chyngres arall yn Nulyn yn 1997. Defnyddiais y gwyliau hyn i gyflwyno cerddoriaeth telyn o Gymru, a daeth llawer gwahoddiad i ymweld â gwledydd eraill i berfformio a dysgu.

Ym mis Gorffennaf 1992 gofynnais i'r Athro William Mathias a fyddai'n fodlon gwrando arnaf yn chwarae ei waith *Santa Fe Suite* cyn imi mynd i'r Symposiwm Ewropeaidd yn Nuremberg i berfformio rhaglen o gerddoriaeth gan gyfansoddwyr Cymreig. Gwyddwn ei fod yn wael ei iechyd ond bob tro y chwaraeaf y gwaith cofiaf amdano'n codi ar ei draed i ddawnsio 'Dawns yr Haul'. Wrth adael, meddai wrthyf, 'Nawr, fe allwch chi ddysgu'r *Santa Fe Suite* i delynorion ifanc!' Ddeg diwrnod yn ddiweddarach bu William Mathias farw o gancr yn 57 oed. Teimlaf hi'n fraint mai fi oedd y cerddor olaf i chwarae iddo. Collodd Gymru un o'i meibion disgleiriaf yn llawer rhy ifanc ac yntau yng nghanol cyfnod toreithiog o gyfansoddi, ond mae ei waith yn fyw iawn a'i enw ar wefusau plant trwy ogledd Cymru gyda dyfodiad y Ganolfan Gerdd a'r Gwasanaeth Cerdd Ysgolion y bûm i, ychydig flynyddoedd ar ôl ei farw, yn rhan o'r gwaith o'u sefydlu.

Yng Nghyngres Telynau'r Byd ym Mharis yn 1991 y clywais Tatiana Tauer, y delynores wych o Rwsia, yn chwarae am y tro cyntaf. Pan chwalwyd y Llen Haearn ddiwedd 1989 daeth llawer o gerddorion Rwsiaidd i'r Gorllewin – a Tatiana, prif delynores y Leningrad Philharmonic, yn eu plith. Ces gyfle i ddod i'w hadnabod yn well yn ystod Symposiwm Ewropeaidd Nuremberg yn 1992 ac estynnais wahoddiad iddi ddod i Gymru. Cafodd waith yn Oviedo yn Sbaen a daeth i Gymru i gynnal cyngherddau yn 1993 ac i gwrs Telynau Bangor yn ystod Pasg 1994.

Gyda thristwch mawr y deallais ganddi ei bod yn dioddef o gancr ar y thyroid a achoswyd, yn ôl pob sôn, gan y ddamwain niwclear ddifrifol a ddigwyddodd yn Chernobyl yn 1986. Roedd y cancr wedi cael gafael ar ei chorff ac roedd ar gyffuriau yn barhaol. Pan es â hi i faes awyr Manceinion roeddwn yn eithriadol o drist, a ches y teimlad fy mod yn ffarwelio â hi am y tro olaf. Roedd y ddwy ohonom wedi cytuno i gynnal cyngerdd i ddwy delyn yn ail Ŵyl Delynau Caerdydd ym Mehefin 1994 ond roedd Tatiana'n llawer rhy wael i ddod yno. Ymhlith y gweithiau roedd deuawd i ddwy delyn gan y cyfansoddwr Ffrengig Jean-Michel Damase, a chytunodd Damase ei hun i chwarae rhan Tatiana ar y piano.

Yn fuan wedyn, bu Tatiana Tauer farw yn yr Iseldiroedd ar ôl dioddef yn ddychrynllyd. Heb os, hi oedd y delynores fwyaf gyffrous i ddod o Rwsia. Roedd yn golled enfawr i fyd y delyn yn rhyngwladol a diolchaf o waelod calon i mi gael y fraint o adnabod artist gwirioneddol fawr a gawsai ei magu a'i dysgu yn nhraddodiad gwych telynorion Rwsia, a chael bod yn ffrind iddi.

Dwi'n eithriadol o falch o'r cyfle ges i i gydweithio efo'r bardd R. S. Thomas – y tro cyntaf ym mis Mai 1993. Roedd fy asiant, Caroline Ireland, mewn cysylltiad â Peter Florence, Cyfarwyddwr Gŵyl y Gelli Gandryll, a chytunodd i drefnu cyngerdd i mi. Gofynnodd yntau imi berswadio R. S. Thomas i ddod i ddarllen ei farddoniaeth yn yr un cyngerdd. Roeddwn yn lled adnabod y gŵr mawr ac yn edmygu'i farddoniaeth ond yn swil iawn o ofyn iddo i rannu llwyfan â mi. Ond er mawr syndod, fe gytunodd! Oherwydd ei ymddangosiad llym ofnwn y buasai'n un anodd cydweithio ag o ac roeddwn yn poeni mai fi fuasai'n gorfod gwneud y siarad i gyd ar y siwrnai o Borthmadog i'r Gelli Gandryll, ond dyna un o'r teithiau mwyaf diddorol a difyr a gefais erioed! Roedd RS fel pwll y môr a'i sgyrsiau'n ddifyr ac addysgiadol.

Teimlwn hi'n fraint aruthrol cael ei gwmni, ond sylweddolais fod yna reswm arall dros iddo fod mor barod i ddod efo mi pan ymunodd gwraig liwgar, ychydig iau nag o a chanddi acen Americanaidd, â ni dros ginio. Cyflwynodd RS hi fel 'Betty', a gwelais yn syth eu bod yn gyfeillion agos! Buasai gwraig gyntaf RS, yr arlunydd Mildred Eldridge (y gwelir ei murlun rhyfeddol *The Dance of Life* ar furiau Coleg Glyndŵr, Wrecsam) farw yn 1991.

Un o deulu'r Arglwydd Longford o Iwerddon yw Elisabeth Vernon ond fe'i magwyd yng Nghanada, ac roedd yn byw yn Eglwys-fach ger Aberystwyth pan oedd RS yn ficer yno yn y chwedegau. Roedd Betty'n gwmni hwyliog ac yn hoff iawn o'i G&Ts a'i sigaréts! Roedd RS yn gadael yn syth y bore wedyn am Wlad Pŵyl i wylio adar – ei hoff bleser. Cawsom sawl gwahoddiad i berfformio yn nhrefi'r gororau ar ôl Gŵyl y Gelli, a derbyniodd RS bob gwahoddiad yn llawen – ac fe ddeuai Betty hefyd. Credaf mai yn Henffordd yr oeddem pan oedd RS yn dathlu ei ben-blwydd yn bedwar ugain, ac y sylweddolais fod y ddau'n gariadon. Fi oedd y gwsberan hanner cant. Priodwyd Betty a Ronald yn fuan wedyn, a diolchodd Betty droeon imi am ddod â'i chariad ati!

Roedd rhannu llwyfan â chawr o fardd yn brofiad nas anghofiaf, o weld y parch aruthrol oedd gan gynulleidfaoedd Lloegr, yn arbennig, tuag ato. Ei gymhlethdod a'i rwystredigaeth fawr oedd mai yn ei famiaith, y Saesneg, yr ysgrifennai ei farddoniaeth ac roedd yn ffiaidd a dilornus o'r 'Cymry Cymraeg bas' (fel y cyfeiriai atynt) am beidio trysori'r iaith Gymraeg ac am adael iddi gael ei sathru dan draed. Dychwelai at y thema hon yn aml. Roedd ei gariad at y Gymraeg yn ddiwyro ac yn angerddol (hyd eithafiaeth), ond allai o ddim ymaelodi â Phlaid Cymru oherwydd ei bod yn cydnabod Senedd Prydain. Roedd hefyd yn caru cerddoriaeth yn fawr ac yn wybodus iawn am fywyd a gweithiau'r cyfansoddwyr. Dysgais lawer ganddo. Ei sylw deifiol am gerddoriaeth ddigywair, galed ac ansoniarus yr ugeinfed ganrif oedd: 'Sut gallech chi ddisgwyl i gyfansoddwyr sgwennu rhywbeth tlws ar ôl Hitler a Stalin?'

Ie, braint ac ysbrydoliaeth oedd cael treulio amser gydag RS a dod i'w nabod fel ffrind. Ym Medi 2000 cefais ganu ffarwél iddo yn Eglwys Porthmadog â Chonsierto i'r Delyn gan Handel.

Harmoni a gwrthbwynt

Dwi'n hen law ar oroesi etholiad gan imi fod â rhan mewn deg etholiad cyffredinol – '59 a '70 ym Meirion, '74 yn Arfon (ddwywaith!), '79, '83, '87, '92 a '97 – yn ogystal ag etholiad cyntaf ein Cynulliad Cenedlaethol yn '99.

Roedd yr etholiadau cynnar yn llawer mwy o hwyl – y jingls, y fflagiau, y ralïau ceir, y canfasio brwd a'r hwyl ar ddiwedd dydd wrth adrodd straeon am yr ymrafael gwleidyddol. Y gyfrinach oedd cynllunio ymlaen at dair wythnos yr ymgyrch gan lenwi'r rhewgell ar gyfer y teulu, y gyrwyr a'r 'helpars'. Ar ôl pob etholiad â'i hwyl a'i sbri, ei sŵn a'i gyffro, deuai tawelwch a llonyddwch. Roedd y gwrthgyferbyniad bob amser yn sioc. Gwelwn yr ymgyrchwyr i gyd yn diflannu fel cwningod i'w tyllau gan adael y teulu i ymdopi â'r realiti fod yr Aelod Seneddol wedi'u gadael a throi am Lundain! Cofiaf yn dda mor rhyfeddol fyddai gweld gelyniaethau etholiadol yn diflannu yn y Senedd, a theimlad o frawdgarwch a chwaergarwch yn ei amlygu ei hun ymhlith yr aelodau!

Bu Dafydd yn Aelod Seneddol yn San Steffan am saith mlynedd ar hugain ac yn Aelod o Gynulliad Cenedlaethol Cymru am bedair blynedd. Ar ôl cyfnodau mor hir â hyn mae gen i syniad go dda am y pwysau a'r straen mae sefyllfa o'r fath yn ei chreu i deuluoedd, ond mae yna rai pethau sy'n ei wneud yn werth chweil. Etifeddais gariad angerddol at genedlaetholdeb Cymreig gan Dad ac roeddwn gant y cant y tu cefn i Dafydd yn ei waith dros Arfon a Chymru. Gŵyr pawb o'n cyfeillion fod Dafydd yn *workaholic,* a'i fod wedi llwyddo fel gwleidydd i ennyn parch o blith carfanau o gymdeithas na fyddai wedi meddwl pleidleisio i Blaid Cymru cyn hynny. Ni fyddai wedi gallu gwneud y gwaith heb help ei staff amser llawn yn swyddfa Caernarfon – Gwenda Williams, Menna Jones a Delyth Lloyd – a fu, rhyngddynt, yn rhedeg swyddfa'r etholaeth o 1974 tan 2010.

Yr anhawster mwyaf oedd fod y gwaith yn golygu bod raid iddo fod i ffwrdd cymaint oddi wrth y teulu. Er fy mod yn berson eithaf annibynnol ac yn gallu ymdopi'n dda ar fy mhen fy hun, teimlwn fod diwedd y dydd yn anodd heb gymar i drafod digwyddiadau'r diwrnod (ar wahân i'r sgyrsiau byrion ar y ffôn). Teimlais lawer tro mor braf fuasai cael Dafydd adref fel tad pob un o ffrindiau'r plant ar gyfer amser swper a gwely. Byddai'n treulio tair noson yr wythnos yn Llundain ond fyddai penwythnosau ddim yn amser i'r teulu chwaith, gan y byddai Pwyllgor Gwaith y Blaid yn cyfarfod bob mis – pwyllgorau y byddwn yn eu casáu gan y byddai Dafydd fel arfer mewn hwyliau drwg ar eu holau! Ar ddydd Sadwrn roedd yn rhaid iddo delio â'r etholwyr – ac wedyn fore Llun cyn rhuthro'n ôl i Lundain unwaith eto. Dydd Sul oedd yr unig 'ddiwrnod i'r teulu', ond roedd hwnnw hefyd yn amser i arddio, trwsio pethau a dal y post am hanner dydd gyda myrdd o lythyrau. Yn aml, teimlwn fel gweiddi, 'Hei! Mae dy deulu di yma hefyd ac isio dy gwmni di – oes raid inni ddod i'r gymhorthfa i siarad efo chdi?' Dim ond unwaith y gwnes i hynny!

Yn ystod etholiad, arferai pwyllgorau'r ymgyrch gyfarfod ar nos Sul yn ein tŷ ni, ond bu raid symud y rhain i'r swyddfa gan fod Eluned yn cwyno na allai gysgu yn y llofft uwchben yr holl leisiau, ac mi fyddwn innau'n diflasu ar fod yn weinyddes paneidiau te! Ie, dylanwad y ffeminist eto . . .

Daeth llawer mwy o bwysau ar ysgwyddau Dafydd pan gafodd ei ethol yn Llywydd Plaid Cymru i olynu Gwynfor Evans yn 1981, a byddai angen iddo fynychu cyfarfodydd ledled Cymru. Roedd etholiad 1983 – yng nghanol teyrnasiad Thatcher – yn un pwysig gan ei fod yn dilyn y refferendwm cywilyddus yn 1979. Roedd gwynt newydd yn dechrau codi yn hwyliau'r Blaid, a Dafydd wrth y llyw. Byddai llawer o bobl yn galw heibio, a chamerâu teledu a phobl y wasg yn blith draphlith â'i gilydd! Pan ddaeth y canlyniadau, roeddwn wrth fy modd fod Ieuan Wyn bron iawn wedi ennill sedd Môn oddi ar y Toriaid, a bod y Blaid wedi cadw Arfon a Meirion.

Cyn pob etholiad caem alwadau ffôn amheus ac, ar ôl yr etholiad cyntaf, cafwyd rhai galwadau oedd yn bygwth bywyd Dafydd, a bu'r heddlu'n cadw llygad barcud ar y tŷ. Flynyddoedd yn ddiweddarach, yn ystod etholiad 1989, atebais y ffôn er fy mod ar ganol gwers telyn a chlywed llais Cymro o'r canolbarth yn dweud pethau rhywiol, hyll a dinistriol wrthyf ar ben arall y ffôn. Teimlwn yn flin dros y creadur bach nad oedd ganddo ddim byd gwell i'w wneud na dweud pethau ffiaidd wrthyf i! Aeth y wers yn ei blaen heb i'm disgybl (sydd erbyn hyn yn ferch-yng-nghyfraith imi) sylweddoli bod dim byd wedi digwydd.

Erbyn 1984 daeth yn glir nad oedd amgylchiadau teuluol yn caniatáu i Dafydd barhau i fod yn Llywydd, a phenderfynodd ymddiswyddo. Allwn i ddim credu fy nghlustiau pan awgrymodd rhai pobl grintachlyd a milain mai rhesymau gwleidyddol, nid rhai personol, oedd yn gyfrifol am y penderfyniad. Roedd y straen o arwain Plaid Cymru ranedig a bod yn dad i bedwar plentyn – dau ohonynt yn wael iawn eu hiechyd – yn ormod, a doedd gan Dafydd ddim amheuaeth mai'r teulu oedd i ddod gyntaf, ac roeddwn yn ddiolchgar iawn iddo. Etholwyd Dafydd Elis-Thomas yn Llywydd a fo oedd arweinydd y Blaid trwy weddill cyfnod cythryblus Thatcher a streic y glowyr, ac ar amser o dyndra cymdeithasol a dadlau am ddyfodol Cymru yn dilyn refferendwm '79.

Mae yna arferiad yn Nhŷ'r Cyffredin a elwir 'pario', lle mae aelod o ochr y Llywodraeth ac un o ochr y gwrthbleidiau yn dod i ddealltwriaeth nad ydynt yn pleidleisio yn y Tŷ os ydi un ohonynt yn methu bod yn bresennol. Mae'n ofynnol iddynt gadw mewn cysylltiad cyson â'i gilydd ac, yn bwysicach na dim, ymddiried yn ei gilydd o safbwynt bod y naill a'r llall yn cadw'i air.

'Pâr' Seneddol Dafydd yn yr wythdegau oedd John Major, un o brif ysgrifenyddion y Trysorlys. Cofiaf un achlysur pan aeth Dafydd a minnau allan am bryd o fwyd yn Llundain efo fo a'i wraig, Norma. Mae Norma'n hoff iawn o gerddoriaeth ac, ar y pryd, roedd yn ysgrifennu llyfr ar y gantores enwog Joan Sutherland. Tyfodd cyfeillgarwch naturiol rhyngom. Ar ddiwedd y cinio, gyrrodd Norma yn ôl yn ei char ei hun i Huntingdon at ei phlant, ond cafodd John *chauffeur* i fynd â fo i'w fflat rownd y gornel.

Pan ddaeth John Major yn Brif Weinidog roedd y drefn pario'n llacio rhywfaint ond, chwarae teg iddo, ddaeth y cyfeillgarwch ddim i ben a buom ddwywaith yn Chequers am ginio dydd Sul. Profiad bythgofiadwy oedd i'r pedwar ohonom fynd i 10 Downing Street yn 1991 ac eistedd o amgylch bwrdd y Cabinet pan oedd Rhyfel y Gwlff ar ei ganol a Saddam Hussein newydd ymosod ar Kuwait. Gofynnodd John Major i Eluned sut buasai hi'n datrys problemau dyrys Irac a'r Dwyrain Canol, ac yna i Hywel sut byddai o'n delio â'r ffrwgwd ynglŷn ag arian Ewrop. Ni chofiaf a gafodd atebion ai peidio(!), ond dyna pryd y sylweddolais o ddifrif pa mor anodd ydi gwaith Prif Weinidog. Dro arall, cofiaf weld dyn llwydaidd yr olwg yn brasgamu tuag at yr ystafell lle roedd parti Nadolig Plaid Cymru yn ei anterth. John Major oedd o, ac roedd yn Ganghellor y Trysorlys ar y pryd. Cefais gyfarchiad cynnes a chyfeillgar iawn ganddo. Roedd Delyth Lloyd, ysgrifenyddes Dafydd, yn ei helfen o gael y cyfle i ofyn iddo, 'Look here, Mr Chancellor, what are you going to do for Wales?' Dim ond gwenu'n serchus ar Delyth Lloyd wnaeth Canghellor y Trysorlys!

Yn ôl yn 1981, gwelais fod Cymdeithas y Cerddorion (yr Incorporated Society of Musicians) yn cynnal cystadleuaeth Festival Days yn Llundain ar gyfer cerddorion oedd eisiau ail-lansio'u gyrfa. Mi es amdani – a we-hei – roeddwn yn un o bedwar enillydd! Y wobr oedd cynnal cyfres o gyngherddau mewn canolfannau yn Lloegr, yn cynnwys Birmingham, Leeds, Farnham yn Surrey a St John's, Smith Square, Llundain, o flaen cynulleidfaoedd o asiantau a hyrwyddwyr cyngherddau. Ambell waith cyn hynny bûm yn ystyried rhoi'r delyn (fel yr hen ffidil honno) yn y to, a throi'n ôl at y Gyfraith! Wedi bod yn rhan o'r proffesiwn cerddorol clasurol yn Llundain, roedd gweld y diffygion yng ngogledd Cymru yn peri gofid mawr i mi ac roedd yn anodd cynnal gyrfa ar y lefel a ddymunwn, a magu teulu yr un pryd. Wnes i erioed ystyried y posibilrwydd o gael gyrfa mewn unrhyw *genre* cerddorol ar wahân i'r clasurol gan fy mod yn mwynhau'r her o weithio gyda chyfansoddwyr a cherddorion eraill ar weithiau celfyddydol. Rhoddodd cystadleuaeth Festival Days hwb aruthrol i mi, a chynyddodd fy hunanhyder a'm hawydd i ddal ati.

Yn ystod haf 1984 prynais delyn newydd o'r Almaen. Bu'n freuddwyd gennyf gael un o delynau gwych Horngacher ers imi gael chwarae telynau Osian Ellis a Renata Scheffel-Stein yn Llundain. Roedd fy nghyn-ddisgybl Eleri Davies wedi archebu un o'r telynau hyn flynyddoedd ynghynt, ond gan fod ei hamgylchiadau wedi newid gofynnodd i mi a garwn fanteisio ar y cyfle i gymryd y delyn yn ei lle. Neidiais at y cynnig gan fod rhestr aros hirfaith ac aeth y ddwy ohonom yn fy nghar i i gasglu'r delyn o Starnberg, ger Munich. Pan oeddem yn yr Almaen digwyddodd un o'r daeargrynfeydd gwaethaf i daro Cymru erioed; diolchwn mai eiddo yn unig a effeithiwyd ac nad oedd bywydau wedi'u colli. Roedd cael offeryn newydd gan y gwneuthurwr gorau yn y byd yn hwb aruthrol ac yn cadarnhau'r ffaith mai fel cerddor proffesiynol y gwelwn fy hun! Clywais 'lais' y delyn am y tro cyntaf yn nhŷ fy nghyfeillion Hywel Ceri a Morwenna Jones ym Mrwsel pan oedd Eleri a minnau ar ein ffordd adref.

Yn 1986 sefydlais ddeuawd gyda'r ffliwtydd Judith Hall, un arall ddaeth i'r brig yng nghystadleuaeth Cymdeithas y Cerddorion. Yn wreiddiol o Awstralia, bu Judith yn astudio gyda Jean-Pierre Rampal yn Ffrainc cyn dod yn brif ffliwtydd Tŷ Opera Covent Garden, a chael llawer o lwyddiant fel unawdydd ac mewn grwpiau siambr. Ein bwriad oedd cyflwyno rhaglenni cerddorol heriol a newydd, ond rhai fyddai hefyd yn ddeniadol i gynulleidfaoedd cymysg. Mae rhin arbennig yn y cyfuniad o delyn a ffliwt, a lleisiau'r ddau offeryn yn asio'n gywrain. Gyda chymorth asiantaeth Basil Douglas yn Llundain bu'r ddwy ohonom yn teithio hyd a lled Prydain gan recordio sawl tro i Radio 3. Mae cydweithio am gyfnod o flynyddoedd yn dipyn o her ac mae angen ychydig o dyndra creadigol i fod yn adeiladol. Cawsom wahoddiad i gynnal cyngerdd ger Llanandras yng nghartref yr arlunydd enwog o Awstralia Syr Sidney Nolan. Dewisodd Nolan ddarlun yr un inni o'i gasgliad fel cydnabyddiaeth, rhywbeth oedd yn llawer mwy gwerthfawr inni nag unrhyw ffi ariannol.

Trwy ddylanwad fy nghyfaill Geraint Lewis bu Judy a finnau'n recordio CD o gerddoriaeth i ffliwt a thelyn – *Images and Impressions* – gan gyfansoddwyr fel Debussy, William Alwyn a Jolivet, ar label Nimbus, a chafodd dderbyniad gwresog yn y wasg gerddorol. Daeth ein deuawd i ben pan symudodd Judy i fyw yn Nyfnaint, a minnau'n rhoi fy amser i sefydlu'r Ganolfan Gerdd. Es yn ôl at Nimbus i blasty Wyastone Leys ar lan afon Gwy ger Trefynwy yn 1994 i recordio CD o unawdau telyn yn y neuadd gyngerdd newydd, wych a godwyd yno gan y perchennog, Count Numa Labinsky (y bariton Shura Gehrman). Un egsentrig a meudwyaidd oedd y Count o ran natur, ond ei weledigaeth a'i waith caled o a greodd ac a ddatblygodd Nimbus i fod yn un o'r cwmnïau mwyaf dylanwadol ym maes technoleg recordio. Clasuron y delyn o'r ugeinfed ganrif sydd ar yr albwm, yn cynnwys gweithiau gan Hindemith, Britten a'r recordiad cyntaf erioed o'r *Santa Fe Suite* gan Mathias. Roedd y Count yn awyddus i recordio caneuon i fariton a thelyn efo fi, ond bu farw'n ddisymwth cyn gwireddu'i ddymuniad.

Yn ail hanner yr wythdegau a'r nawdegau byddwn yn

chwarae'n aml gyda cherddorfeydd a grwpiau siambr fel Cerddorfa Ffilharmonig Lerpwl, y Northern Sinfonia, y Northern Chamber Orchestra a'r Manchester Camerata, ac yn cynnal cyngherddau i glybiau cerdd mewn dinasoedd a threfi o Aberdeen i Aberystwyth, o Gaeredin i Gaerdydd. Byddwn hefyd yn cyflwyno perfformiadau o gerddoriaeth telyn a chaneuon gwerin Cymru ar nosweithiau Sul yn yr haf i ymwelwyr o America dan gynllun 'Elderhostel' ym Mhrifysgol Bangor. Un noson yn 1985 roedd gwraig o Bennsylvania yn y gynulleidfa a oedd yn awyddus imi fynd i ganu'r delyn yn Reading yn Pennsylvania, lle roedd hi'n byw.

Yn fuan wedyn gwelais hysbyseb yn y *Western Mail* yn gwahodd unigolion a chwmnïau o Gymru i ymuno â thaith awyren o Gaerdydd i Baltimore yn yr Unol Daleithiau. Roedd Cyngor Dinas Caerdydd yn dechrau cynllunio'r Bae ar ei newydd wedd ac yn defnyddio'r harbwr yn Baltimore fel patrwm i'w efelychu. Es efo nhw a chynnal cyngerdd a dosbarth meistr yn y Peabody Institute yn Baltimore ac wedyn yn Efrog Newydd, cyn llogi car a thelyn a gyrru allan o'r ddinas mewn storm ddychrynllyd am Bennsylvania. Yn y gynulleidfa roedd un o brif delynorion America, Edna Phillips, oedd yn delynores i Gerddorfa Ffilharmonig Philadelphia o dan faton Eugene Ormandy. Fe'i ganed yng Nghaerdydd ond symudodd i America gyda'i theulu yn y dauddegau. Os holwch delynorion yn America am eu cefndir teuluol, daw ymateb tebyg i hyn dro ar ôl tro: 'My Taid was Welsh' neu 'My great-great-grandmother came from Bethesda'. Ond gan amlaf bydd raid esbonio lle mae Cymru fach a cheisio egluro bod gennym ein hiaith, ein hanes a'n diwylliant unigryw. 'Your country must be the best kept secret in Europe!' oedd geiriau fy nghyfeilles o Bennsylvania. Wn i ddim faint yn union o lwyddiant mae'r Cynulliad Cenedlaethol wedi'i gael erbyn hyn o ganlyniad i'w ymdrechion i godi proffeil Cymru yn America, ond mae'n siŵr fod mwy o bobl yr Unol Daleithiau'n ymwybodol o Gymru yn sgil enwogion fel Bryn Terfel, Anthony Hopkins, Ioan Gruffudd, Matthew Rhys a Catherine Zeta-Jones, yn ogystal â digwyddiadau fel cystadleuaeth golff Cwpan Ryder.

Rhaid dweud fy mod yn mwynhau perfformio yn America gan fod y cynulleidfaoedd mor agored a chroesawgar. Mae'n dda i'r ego i weld cynulleidfaoedd ar eu traed ar ddiwedd perfformiad, er y tybiaf weithiau fod hyn yn digwydd yn rhy hawdd. Fel y dywedodd Bryn Terfel un tro am Gymanfa Ganu America, 'Mi gaet ti *standing ovation* am ganu "Jac y Dô" yn fama!'

Dwi wedi perfformio ar hyd a lled yr Unol Daleithiau, a phob tro wedi llwyddo i sicrhau telyn addas i chwarae arni gan ei bod yn gwbl anymarferol i fynd â thelyn efo mi. Dydi hynny ddim yn wir ym mhob gwlad. Es i Salzburg yn Awstria un tro i gynnal cyngerdd a gweithdy ar gerddoriaeth y delyn yng Nghymru, a dywedodd y trefnydd ei fod wedi ffeindio telyn â saith pedal ar fy nghyfer. Roedd hi o fewn awr i'r perfformiad pan gyrhaeddais gan fod yr awyren yn hwyr. O, sioc a dychryn! Telyn Dyroleaidd o Linz yn Awstria oedd hi, un 'weithred sengl' (un â dim ond dau safle i osod pob pedal yn hytrach na thri, felly nodau naturiol a siarp yn unig y gellid eu chwarae arni a dim fflats). Doedd dim modd, felly, chwarae darnau gan John Thomas arni, heb sôn am ddarnau Mathias a Hoddinott! Newidiais fy rhaglen yn llwyr ar y funud olaf; diolch i'r drefn fod gen i stôr o ganeuon gwerin a cherdd dant wrth gefn i gadw'r gynulleidfa'n hapus am awr a hanner. Mae'n rhaid i artistiaid fod yn hyblyg a gallu addasu perfformiad, ond roedd hyn fel trawsblannu personoliaeth!

Yn Ebrill 1971 bûm yn chwarae efo Cerddorfa Ffilharmonig Gwlad yr Iâ yn Reykjavík. Sicrhawyd fi fod gan y gerddorfa delyn yn ei meddiant. Beth wnaethon nhw *ddim* ei ddweud oedd mai hen delyn Erard o'r flwyddyn 1860 oedd hi, a'i bod mewn cyflwr dychrynllyd o wael! Bûm ar fy ngliniau am oriau yn trwsio sbrings ac yn rhoi olew ar y pedalau, yn newid tannau ac yn stopio'r *buzzes* melltigedig cyn chwarae'r rhan amlwg i'r delyn yn *The Young Person's Guide to the Orchestra* gan Benjamin Britten. Rhaid i delynores gario cymaint o bethau gyda hi: tannau, tiwnar, olew, sgriwdreifar, pleiars – ynghyd â llond trol o hyder, amynedd a chrebwyll technegol!

Rywdro arall, gwahoddodd yr atgyweiriwr telynau Wilfred Smith fi i roi'r perfformiad cyntaf erioed ar brototeip o delyn newydd o'i waith. Ffliwtydd proffesiynol oedd Wilfred ond fe ymddiddorai hefyd mewn gwneud a thrwsio telynau. Ganddo fo y prynodd Dad yr ail delyn i mi – yr un Gothig hardd gan Erard. Roedd y cyngerdd ar y South Bank yn Llundain ac ar y rhaglen roedd rhai o weithiau mawr y delyn, gan gynnwys pumawd gan Roussel a thriawd sonata gan Debussy. Ar ganol y 'Flight of the Bumble Bee' gan Rimsky-Korsakov, bu raid i Wilfred roi ei ffliwt i lawr, tynnu'i sgriwdreifar allan a chael gwared o broblem fecanyddol a wnâi i'r delyn swnio fel cacynen. Anffodus iawn – ond gŵyr pawb fod telynau'n bethau hynod o gymhleth!

Cenwch Newydd Gân

Dilyn esiampl fy nau athro wnes i wrth ddechrau comisiynu cerddoriaeth newydd i'r delyn. Ysgogodd Osian Ellis weithiau gwych gan gyfansoddwyr amlwg iawn fel Benjamin Britten, Malcolm Arnold a William Mathias. Ysgrifennodd Enid Parry, Aberystwyth (gwraig Syr Thomas Parry, prifathro Coleg Aberystwyth pan oeddwn i yno), hefyd dri darn telyn ar gyfer disgyblion Alwena Roberts.

Yn 1969 roeddwn wedi ysgrifennu at y gyfansoddwraig Grace Williams yn gofyn iddi a fyddai'n ystyried cyfansoddi darn newydd i ddilyn ei hunig waith i'r delyn, 'Hiraeth'. Ces lythyr hir yn ôl ganddi, yn cynnwys hyn:

> It means so much to a composer when a young player asks for music, so please believe me, I am very grateful to you for thinking of me when you were searching for new works. I only wish I could write something for you, but I gave up writing for the harp a few years ago: my music is wrong for it – it keeps modulating up and down semitones and the pedalling becomes impossible . . . Mind you, I love writing for orchestral harp and always include a harp in my scores – giving the player plenty of time to adjust pedals.

Aeth ymlaen i awgrymu fy mod yn gofyn i gyfansoddwr ifanc a oedd yn dod yn ôl i fyw i Gymru, o'r enw William Mathias! Trefnais i gyfarfod Grace ar ôl cyngerdd yn Neuadd Goffa'r Barri yn 1970 pan oeddwn yn chwarae yno gyda

Cherddorfa Symffonig Llundain, gan obeithio y gallwn ei pherswadio i ailystyried ond 'Na' oedd yr ateb eto. (Byddai'n rhaid i gyngherddau cerddorfaol gael eu cynnal yn y Barri bryd hynny gan nad oedd neuadd addas yng Nghaerdydd; heb os, agor Neuadd Dewi Sant ddiwedd 1982 oedd y cam cyntaf i roi Cymru ar y map yn gerddorol.)

Gofynnodd William Mathias i mi roi datganiad yng Ngŵyl Gerdd Gogledd Cymru yn Llanelwy yn 1979, gan ddweud y cawn ddewis pa gyfansoddwr Cymreig yr hoffwn gomisiynu gwaith newydd ganddo neu ganddi. Dywedais yn syth mai darn ganddo fo yr hoffwn ei gael, ond atebodd na fuasai hynny'n addas gan ei fod yn cyfarwyddo'r ŵyl. Athro'r Adran Gerdd yn Aberystwyth pan oedd William Mathias yn fyfyriwr yno, Ian Parrott, gafodd y comisiwn, gan y teimlai Mathias nad oedd y cyfansoddwr dawnus hwnnw'n cael y sylw a haeddai. 'Arfon' ydi enw'r gwaith, sy'n lled-ddisgrifiadol o'r tirlun, ac fe'i cyflwynwyd gan y cyfansoddwr i Dafydd a minnau. Braint i mi oedd cael perfformio'r gwaith unwaith eto yn 2006 mewn cyngerdd yn y Tabernacl, Machynlleth, i ddathlu pen-blwydd Ian Parrott yn naw deg oed.

Yng Ngŵyl Gerdd Menai yn 1978, trefnodd John Hywel gystadleuaeth cyfansoddi gwaith i'r delyn. Yr enillydd oedd dyn ifanc o'r enw Gareth Glyn Davies, a fi gafodd y wefr o roi'r perfformiad cyntaf o 'Triban' ym Mhorthaethwy. Roedd Gareth eisoes yn adnabyddus fel newyddiadurwr ar Radio Cymru ond dyma'r tro cyntaf i mi ddeall ei fod hefyd yn gyfansoddwr. Yn 1983, ar achlysur Gŵyl Gorawl Caerdydd yn Neuadd Dewi Sant, cyfansoddodd Gareth Glyn ddilyniant o alawon gwerin, 'Cwlwm Cân', ar gyfer Meinir Heulyn, minnau a phedwar o'm disgyblion o Fangor, sef Dafydd Huw

Jones, Sali Wyn Islwyn, Llio Rolant a Betsan Powys. Dwi'n hoff iawn o gerddoriaeth Gareth, a ches y pleser o fod yn y perfformiad cyntaf o'i waith i delyn â phedwarawd llinynnol, 'Geiriau Gerallt', yng Ngŵyl Cricieth yn 1988 – yna daeth 'Breichled' i lais, ffliwt a thelyn yng Ngŵyl Telynau'r Byd 1991, a 'Chwarae Plant' yng Ngŵyl Cricieth yn 1994.

Mae i Ŵyl Gerdd Bro Morgannwg le pwysig yn hanes cerddoriaeth yng Nghymru, a'r gŵr sydd wedi'i chyfarwyddo mor greadigol ers ei sefydlu yn 1969 ydi'r cyfansoddwr ôl-fodernaidd John Metcalf – un o'n cyfansoddwyr mwyaf toreithiog, gwreiddiol a dylanwadol. Treuliodd John flynyddoedd yng Nghanolfan Gelfyddydau Banff yng Nghanada fel cyfansoddwr preswyl. Pan oedd yn feirniad yng Ngŵyl Telynau'r Byd yng Nghaerdydd yn 1991, bachais ar y cyfle i ofyn iddo a fyddai'n derbyn comisiwn i ysgrifennu darn newydd, gan feddwl y cawn waith a fyddai'n para deg munud ac mewn tri symudiad. Ond ymddangosodd darn ar ôl darn trwy gyfrwng ffacs o Ganada – saith darn i gyd yn dwyn y teitl *Llyfr Lloffion y Delyn*, sy'n hunangofiant ar gân. Mwynhaodd gyfansoddi i'r delyn, a dwi'n siŵr iddo ailddarganfod ei wreiddiau Cymreig wrth wneud hynny; erbyn hyn mae wedi dysgu Cymraeg yn rhugl ac yn byw ger Llanbedr Pont Steffan.

Cyflwynais y perfformiad llawn cyntaf o'r *Llyfr Lloffion* o flaen cynulleidfa yn nhŷ hynafol Merthyr Mawr yn ystod Gŵyl Bro Morgannwg. Roedd cyflwyno'r perfformiadau cyntaf o bedwar gwaith newydd gyda chyfansoddwyr y gweithiau i gyd yn bresennol yn brofiad dychrynllyd! Roeddwn wedi cael caniatâd personol Philip Glass i addasu tri o'i ddarnau, ac roedd Arvo Pärt, y cyfansoddwr o fri o

Estonia, yno i wrando ar ddau o'i weithiau oedd wedi cael eu trawsgrifio i'r delyn gen i. Fis yn ddiweddarach, recordiais y cyfan yn St John's Wood, Llundain, ar label Lontano, gyda Gwyn L. Williams (gynt o'r BBC a Chyfarwyddwr Gŵyl Llangollen wedi hynny) yn cyfarwyddo. Penderfynodd comisiynydd cerdd S4C, y diweddar Andrew O'Neill, wneud rhaglen ddogfen ar y *Llyfr Lloffion*, a'r cydweithio creadigol a fu rhwng John Metcalf fel cyfansoddwr a minnau fel perfformiwr.

Gweledigaeth John Metcalf oedd ailsefydlu Gŵyl Bro Morgannwg fel gŵyl flynyddol i ddathlu gwaith cyfansoddwyr byw – y gyntaf o'i bath yn y byd. Ces dipyn o sioc pan ofynnodd John i mi gadeirio pwyllgor yr ŵyl. Roedd arno angen help a chefnogaeth i gael y maen i'r wal; cytunais i'w helpu, a bûm yn cadeirio'r pwyllgor am dair blynedd ganol y nawdegau. Dyma'r adeg pan oedd y 'dumbing down' melltigedig yn dechrau ym mhob maes celfyddydol, ac roedd tipyn o siniciaeth o fewn y byd cerddorol ynghylch doethineb y polisi o gynnal gŵyl gyfan o gerddoriaeth gan gyfansoddwyr byw mewn tai, eglwysi a neuaddau bychain ym mherfeddion cefn gwlad Morgannwg. Dim Mozart, Beethoven, Elgar na Brahms?! Bu'n anodd iawn dod o hyd i'r nawdd ariannol ond bu'r ŵyl yn llwyddiannus iawn. Yn 1995 enillodd wobr gwerth £75,000, sef y Prudential Award for the Arts, a dathlodd ugain mlynedd o hybu cerddoriaeth gan gyfansoddwyr byw yn 2011.

Yn nechrau'r nawdegau cefais fy nghyfethol fel aelod ag arbenigedd cerddorol ar Fwrdd Cyfarwyddwyr HTV, gan ddilyn neb llai na'r anghymharol Syr Geraint Evans! Roedd HTV bryd hynny'n gwmni annibynnol, a gobeithiaf nad fy mhresenoldeb i a barodd i gyfranddaliadau'r cwmni ddisgyn trwy'r llawr yn fuan wedi i mi ymuno ag o! Mewn un cyfarfod doedd yna ddim hyd yn oed baned o goffi ar gael, ac roedd yr awyrgylch yn sobreiddiol iawn. Ailstrwythurwyd y cwmni ac israddiwyd ein Bwrdd ni i fod yn banel ymgynghorol i ITV yng Nghymru, gyda'r prif Fwrdd yn Llundain. Ein swyddogaeth oedd bod yn gefn i'r staff parhaol a gwylio, holi a stilio am y rhaglenni. Idwal Symonds oedd cadeirydd cyntaf y Bwrdd pan oeddwn i arno, ac fe'i dilynwyd yntau gan John Elfed Jones ac yna Gerald Davies. Roedd bodolaeth y Panel Ymgynghorol Cymreig yn bwysig i warchod statws darlledu annibynnol yng Nghymru, i gynnal rhaglenni materion cyfoes ac i gynhyrchu rhaglenni yn yr iaith Gymraeg i S4C. Pan ddilewyd y panel ddiwedd y nawdegau roedd yn ddechrau ar israddio teledu annibynnol yng Nghymru, a chollwyd llawer o raglenni Cymreig a Chymraeg. Gwelid hyn fel y cam cyntaf tuag at wanhau statws HTV. Roedd teledu trwy'r byd ar fin cael ei drawsnewid wrth i gannoedd o sianeli gymryd lle'r pedair analog o ganlyniad i effaith digido.

Ar yr 17eg o Chwefror 1994 rhoddais ddatganiad ar y delyn yn y Purcell Room yn y South Bank, Llundain, i godi arian tuag at Gymdeithas MPS er cof am Alun a Geraint, yn cynnwys y perfformiad cyntaf o waith newydd gan Malcolm Williamson. Ar ei gais, gyrrais lawer o luniau o'r plant ato tra oedd yn cyfansoddi, ac fe'i hysbrydolwyd gan gerdd rymus Rupert Brooke 'Day that I have loved', lle mae'n canu am ffarwelio ag anwyliaid. Dywedais wrth Malcolm y gallwn ymdopi â darn cymhleth o ran pedalu, ond roeddwn yn edifar imi ddweud y fath beth pan welais faint yn union o newid pedalau oedd ynddo! Mae cyfeiriadaeth gref at Gymru yn y gerddoriaeth ond mae'r 'Tango' yn cyfeirio at fy ymweliad i ag Eluned ym Mecsico.

Y cyngerdd hwn oedd penllanw fy ngyrfa a chafodd pump gwaith newydd eu perfformio am y tro cyntaf, gan gynnwys 'Sonata Notturno' gan Alun Hoddinott. Gofynnais am wers gan Osian Ellis ar y 'Suite for Harp' gan Benjamin Britten, gan nad oedd y darn wedi'i ysgrifennu pan oeddwn i'n ddisgybl i Osian. Mewn gwers galed a barodd dros deirawr, tynnodd fi'n grïau! Roedd fy nehongliad yn racs jibidêrs, a theimlwn fel pigo darnau ohonof fy hun oddi ar y llawr a rhoi pob darn bach mewn bag du yn y bin! Ond roedd y wers yn fendithiol tu hwnt, gan mai i Osian yr oedd Britten wedi cyflwyno'r gwaith pwysig yma, a gwych oedd cael gwybod o lygad y ffynnon beth oedd bwriad a dymuniad y cyfansoddwr.

Fel Cyfarwyddwraig Artistig i Ŵyl Cricieth ganol y nawdegau ces gyfle euraid i gomisiynu sawl gwaith newydd. Cyfansoddodd Alun Hoddinott gyfres o ganeuon ar farddoniaeth Gwyn Thomas i'r bariton Jeremy Huw Williams; cafwyd triawd o'r enw 'Cân Amergin' i ffliwt, fiola a thelyn gan Hilary Tann o'r Rhondda sy'n Athro Cerdd yn Union College, Schenectady, Efrog Newydd, ac ysgrifennodd Rhian Samuel o Aberdâr, Athro Cerdd yn y City University yn Llundain, ddarn yn llawn hiwmor a rhythmau Mecsicanaidd a'i alw'n 'La Rocca Blanca' (Eidaleg am 'Y Garreg Wen' ydi'r teitl!).

Ychydig ddyddiau cyn y perfformiad cyntaf o 'La Rocca Blanca' yng Nghricieth roedd gen i gyngerdd mewn eglwys hardd yng nghanol Brwsel. Wrth deithio adref ar y trên, fe wnaeth rhywun ddwyn fy nghês ac ynddo roedd copïau o sawl gwaith newydd ar gyfer cyngherddau Cricieth. Gallwch ddychmygu fy siom a'm dychryn pan ddaeth yr heddlu o hyd i 'nghês mewn gardd yn y Rhyl – yn wag! Diolch byth, gyrrodd Gareth Glyn, Hilary Tann a Rhian Samuel gopïau eraill imi ar beiriannau ffacs, ac aeth y sioe yn ei blaen!

Roedd yr Eisteddfod Genedlaethol ym Mro Colwyn yn 1995 a ches wahoddiad i chwarae'r darn buddugol yng nghystadleuaeth Tlws y Cerddor, 'Ffantasi i'r Delyn' gan Guto Puw, myfyriwr ifanc ym Mangor. Mae'n waith cymhleth ac anodd iawn yn arddull Luciano Berio, y cyfansoddwr *avant-garde* y bûm yn gweithio efo fo yn ystod y chwedegau. Cofiais imi droi Guto allan o ystafell y delyn yn y coleg sawl gwaith pan awn yno i ddysgu, ac yntau wedi sleifio i'r ystafell i arbrofi ar y delyn! Dyfeisiodd seiniau anarferol a dieithr i'r offeryn gan gynnwys chwarae'r tant isaf â bwa cello a chicio'r pedalau. (Gwrthodais gicio'r delyn ei hun!) Roedd y perfformiad cyntaf ar lwyfan yr Eisteddfod yn fyw ar y teledu, ac ysgogodd dipyn o syndod a thrafodaeth ar y Maes. Doedd neb o selogion yr Eisteddfod wedi clywed seiniau tebyg ar delyn erioed o'r blaen.

Erbyn canol y nawdegau roedd pentwr helaeth o weithiau newydd i'r delyn wedi cronni yn fy nghwpwrdd, ac roeddwn yn awyddus i'w rhannu â thelynorion eraill. Yn ffodus, holodd Dyfed Wyn Edwards, a oedd newydd sefydlu Cwmni Curiad ym Mhen-y-groes, a oedd gen i ddarn yr hoffwn ei gyhoeddi. Cytunais i olygu'r hyn oedd gen i ac ymddangosodd llawer o gerddoriaeth newydd mewn dwy gyfrol: *Telyn Fyw 1* yn 1996 a *Telyn Fyw 2* yn 1998. Ynddynt mae darnau gwreiddiol gan gyfansoddwyr o Gymru yn cynnwys Gareth Glyn, Geraint Lewis, Dafydd Bullock, Rhian

Samuel, Ian Parrott, Mervyn Burtch, Guto Puw, Jeffrey Lewis a John Metcalf. Mae'r cyfrolau hyn wedi teithio i bellafoedd daear gan fynd â thalpau o gerddoriaeth Cymru gyda hwy! Hefyd, cafodd *Llyfr Lloffion y Delyn* (John Metcalf) ei gyhoeddi gan Curiad, a diolchaf i'r cwmni am y gwaith clodwiw a wna dros gerddorion, ac i'r cyfansoddwyr am eu parodrwydd i ganiatáu imi olygu eu gwaith ar gyfer ei gyhoeddi.

Ganol y nawdegau roedd Cyngor Celfyddydau Cymru yn hysbysebu am aelodau newydd ac am y tro cyntaf erioed roeddent am fabwysiadu system fwy tryloyw. Rhoddais fy enw i'r Swyddfa Gymreig ac, yn dilyn cyfweliad, fi a'r Athro Dafydd Johnston o Abertawe gafodd ein dewis. Roedd dulliau'r Cyngor o weithredu'n dod yn llawer mwy agored yn y cyfnod hwn a chaniateid i aelodau o'r cyhoedd wrando ar y trafodaethau. Y cadeirydd oedd Syr Richard Lloyd Jones, gydag Emyr Jenkins yn Brif Weithredwr (ar y cychwyn), ac ymhlith yr aelodau roedd Jane Davidson, Alwyn Roberts a Geraint Stanley Jones. Roedd y Loteri Genedlaethol wedi'i sefydlu erbyn hyn ac felly roedd llawer mwy o arian gan y Cyngor i'w ddosbarthu. Ofnwn yn fawr y byddai arian y Loteri yn esgus i'r Llywodraeth Doriaidd dorri'n ôl ar yr arian a gâi'r Cyngor allan o'r trethi, ond manteisiodd llawer cwmni a mudiad ar y Loteri – gan gynnwys ambell fenter y bûm i, yn ddiweddarach, ynglŷn a hi.

Sylweddolais fod aelodaeth o'r Cyngor yn ei gwneud yn amhosib i mi ganolbwyntio ar fy ngyrfa; yn wir, roedd nifer y cyngherddau'n edwino'n gyflym gan nad oedd gennyf amser i hyrwyddo fy ngwaith. Byddwn yn gorfod datgan diddordeb a gadael yr ystafell yn aml iawn yn ystod trafodaethau'r Cyngor. Roedd gwrthdaro cyson rhwng fy ngwaith ar Gyngor y Celfyddydau, y cynlluniau ar gyfer canolfan gerdd arfaethedig yng Nghaernarfon a'm gwaith fel cerddor. 'Ma gynni hi ormod o heyrns yn tân', ys dywed y Cofi! Ymddiswyddais o'r Cyngor ar ôl tair blynedd ond roeddwn wedi dysgu llawer am gyrff cyhoeddus trwy fod yn aelod ohono, ac wedi dod i ddeall y cyfrifoldeb sydd ar ysgwyddau'r aelodau i wario arian cyhoeddus yn ddoeth. Gwelais â thristwch pa mor ddibynnol ar grantiau y mae mudiadau yng Nghymru, a chyn lleied o fentergarwch oedd yna i'w weld ymhlith fy nghyd-gerddorion.

Bûm yn gadeirydd am sbel hirach ar Bwyllgor y Gogledd o Gyngor Celfyddydau Cymru. Cyfansoddodd Pwyll ap Siôn a Geraint Lewis weithiau newydd i delyn drydan i ddathlu agor swyddfa newydd y Cyngor ym Mae Colwyn. Mwynheais fod yn gadeirydd yn fawr, a phleser oedd cael cydweithio â Siân Tomos, y cyfarwyddwr, a'r staff. Mae'n bwysig iawn fod artistiaid ymarferol – yn gerddorion, beirdd, ac arlunwyr – yn aelodau o gyrff megis Cyngor y Celfyddydau i sicrhau bod llais artistiaid yn cael ei glywed pan wneir penderfyniadau. Credaf hefyd yn angerddol yn egwyddor 'hyd braich' – mae'n rhaid cadw gwleidyddion ymhell oddi wrth benderfyniadau artistig!

Ym mis Awst 1997 roeddwn yn unawdydd gwadd mewn Cyngerdd Gala yn y Gymanfa Ganu flynyddol yn yr Unol Daleithiau a gynhelid yn ninas Milwaukee, Wisconsin. Dyma'r noson y bu'r drasiedi fawr ym Mharis pan laddwyd y Dywysoges Diana mewn damwain car. Daeth y newyddion am y ddamwain yn ystod rhan gyntaf y cyngerdd ond roedd yn hwyr yn y nos pan glywsom ei bod wedi ei lladd. Cofiaf yn dda fod y gair wedi mynd allan i gwmnïau teledu Milwaukee fod criw o bobl o'r un 'wlad' â'r Dywysoges Diana yn aros mewn gwesty yn y ddinas. Aeth si ar led fod Dafydd yn 'Member of Parliament for Wales' – ac felly, mae'n rhaid, yn adnabod y 'Princess of Wales', ac roedd cwmnïau teledu fel pla o'n cwmpas yn y bore. Rhaid cyfaddef fy mod wedi teimlo tristwch rhyfeddol, yn arbennig gan fod Diana wedi cael ei rhoi mewn sefyllfa gwbl amhosib fel merch ifanc bedair ar bymtheg oed oedd wedi priodi dyn llawer hŷn, ac yntau'n caru dynes arall. Treuliais y diwrnod canlynol yn fy ystafell yn y gwesty a methwn dynnu fy llygaid oddi ar y teledu. Yn fuan ar ôl inni ddod adref i Gymru o Milwaukee cynhaliwyd y refferendwm ar ddatganoli, ond does dim cwestiwn na fu i'r galar cyhoeddus yn dilyn y drasiedi ym Mharis fwrw'i gysgod dros yr ymgyrch honno.

Un o ddyddiau mwyaf cyffrous fy mywyd oedd diwrnod y refferendwm ym mis Medi 1997. Treuliais oriau ar y ffôn yn ceisio perswadio pobl i bleidleisio 'Ie', ac i bob golwg roedd ein hardal ni yng Ngwynedd yn ymddangos yn gefnogol iawn i ddatganoli grym o San Steffan. Ond doedd neb ohonom, mi gredaf, yn barod am y *rollercoaster* o noson wrth ddisgwyl y canlyniadau yng Ngholeg Cerdd a Drama Cymru, Caerdydd! Roeddwn yno hefo Dafydd ac Angharad Anwyl, a oedd yn gwneud rhaglen ar hanes Cymru i S4C. Credaf fod pawb, bron, yng Nghymru wedi mynd trwy bob emosiwn posibl y noson honno – o obaith i ddigalondid, o dyndra a nerfusrwydd i lawenydd a gorfoledd. Dyma un o'r dyddiau pwysicaf yn hanes Cymru pryd y magodd ei phobl ddigon o asgwrn cefn i ddechrau ar y broses o ddatganoli. Aeth y dathlu ymlaen tan y wawr a welais i mo 'ngwely'r noson honno, a neb ohonom yn malio dim am y glaw trwm ar strydoedd Caerdydd.

Siopa yng Nghaerdydd roeddwn i yn Ebrill 1998 pan ges alwad ar fy ffôn symudol gan un o uwch-swyddogion y Swyddfa Gymreig, Steve Martin, oedd yn pasio neges ymlaen i mi gan yr Ysgrifennydd Gwladol, Ron Davies. Dywedodd fod y Swyddfa Gymreig yn dechrau paratoi tuag at gael cartref addas i'r Cynulliad Cenedlaethol ym Mae Caerdydd, a bod yr Ysgrifennydd Gwladol yn fy ngwahodd i fod yn aelod o'r panel fyddai'n dewis cynllun yr adeilad. Dywedais wrtho nad oedd gen i ddim gwybodaeth na dealltwriaeth o bensaernïaeth. Atebodd nad oedd hynny'n hollbwysig – roedd y ffaith fod gen i gariad at brydferthwch a chelfyddyd yn ddigon o gymhwyster!

I ddeall y cefndir yn iawn, dylwn adrodd yr hanes fel y bu i Dafydd ddadlau'n hallt efo Ron Davies mai yn Neuadd y Ddinas, Caerdydd, y dylai'r Cynulliad gael ei leoli. Ar flaen ein cerdyn Nadolig yn 1997 roedd darlun o Neuadd y Ddinas gyda'r dyhead mai yno y buasai'r Cynulliad yn cyfarfod. Roedd Dafydd yn gofidio mai adeilad rhad, eilradd ei safon fyddai'n cael ei adeiladu yn y Bae, gan fod arian ar gyfer unrhyw elfen o ddatganoli'n cael ei ffrwyno'n dynn. Fel llawer o bobl, credai y byddai'r adeilad ym Mharc Cathays yn rhoi urddas i'r corff newydd. Ond roedd Ron Davies yn cael anhawster i gael cydweithrediad Cyngor y Ddinas a daeth i'r penderfyniad y byddai'r gost o addasu'r adeilad yn llawer rhy uchel, ac felly mai ger y dŵr yn y Bae y byddai cartref dros dro yn ogystal â chartref parhaol y Cynulliad. Sylweddolais yn fuan mai tacteg gan Ron i dawelu Dafydd oedd fy nghael i ar ei banel, o dan gadeiryddiaeth y diweddar James Callaghan! Aelod arall o'r panel oedd fy nghyfaill ers y flwyddyn gyntaf yn Ysgol Gynradd Llanuwchllyn – yr Athro Robin Williams.

Cyfarfu'r panel (a minnau arno) sawl gwaith yn ystod gwanwyn a haf 1998, a chynhyrchwyd y 'Design Concept Brief' ym mis Gorffennaf. Yng ngeiriau Jim Callaghan: 'This competition offers the architectural profession the opportunity to express a concept of what form should be assumed by a democratic Assembly listening to and leading a small democratic nation as we enter the next millennium. It will not be overly adversarial in shape or in argument, although there will be strong regional interests and differing priorities.' Tynnwyd rhestr fer o chwe chwmni pensaernïol i gyflwyno'u syniadau i'r panel.

Roedd hwn yn brofiad newydd iawn i mi ond doedd gen i ddim amheuaeth pa gynllun oedd orau gen i. O'r cychwyn cyntaf roedd Syr Richard Rogers yn siarad fel bardd, gan sôn am gysyniadau fel 'the democratic sky', 'public on a plinth' a 'to form a new space and sky'. Gwnes nodyn o'i eiriau ar y pryd. Roedd popeth ynglŷn â'i gynllun yn agored ac yn gynaliadwy. Yn bwysicaf oll, teimlwn fod siâp y siambr ei hun yn gryfach na'r un o'r cynlluniau eraill, ac fe'm perswadiwyd yn llwyr wrth glywed y gallai aelodau o'r cyhoedd weld a chlywed y cyfan. Wrth edrych yn ôl, gwelaf nad oedd ystyriaethau diogelwch a therfysgaeth lawn mor uchel ar yr agenda, ond cyn i gynllun Rogers gael ei wireddu byddai llawer o newidiadau wedi gorfod digwydd o ganlyniad i drychineb 9/11 yn Efrog Newydd.

Ym mis Hydref cyhoeddwyd mai Richard Rogers, yn wir, oedd wedi ennill yr ornest. Difyr iawn oedd bod yn rhan o broses mor gyffrous, ac ar ôl bod yng nghanol y dadleuon penderfynais fy mod eisiau bod yn rhan o'r Cynulliad ei hun. Rhoddais fy enw ar restr ymgeiswyr Plaid Cymru ac ar ôl cyfweliad gan banel o'r Blaid mewn gwesty ger Caerdydd, cefais fy nerbyn!

Y cam nesaf oedd cael gwahoddiad gan etholaeth, a rhoddais wybod mai Maldwyn, sir fy hynafiaid, oedd yr etholaeth y dymunwn ei chynrychioli. Wna i byth bythoedd anghofio'r diwrnod y ces gyfweliad gan Bwyllgor y Blaid ym Maldwyn. Codais yn y bore efo coblyn o gur yn fy mhen (oedd yn beth anarferol iawn i mi). Roeddwn yn rhoi pàs i Hywel i Amwythig i ddal trên am Gaerdydd cyn mynd ymlaen i westy'r Cann Offis, Llanerfyl, am y cyfweliad. Chiliodd y cur pen ddim er imi lyncu wn i ddim faint o dabledi. Roedd yn rhy hwyr imi newid fy meddwl, ac i mewn â fi i ffau'r llewod.

Dydw i ddim yn cofio imi gael rhyw lawer o anhawster gyda'r cwestiynau ond teimlwn fod yna elfennau negyddol iawn yn y cyfarfod a bod dwy garfan o fewn y Pwyllgor Rhanbarth. Gwelwn wên ar wynebau cyfeillion i mi fel Alan Wyn Jones o ardal Machynlleth, ond tipyn o wg ar wynebau eraill! Y cwestiwn a'm lloriodd oedd yr un a ddaeth gan ŵr hynod o addfwyn. Meddai, 'Mrs Wigley – mi ryden ni fel rheol yn disgwyl i'n hymgeiswyr yn y sir yma roi addewid y byddant yn dod i fyw i'r etholaeth os byddant yn cael eu hethol. Allwch chi roi addewid i ni y byddech yn gwneud hyn?' Roedd y gŵr hynaws yn gwybod yn iawn fy mod yn wraig i Aelod Seneddol Arfon a bod ein cartref yn y Bontnewydd! Roedd fy ateb yn garbwl a charpiog. Mwmblais fod gan y teulu dŷ yn Llanwrin ac y buaswn yn gallu treulio llawer o amser yno – gan wybod yn iawn na wnâi cyfaddef bod gan rieni Dafydd dŷ haf yn yr etholaeth ond lleihau fy siawns!

Roedd y cur pen yn gwaethygu trwy'r min nos ac ar ei waethaf wrth i'r pleidleisiau gael eu cyfrif. Ar y dechrau roeddwn ar y blaen ond daliodd David Senior i fyny, ac ennill o un bleidlais yn y diwedd. Yn wyrthiol, cliriodd y cur pen yn syth! Mae'n rhaid fod fy nghorff wedi bod yn ceisio dweud wrthyf am gallio . . . Pan es adref i'r Hen Efail, y cyfan y medrwn ei ddweud wrth Dafydd oedd: 'Sgen i'm *syniad* sut ti'n gallu gwneud y gwaith yma. Mi fase wedi fy lladd i. Dwi am sticio at gerddoriaeth a'r tannau tynion!' Daeth cais imi sefyll mewn dwy etholaeth arall – Brycheiniog a Gorllewin Clwyd – ond gwrthodais y ddau gais heb oedi.

Rhyw syniad rhamantaidd, ffantasïol oedd gen i am gynrychioli fy sir enedigol yn Senedd gyntaf Cymru, er y gwyddwn yn rhy dda o 'mhrofiad fel gwraig i wleidydd nad oes llawer o ramant yn perthyn i wleidyddiaeth. Y cymhelliad go iawn oedd yr angen a welwn i sicrhau bod digon o ferched i ddadlau dros gyfiawnder cymdeithasol a thros ddiwylliant a chelfyddyd yn ein Cynulliad newydd, ond cyfeiliornus oedd meddwl y gallwn i fod yn rhan o'r *scenario* yma!

Bodiau i fyny!

> Dyn a garo grwth a thelyn,
> Sain cynghanedd, cân a englyn,
> A gâr y pethau mwyaf tirion
> Sy'n y nef ymhlith angylion.

Mae'n eironig fy mod wedi penderfynu astudio'r Gyfraith er mwyn osgoi bod yn athrawes, ac wedyn yn treulio blynyddoedd meithion yn hyfforddi pobl ifanc i ganu'r delyn, gan ddweud pethau fel 'Bodiau i fyny . . . bodiau i fyny' gannoedd o weithiau!

Ar wahân i'r LRAM, does gen i ddim cymhwyster ffurfiol i ddysgu'r delyn. (Dydi gradd LLB ddim yn llawer o sail i feithrin telynorion, nag'di?) Dysgu yn ysgol brofiad wnes i, a dysgu oddi wrth fy nisgyblion – nhw ydi'r athrawon gorau os ydi'r athro neu'r athrawes yn ddigon doeth i wrando. Dwi wedi cael braint a phleser mawr o weld telynorion talentog yn aeddfedu ac yn dod yn berfformwyr gwych, ond dwi hefyd wedi profi'r diflastod o dreulio sawl munud hirfaith gyda disgybl anfoddog oedd yn amlwg heb gyffwrdd tant ers y wers flaenorol. Wrth lwc, dydi hynny ddim yn digwydd yn aml!

Mewn ysgol yn Redbridge, Llundain, y rhoddais fy ngwers gyntaf erioed, ac wedyn yn Ysgol Merched Ashford yn Middlesex. Wnaeth hynny ddim para'n hir iawn gan fy mod yn brysur yn chwarae gyda cherddorfeydd a grwpiau siambr. Ar y pryd, roedd rhoi gwersi i eraill yn rhywbeth y byddech yn ei wneud os nad oedd digon o waith arall yn dod i mewn. Dwi wedi sôn eisoes am yr hyfforddi wnes i yng Ngholeg Cerdd a Drama Caerdydd (fel yr oedd o bryd hynny) pan oeddem yn byw ym Merthyr; mi garwn fod wedi cael aros yn hwy yno i ddatblygu adran y delyn.

Ar ôl i'r teulu symud i Arfon yn dilyn etholiad 1974 daeth y gwahoddiad gan William Mathias i ddysgu'r delyn yn y brifysgol ym Mangor, a thros y blynyddoedd bu llawer iawn o delynorion addawol yn cael gwersi gen i yno. Mae dysgu offeryn ymarferol mewn coleg prifysgol yn gallu bod yn waith rhwystredig gan mai ychydig o bwyslais, yn aml, a roir ar berfformio; pynciau academaidd ac ysgrifennu traethodau gaiff y flaenoriaeth. Fodd bynnag, gyda'r Athro William Mathias ym Mangor, roedd cyfansoddi'n cael lle pwysig a phob myfyriwr cerdd yn cael gwersi ar ddau offeryn fel rhan o'i gwrs. Rai blynyddoedd ynghynt daethpwyd o hyd i hen delyn 'Ladies Gothic' o waith Erard mewn cwpwrdd dan glo yn yr Adran Gerdd; gwerthwyd hi a phrynu telyn newydd sbon gan Salvi yn 1974. Dechrau'r nawdegau prynodd y coleg delyn newydd arall wedi'i gwneud yng Nghymru gan Alan Shiers.

Roeddwn yn awyddus iawn i wrthbrofi'r hen ddywediad, 'Those who can, do, and those who can't, teach'! Am un diwrnod yr wythnos y byddwn yn dysgu yn y coleg, a dyna'r unig waith oedd gen i pan oedd y plant yn fach. Gweithiais i gynyddu niferoedd y telynorion a rhaid imi ddweud i'r safon godi'n aruthrol. Eleri Davies o Aberystwyth oedd y fyfyrwraig gyntaf i roi datganiad ar y delyn fel rhan o'i gradd BMus ym Mangor. Yn nechrau'r wythdegau daeth disgyblion brwdfrydig eraill yno, fel Dafydd Huw Jones, Sali Wyn Islwyn, Gwennant Pyrs ac Einir Wyn Jones, gan wneud bywyd yn ddifyr. Merch ifanc o ardal Rhydaman, Gwenllian Rowlands, oedd un o'r telynorion mwyaf greddfol a naturiol dalentog a ddysgais erioed; newidiodd ei henw i Llio Rolant (Llio Penri bellach) ac roedd yn aelod o'r grŵp Bwchadanas, ac erbyn hyn mae'n Bennaeth Cerdd yn Ysgol Bro Ddyfi, Machynlleth. Talent arbennig arall oedd Siân James, a gâi wersi pan fyddai ganddi amser rhwng perfformiadau Bwchadanas! Teimlwn mai canu oedd ei gwir gariad ond gobeithiaf fod yr ychydig wersi a gafodd gen i wedi bod o gymorth iddi wrth feithrin telynorion ifanc ym Mhowys.

Y diweddar Charles Evans oedd prifathro Bangor bryd hynny, ac roedd protestiadau di-ri gan fyfyrwyr am ddiffygion statws addysg Gymraeg. Torrodd rhai myfyrwyr i mewn i'r Adran Gerdd a chreu llanast yn y llyfrgell a mannau eraill, ond ni chyffyrddwyd â'r telynau! Pan ddaeth Eric Sunderland yn Is-ganghellor yn 1984 bu ei bersonoliaeth addfwyn a'i ddoethineb yn rym cryf i alluogi llawer o newidiadau ac i wella'r ddarpariaeth Gymraeg. Roeddwn innau'n ymwybodol o Seisnigrwydd yr Adran Gerdd ond o dipyn i beth dechreuodd coleg Bangor gael ei weld fel yr un mwyaf blaengar ym Mhrifysgol Cymru o ran dysgu trwy gyfrwng y Gymraeg, a chefais lawer o ddisgyblion addawol o ysgolion Cymraeg y de yn sgil hyn. Trwy gyfrwng y Gymraeg y byddwn yn dysgu, wrth gwrs, ar wahân i roi gwersi i fyfyrwyr o dramor.

Mae'n amhosib enwi pob un o'r telynorion a ddaeth i Fangor, dim ond nodi rhai amlwg a wnaeth ddatganiadau gradd ac ôl-radd, yn eu plith Elfair James, Eirian Dyfri, Elin Angharad, Ceri Wyn Jones, Helen Wyn Parri, Delyth Medi, Gwenan Gibbard, Eleri Darkins, Meinir Llwyd Jones, Glian Llwyd, Ffion Jones, Gethin Davies ac Einir Wyn Hughes. Ym maes newyddiaduraeth y gwnaeth dwy arall eu marc proffesiynol, ond roedd Bethan Rhys Roberts yn ddisgybl cydwybodol a llwyddodd Betsan Powys yn rownd derfynol cystadleuaeth Cerddor Ifanc Cymru yn Neuadd Dewi Sant. Gwn fod Nia Roberts (Caerdydd, bellach) yn cytuno mai'r peth mwyaf cofiadwy ynglŷn â'i gwersi telyn hi oedd y sgyrsiau byrlymus a difyr a gaem ni ein dwy!

Yn Nhachwedd 1999 trefnwyd cyngerdd 'Y Delyn Arian' yn Neuadd Prichard-Jones i ddathlu pum mlynedd ar hugain o ddysgu'n hofferyn cenedlaethol ym Mangor, a daeth hanner cant o'm cyn-ddisgyblion i gydberfformio, llawer ohonynt yn gwneud eu bywoliaeth o'r delyn. Fel y dywedodd Telynores Maldwyn rywdro, 'Tase gen i gynffon, mi faswn yn ei hysgwyd hi!' Yn goron ar y cyfan, mae Mared Emlyn ar ganol cwrs doethuriaeth mewn perfformio ar y delyn a chyfansoddi. Os llwydda, hi fydd y gyntaf erioed i gyflawni'r gamp yn y gwledydd hyn, hyd y gwn. Dydw i ddim ar staff y coleg ers rhai blynyddoedd bellach ond daw myfyrwyr o'r brifysgol am wersi i Ganolfan Gerdd William Mathias.

I fynd yn ôl tipyn go lew mewn hanes, ffoniodd y delynores Meinir Heulyn un noson yn 1978 i ofyn a fyddai gen i ddiddordeb mewn recordio LP efo hi o gerddoriaeth i ddwy delyn. Cytunais ar unwaith cyn meddwl am *logistics* cynnal ymarferion pan fo un telynores yn byw yn y Bontnewydd (a chanddi lond tŷ o blant) a'r llall ym Mhontypridd.

Mae Meinir yn dod o'r un 'stabal' â mi, yn gyn-ddisgybl i'r hynod Alwena Roberts, ac wedi'i magu yn nhraddodiad cerddorol yr eisteddfod a'r capel, fel finnau. Roeddem yn deall ein gilydd yn dda ac wedi paratoi'n drylwyr cyn recordio yn stiwdio Des Bennett yng Nghaerdydd. Roedd Meinir ar y pryd yn brif delynores i Gwmni Opera Cenedlaethol Cymru ac yn disgwyl ei phlentyn cyntaf, Gwen Heulyn. Ar label Sain yr ymddangosodd *Dwy Delyn*; dilynwyd hi gan *Alawon Poblogaidd ar Ddwy Delyn* yn 1989 a *Serenâd* (trefniannau John Thomas i ddwy delyn) yn 2000. Roedd y telynau a ddefnyddiem i recordio wedi'u gwneud gan gwmni Erard pan oedd Pencerdd Gwalia'n fyw (tua 1904), ac meddai Meinir am y mecanwaith: 'Maen nhw fel dwy hen chwaer arthritig'!

Mae Meinir a minnau'n gyfeillion oes ac wedi rhannu profiadau anodd bywyd. Yn 1996 disgynnodd Gwen, merch hynaf Meinir a'i gŵr, Brian Raby, yn farw yn ddwy ar bymtheg oed, ac agorodd profedigaeth lem Meinir a Brian ein harchollion ninnau, wrth gwrs. Mae Eluned a Sara, chwaer Gwen, wedi bod yn ffrindiau mawr trwy'r blynyddoedd, a Meinir a minnau'n dal i drefnu cyrsiau a chyngherddau ar y cyd.

Roeddwn yn colli cyfathrach a chwmni cerddorion eraill yn fawr pan oedd y plant yn fach. Un ffordd o ateb hyn oedd gwahodd cerddorion i ddod ataf i – dod â'r mynydd at Mohamed, fel petai! Ar y dechrau, dyna oedd y prif symbyliad dros sefydlu cyrsiau blynyddol i delynorion ifanc ym Mangor.

Roeddwn wedi dysgu llawer am drefnu digwyddiadau gan Dad. Roedd yn drefnydd di-ail, a mwynheais gydweithio ag o ar brosiect Telynau Bangor. O ddiwedd y saithdegau ymlaen, cynhelid cyrsiau Telynau Bangor yn ystod gwyliau'r Pasg yn hen Goleg y Normal a Neuadd John Morris-Jones. Am flynyddoedd, yr athro gwadd fyddai Edward Witsenburg, un o feistri'r delyn yn yr Iseldiroedd ac un oedd wedi astudio'r offeryn yng Ngoleg Cerdd Juilliard, Efrog Newydd, gyda'r cawr o Ffrainc Marcel Grandjany. Roeddwn wrth fy modd yn cael cyfarfod telynorion ar lefel ryngwladol, a meithrin cyfellgarwch â nhw. Mae rhai o ffeiliau'r cyrsiau'n dal gen i, ac mae'n ddifyr gweld cynifer o blant fyddai'n eu mynychu. Yn 1984 roedd 44 o delynorion yn aros yn Neuadd JM-J am bum diwrnod, a 49 o blant iau yn dod yno ar gwrs undydd. £60 oedd cost llety am bedair noson, yr holl brydau bwyd a'r gwersi – erbyn hyn byddai'n £400! Yr un flwyddyn hefyd daeth merch ifanc o Ddulyn ar y cwrs (ac wedyn i gael gwersi gen i). Mae Áine Ní Dhuill bellach yn un o brif delynorion traddodiadol Iwerddon ac yn athrawes yn yr Academi Gerdd yn Nulyn.

Roedd y cyrsiau hyn yn hynod bwysig i mi'n bersonol gan fy mod yn cael dysgu 'sut i ddysgu' wrth wrando ar ddosbarthiadau Edward Witsenburg i'r telynorion ifanc, a mynychu'i sesiynau dylanwadol ar gyfer hyfforddwyr. Mae ganddon ni'r Cymry reddf a dawn gynhenid i ganu'r delyn ond bryd hynny doedd y *dechneg* o'i chanu ddim yn wych iawn, ac athrawon fel fi angen help a syniadau newydd sut i wella pethau. Roedd yr agwedd 'bydd popeth yn iawn ar y noson' (sy'n dal yn rhy amlwg o hyd, gwaetha'r modd!) yn anathema i Edward Witsenburg. Heb os, llwyddodd i godi ymwybyddiaeth o'r angen i wella techneg. Rhai o'i brif nodweddion ydi'i drefnusrwydd, ei ymarfer cwbl drwyadl, a'i bwyslais ar bwysigrwydd cryfhau'r bysedd a datblygu techneg gref. Ar yr un pryd, cryfder y Cymry ydi gallu 'canu o'r galon'. Y cyfuniad o'r hwyl Cymreig a'r pwyslais Iseldiraidd ar sgiliau technegol a wnaeth gyrsiau'r cyfnod hwnnw mor fendithiol i bawb.

Wedi i Dad gael y strôc ganol yr wythdegau, gwneid y

gwaith o drefnu'r cyrsiau gan Adran Efrydiau Allanol y coleg ac, yn ddiweddarach, gan Ganolfan Gerdd William Mathias. O'r cyrsiau hyn y tyfodd Gŵyl Telynau Rhyngwladol Cymru sydd wedi rhoi Caernarfon ar y map trwy'r byd ym maes y delyn.

Yn dilyn llwyddiant Telynau Bangor, sefydlodd Meinir Heulyn a Gillian Green gyrsiau Telynau Morgannwg yng Nghaerdydd, a'r cam naturiol nesaf oedd sefydlu cwrs telyn ar raddfa genedlaethol. Ym mhlasty Gregynog yn haf 1989 y cynhaliwyd cwrs cyntaf Coleg Telyn Cymru. Am flynyddoedd, byddai tua hanner cant o bobl ifanc (merched gan fwyaf) yn mynychu'r cyrsiau hyn, a chaem gymorth ymarferol gwych gan staff Gregynog. Deuai'r garddwyr a'r glanhawyr i gyd i'n helpu i gario'n telynau i fyny'r grisiau hir, gan ein hatgoffa o'r cyfnod y byddai'r garddwyr a phob gweithiwr arall yn ymuno â'r côr yn y gwyliau cerdd a drefnai Walford Davies yno yn y tridegau.

Yn ddiweddarach, cynhelid cyrsiau preswyl yng Ngholeg y Llyfrgellwyr ac adeiladau'r brifysgol yn Aberystwyth, ac ers rhai blynyddoedd bellach caiff Coleg Telyn Cymru ei gynnal yng Ngwersyll yr Urdd, Llangrannog. Mae gan Meinir Heulyn (fel Cardi!) ben busnes da; hi a Gillian Green, y weinyddwraig wych, sydd wedi sicrhau nad aeth yr hwch trwy'r siop.

Deuai pob cwrs i ben yn y dull traddodiadol Gymreig trwy gynnal noson lawen, a rhyfeddwn at ffraethineb ein hieuenctid a'u hwyl wrth ysgrifennu penillion i watwar yr athrawon. Meinir a fi fyddai'n ei chael hi amlaf!

Y peth pwysig i'w gofio wrth ddysgu offeryn ydi fod pob plentyn yn unigryw, a bod angen addasu unrhyw ddamcaniaeth i siwtio'r unigolyn. Mae dwylo a bysedd pawb yn wahanol, a lefel deallusrwydd (a'r gallu i ddysgu'n gyflym) yn amrywio'n fawr iawn o blentyn i blentyn. Rhaid i athro da weithio *hefo* natur ac ymroddiad y disgybl. Am flynyddoedd, wrth chwilio am ddarnau addas ar gyfer fy nisgyblion, arferwn 'feddwl yn gronolegol' – hynny ydi, byddai'r darnau a ddewiswn yn tueddu i ddibynnu ar oed y disgybl. Chwalwyd y ddamcaniaeth honno'n llwyr gan un ferch go arbennig.

Cofiaf yn dda gynnal cyngerdd yn y Neuadd Fawr yn Aberystwyth un prynhawn Sul ym mis Chwefror 1987, a finnau'n swp o'r annwyd. Ar ddiwedd y cyngerdd daeth mam ifanc ataf yn gofyn a fuaswn yn fodlon gwrando ar ei merch saith oed yn canu'r delyn, gan ychwanegu'n ddistaw, 'She's *good*, you know!' Cytunais yn llawen ond roeddwn yn amheus a allai'r ferch fach gyrraedd tannau (heb sôn am saith pedal) fy nhelyn fawr i. Eisteddodd Catrin Finch wrth y delyn a chwarae 'Amrywiadau ar Thema' gan Beethoven yn berffaith ar ei chof, gan ddawnsio ar y pedalau. Roeddwn yn syfrdan!

Roedd Marianne Finch mewn gwewyr oherwydd ei bod yn sylweddoli bod gan Catrin dalent anarferol iawn ond wyddai hi ddim ble i droi am hyfforddiant arbenigol addas. Gwahoddais y ddwy i Gwrs Telynau Bangor y mis canlynol. Pan glywodd Edward Witsenburg Catrin yn chwarae, dywedodd yn syth, 'She must go immediately to one of the specialist music schools, like Chetham's or the Purcell School.' Dyna'n union beth oedd rhieni Catrin *ddim* eisiau iddi ei wneud, gan fod y ddau'n bendant mai gartref gyda'i theulu oedd y lle gorau i blentyn mor ifanc. Felly awgrymodd Edward mai fi ddylai fod â'r cyfrifoldeb o roi gwersi iddi. Bob yn ail wythnos am wyth mlynedd teithiodd Catrin a'i rhieni ddwyawr a hanner bob ffordd o Lan-non i'r Bontnewydd, a châi Catrin ddwyawr o wers, hyd yn oed pan oedd yn ddim ond wyth oed! Roedd yn anhygoel fel y byddai ei rhieni a'r teulu i gyd yn ymdrechu drosti.

Do, aeth fy holl syniadau am roi darnau penodol i oedran arbennig yn racs jibidêrs wrth ddysgu Catrin, a theimlwn gyfrifoldeb arbennig wrth ddysgu plentyn mor alluog ac ymroddgar. Yn naw oed llwyddodd i gael y marc uchaf trwy Brydain mewn unrhyw gategori offerynnol yn arholiad Gradd 8 y Royal Schools of Music, ar ôl chwarae darnau y byddai pobl ifanc ddwywaith ei hoed yn eu cael yn anodd. Mae Catrin yn aelod o'n teulu ni erbyn hyn ac mae'n siŵr na ddylwn ei chanmol(!), ond rhaid dweud iddi fod yn fraint cael ei dysgu yn ei phlentyndod a rhoi sylfaen dechnegol gadarn iddi. Y gamp oedd darganfod darnau digon heriol gan y deuai'n ôl ataf wedi dysgu pob darn o'r wers flaenorol – peth anghyffredin iawn. Credaf yn gryf fod angen y 'triongl' safonol er mwyn sicrhau llwyddiant: plentyn cerddorol sy'n fodlon ymarfer, athrawes effeithiol, a chefnogaeth dyner ond pendant y rhieni. Fel athrawes, fydda i ddim yn glynu'n gaeth at y system arholiadau, er bod llawer o fudd ynddynt i sicrhau dilyniant a datblygiad (ac i ddangos i rieni eu bod yn cael gwerth eu harian). Gall dilyn *syllabus* yn ddeddfol wneud athrawes yn ddiog ac arwain at ddiflastod.

Y peth pwysicaf ydi sefydlu perthynas dda efo'r disgybl a gosod sail dechnegol gadarn o'r dechrau. Mae'r wers gyntaf yn mynd ar ddangos sut i eistedd wrth y delyn, egluro elfennau sylfaenol a chwarae â'r bys cyntaf a gwrando'n ofalus i greu sain dda. Dwi'n hoff o annog plant ifanc i gyfansoddi darnau bach a chwarae â'r glust i gyfarwyddo â safle'r llaw ar y tannau. Mae'n annheg disgwyl i blant bach edrych ar eu dwylo ac ar nodau ar bapur yr un pryd – gwell canolbwyntio ar y bysedd a gwrando ar y sain. Braidd yn ddiflas ydi chwarae efo un bys, felly, yn lled fuan, cyflwynir y bodiau – *gan gofio eu cadw ar i fyny*! Gyda dau nodyn yn y ddwy law gellir chwarae cordiau, ac mewn sbel wedyn fe ddaw'r 'bys mawr' ac, yn olaf, drysir popeth wrth gyflwyno'r pedwerydd bys. A dyna ni – dydi telynorion ddim angen y bys bach!

Yn y tŷ acw y byddwn yn dysgu pan oedd y plant yn fach, ac roedd y pedwar yn hapus iawn o gael sylw gan rai o famau'r disgyblion. Clywn gan Eluned fod straeon difyr iawn i'w cael gan Rhiannon Evans (mam Betsan Powys), a champ wythnosol Meinir Huws (mam Siân Eirian) fyddai suo Hywel i gysgu! Mae Eifion Williams, Trefnant, yn gyfaill i Dafydd ers dyddiau ysgol, a deuai Lisabeth, ei wraig, i helpu efo'r plant tra rhown i wers i Catrin, eu merch. Ers blynyddoedd, Catrin ydi telynores Cerddorfa Ffilharmonig Gran Canaria, a braf iawn oedd cael rhoi dosbarth meistr i'w disgyblion un tro yn Las Palmas. Roedd y plantos yn hŷn pan ddeuai Manon Wyn Parry o'r Groeslon, Helen Wyn Parri o Dregarth, a Tudur Eames o Bwllheli am wersi.

Roedd Eluned a Hywel yn Ysgol Syr Hugh Owen, Caernarfon, pan ffoniodd Cyfarwyddwr Cerdd Gwynedd, John Huw Davies, yn holi a wyddwn am rywun a hoffai ddysgu'r delyn yn 'Syr Huw'. Cafodd dipyn o syndod pan ddywedais wrtho yr hoffwn i wneud hynny. Teimlaf yn angerddol ei bod yn bwysig fod pob plentyn yn cael cyfle i ddysgu chwarae offeryn cerdd yn yr ysgol fel rhan o addysg arferol, a dwi'n falch iawn imi gael y profiad hwn o ddysgu'r delyn mewn ysgolion yng Ngwynedd ganol yr wythdegau.

Dydi'r gwaith ddim yn hawdd a gall yr amodau fod yn anodd – plant yn anghofio'u llyfrau, athrawon pynciau eraill yn flin eu bod yn colli gwersi, a'r amser gyda'r disgybl yn fyr iawn. Bûm yn dysgu hefyd yn ysgolion Pwllheli a Chricieth ond bu raid imi roi'r gorau iddi ar ôl dwy flynedd oherwydd fy mod eisiau perfformio. Bu'r profiad yn ddefnyddiol iawn a dysgais lawer am yr anawsterau a'r boddhad a gaiff athrawon teithiol wrth grwydro o ysgol i ysgol.

Un o'r prosiectau a roddodd fwyaf o bleser i mi oedd bod â rhan yng nghyfres *Pencerdd* i S4C yn 1994.

Ces fenthyg desg a ffôn yn swyddfa Ffilmiau'r Nant yng Nghaernarfon i drefnu cyfres o raglenni a fyddai'n cyflwyno cerddorion ifanc i ofynion y byd cerdd proffesiynol trwy gyfrwng dosbarthiadau meistr. Wna i byth anghofio'r hwyl ges i wrth wrando ar ddegau o gerddorion ifanc ledled Cymru'n canu pob math o offerynnau, a threfnu iddynt gael eu ffilmio'n perfformio i'r 'meistri' mewn lleoliadau difyr fel Castell Cyfarthfa, Craig y Nos ac Oriel Plas Glyn y Weddw. Wil Aaron oedd y cynhyrchydd, ac ymhlith y 'meistri' roedd Iwan Llewelyn-Jones (piano), Mary Lloyd Davies a Kenneth Bowen (opera), Elenid Owen (ffidil) a Brian Raby (trombôn). Roedd pianydd ifanc dwy ar bymtheg oed o'r enw Llŷr Williams o Bentrebychan yn un o ddisgyblion Iwan, ac ymysg eraill a ffilmiwyd yn perfformio roedd merch o Drefdraeth, sir Benfro – Nerys Richards – yn canu'r soddgrwth, Catrin Finch bedair ar ddeg oed o Lan-non, Robert Samuel y trwmpedwr o Gwm-gors, a'r oboydd Ilid Jones o Fae Colwyn. Does dim rhaid imi ddweud beth a faint mae'r talentau uchod wedi'i gyflawni ers hynny. Wedi clywed am ein llwyddiant yn sicrhau'r comisiwn, cofiaf Wil yn dweud wrthyf: 'Dwi'n meddwl mai fi ydi'r person hapusaf sydd erioed wedi byw ar wyneb y ddaear yma!' Ymresymai fel hyn: rydan ni'n byw yn yr amser mwyaf llewyrchus yn economaidd o fewn hanes, mewn gwlad ac iddi safon byw uchel, yn gweithio yn yr iaith Gymraeg ac wedi ennill cytundeb gan ein sianel deledu!

Gobeithio'n fawr y bydd S4C yn dal yma am flynyddoedd i ddod, ac y gall y sianel gynhyrchu rhaglenni o werth a sylwedd yn y dyfodol, yn wahanol i ambell duedd a welwyd yn y gorffennol.

Pan fu Dad farw roedd Mam, i bob pwrpas, wedi colli popeth. Acw yn y Bontnewydd roedd ymhell oddi wrth ei chyfeillion a'i chymdeithas ym Meirion, ond roedd hi'n benderfynol o wneud y gorau o'i sefyllfa a gwnaeth lawer o ffrindiau newydd yng Nghapel Siloam, y Bontnewydd. Ceisiais innau fod yn gefn iddi a'i helpu, ac roedd cael Eluned a Hywel yn agos yn bwysig iawn i godi'i chalon.

Yn Chwefror 1995 roeddwn yn recordio rhaglen *Songs of Praise* yn Llandudno, ac yn mynd oddi yno i Lundain i gynnal cyngerdd ffliwt a thelyn yn Nhŷ Awstralia yn y Strand. Funudau cyn dechrau'r cyngerdd yn Llundain ffoniodd Dafydd i ddweud bod Mam wedi syrthio a'i bod yn Ysbyty Gwynedd, ac y dylwn fynd adref yn syth ar ôl y cyngerdd. Gadewais y delyn yn Llundain a dal trên hwyr iawn o Euston, ond roedd gwynt a glaw dychrynllyd wedi chwythu gwifrau trydan i lawr a bu'r trên yn llonydd yng ngorsaf Milton Keynes trwy'r nos heb na gwres na golau. Roedd yn un o'r gloch y pnawn canlynol cyn imi weld Mam, a deall ei bod wedi cael strôc ddifrifol ac iddi fod yn gorwedd ar lawr yn ddiymadferth am rai oriau yn ei chartref. Achosodd hyn wewyr mawr i mi ac roeddwn eisiau gofyn am ei maddeuant, ond yn meddwl na fyddai'n gallu deall beth roeddwn i'n ei ddweud wrthi.

Yn wahanol i Dad, gallai Mam siarad ar ôl ei strôc ond doedd dim synnwyr i'r geiriau. Yn Ysbyty Eryri dwi'n cofio iddi daflu dillad y gwely oddi arni a cheisio codi, gan ddweud ei bod am 'hwylio'r bwrdd yn barod am swper i rai Eblid'. Ces goblyn o ergyd wrth sylweddoli ei bod, yn ei meddwl, yn dal i fyw yng nghyfnod hapusaf ei bywyd pan oedd yn wraig ifanc ar fferm Aberbiga. Eblid oedd y fferm agosaf, ond roedd y ddwy fferm wedi bod o dan ddŵr Clywedog ers dros ddeng mlynedd ar hugain. Dro arall ces gerdyn pen-blwydd ganddi ac arno, yn hollol ddealladwy, roedd y geiriau, 'Mae dy fywyd cyfoethog yn werth y byd i mi.' Peth anhygoel o gymhleth ydi'r ymennydd ac affwysol o drist oedd gweld Mam yn ei hanabledd terfynol. Roedd ei chyflwr yn ei gwneud yn amhosib i mi ofalu amdani, a rhaid oedd ceisio derbyn a chydnabod bod eraill yn gallu rhoi gwell gofal iddi nag y gallwn i. O leiaf, dyna sut y rhesymwn. Yr hyn sy'n peri gwayw mawr ydi cofio mor anhunanol y bu Mam trwy ei hoes wrth edrych ar ôl ei theulu.

Bu farw ym Medi 1995 mewn cartref nyrsio ar lannau'r Fenai ym Môn, ac fe'i claddwyd gyda Dad ym mynwent y Graig, Penffordd-las, yn y bedd agosaf at Taid a Nain. Roedd hithau wedi cyrraedd adref o'r diwedd i'w bro enedigol, a chylch arall yn grwn.

Yng ngeiriau'r hen bennill telyn:

> Ni chân cog ddim amser gaea,
> Ni chân telyn heb ddim tanna;
> Ni chân calon, hawdd ich wybod,
> Pan fo galar ar ei gwaelod.

Ffawd greulon aeth ag Eluned i'r Wladfa ddiwrnod cyn i Mam farw. Fel myfyrwraig Astudiaethau Ewropeaidd yng Ngholeg Prifysgol Cymru, Caerdydd, roedd yn rhaid i Eluned dreulio chwe mis mewn gwlad lle câi'r Sbaeneg ei siarad, a pherswadiodd hithau awdurdodau'r Coleg fod Patagonia (i'r dibenion hynny) yn Ewrop! Y newyddion cyntaf a gafodd ar ôl cyrraedd y Gaiman oedd fod ei nain wedi marw. Diolch fod cyfeillion caredig y Wladfa yno i'w chysuro.

Trwy gyd-ddigwyddiad, roeddwn eisoes wedi trefnu taith arall o gyngherddau yn yr Unol Daleithiau ym mis Hydref y flwyddyn honno, a llwyddais i fynd i lawr i Batagonia o Galiffornia i ymweld ag Eluned. Fe'm llethwyd gan hiraeth yn y Gymanfa Ganu yn y Gaiman, ond wrth edrych o gwmpas y gynulleidfa welais i 'run llygad sych, chwaith, ymhlith y criw mawr o Gymry oedd wedi dod yno.

Bu'r ymweliad â Phatagonia'n brofiad na fuaswn wedi ei golli am bris yn y byd. Gweld Eluned oedd y peth pwysicaf, wrth gwrs, a sicrhau ei bod hi'n iawn – ar ôl colli Mam roeddwn angen y sicrwydd emosiynol a ddaw o'r berthynas gref sydd rhwng mam a merch. Bu cyfeillion y Wladfa'n hynod groesawgar a chefais aros am rai dyddiau yng nghartref Eluned Gonzalez yn y Gaiman, cyn mynd i fwthyn fy Eluned i. Dwy ystafell oedd yn ei thŷ bach twt, â bwrdd, dau wely, dwy gadair a stof.

Teimlais gynhesrwydd naturiol pobl annwyl y Wladfa wrth iddynt gofleidio Eluned o fewn eu cymdeithas. Un ar hugain oed oedd hi ac yn llawn bywyd wrth wynebu cyffro a hwyl y *temperament* Lladinaidd-Gymreig. Roeddwn innau wrth fy modd gyda bwrlwm y Gymraeg yn y Gaiman, ac yn gwirioni ar gerddoriaeth Hector MacDonald a'r Côr Merched. Roedd gweld brwdfrydedd pobl y Wladfa dros

Gymreictod yn eli i'r galon, yn arbennig o sylweddoli bod llawer ohonynt heb ddiferyn o waed Cymreig yn llifo trwy eu gwythiennau.

O ran hwyl, galwai'r criw merched o bob oed roedd Luns yn ffrindiau â nhw eu hunain yn 'Merched y Nos' – adleisiad chwareus o Ferched y Wawr! Cael difyrrwch cymdeithasol oedd y bwriad a ches innau sawl noson hwyliog iawn yn eu cwmni. Byddem yn cyfarfod am ddeg o'r gloch y nos mewn *kincho* – ystafell fechan y tu allan i'r prif dŷ efo lle tân i baratoi *asado* (barbeciw) o dan do. Faint rown i am gael un tebyg yn yr Hen Efail! Hyfryd hefyd fyddai cael straeon a chanu gyda'r criw diddan yn y Dafarn Las. Yn ystod fy ymweliad, cynheliais gyngerdd o ganeuon gwerin yn festri Capel Bethel gyda'r delyn fach â thannau gwifr a roeswn i Eluned fynd gyda hi i Batagonia.

Mae Eisteddfod y Wladfa'n cael ei chynnal yn Nhre-lew yn flynyddol, a Meredydd Evans a Phyllis Kinney oedd yn beirniadu ynddi'r flwyddyn honno. Datblygodd cyfeillgarwch cynnes rhwng Merêd, Phyllis a Luns. Fel 'pardnar' y byddai Merêd yn cyfarch fy merch, ac roedd hi wrth ei bodd yn clywed ei straeon a'r hanesion am y cydweithio agos a fu rhyngddo a Taid Dolgellau yng Nghymdeithas Alawon Gwerin Cymru. Ychydig fisoedd ynghynt roedd Phyllis a Merêd wedi colli eu hŵyr, Gareth – oedd yn ffrind i Eluned – mewn damwain erchyll.

Es yn ôl i'r Wladfa yn 2003 i feirniadu yn yr Eisteddfod a chynnal cyngerdd mewn lle addas iawn i delynores a fu wrthi mor hir â fi – amgueddfa'r deinosoriaid yn Nhre-lew! Y tro hwn chwaraewn ar delyn bedal o eiddo Catrin Morris, merch sy'n weithgar dros ben yn yr Ysgol Gymraeg yn Nhre-lew.

Dyfal donc

Rywbryd yn niwedd yr wythdegau, a ninnau ar wyliau teuluol yn Ffrainc, ces freuddwyd fyw iawn. Yn y freuddwyd, roeddwn mewn caban di-nod ar gei Caernarfon a phlant yr ardal (yn cynnwys Eluned a Hywel) yn tyrru yno am wersi cerdd – yn union fel y byddai plant yr ardal yn mynd am wersi pêl-droed a nofio i'r Ganolfan Hamdden newydd yng Nghaernarfon.

Sylweddolais fod yn rhaid imi wneud rhywbeth i droi'r freuddwyd hon yn realiti! Bu'r syniad yn chwyrlïo drwy fy meddwl am rai blynyddoedd, er ei bod yn ymddangos yn ddelfryd anghyraeddadwy. Mae gwaddol cerddorol rhywun yn gallu bod yn fyrhoedlog, ac er imi recordio sawl CD a pherfformio ledled Prydain a thramor, roeddwn yn ddigon haerllug i feddwl yr hoffwn adael rhywbeth mwy parhaol ar fy ôl! Sefydlu canolfan ar gyfer cerddorion a cherddoriaeth oedd y ffordd orau y gallwn i feddwl amdani.

Rolant Hughes, mab y cymeriad lliwgar a'r cenedlaetholwr Cymreig Hywel Hughes o Bogota a'm hysgogodd i weithredu yn 1995 trwy gynnig ei dŷ, Drws y Coed, Porthaethwy, ar gyfer unrhyw ddiben a allai fod o fudd i Gymru. Gwelais gyfle i greu canolfan yn y tŷ, sy'n wynebu gwychder Arfon dros y Fenai. Gwyddwn fod y Loteri Genedlaethol yn cynnig cymorth ariannol ar gyfer cynlluniau newydd, mentrus, a'r cam nesaf oedd perswadio criw o bobl brofiadol, egnïol a chanddynt gariad at gerddoriaeth i ddod at ei gilydd i greu cwmni cyfyngedig o dan warant i hybu addysg a gweithgareddau cerddorol yng Nghymru.

Cadeirydd cyntaf y cwmni oedd y diweddar Eric Sunderland, cyn Is-ganghellor y brifysgol ym Mangor, a'r aelodau gwreiddiol oedd John Hywel, Annette Bryn Parri, Angharad Anwyl o gwmni teledu Ffilmiau'r Bont, a Howel Roberts, cyn-reolwr Banc y Midland, Caernarfon. Mae Howel yn dal i fod ar y Bwrdd: hebddo fo a'i awdurdod a'i ddoethineb synnwn i ddim na fyddai'r Ganolfan wedi mynd yn ffradach ers blynyddoedd – treuliodd oriau meithion yn y Ganolfan yn cadw llygad barcud ar y *bottom line* ac yn cario arian i'r banc, heb sôn am fod o gymorth aruthrol wrth geisio sicrhau nawdd a grantiau. (Mae ei wraig, Pam, yn haeddu medal!) Ymateb brwd Annette Bryn Parri, y pianydd, oedd 'Ew, am syniad da!' Ganol y nawdegau, treuliodd Angharad Anwyl a minnau oriau'n cynllunio, perswadio cyfeillion i ymuno â ni, a gwneud ceisiadau am nawdd. Heb benderfyniad a gallu trefnyddol Angharad fyddai'r ganolfan byth wedi dod i fodolaeth.

Roeddem yn llawn brwdfrydedd dros wella sefyllfa cerddoriaeth yng Nghymru, yn arbennig y ddarpariaeth gerddorol i bobl ifanc yn y gymuned. Diolch am bobl hael, eangfrydig a ffilanthropig fel y criw arloesol hwnnw a gyfarfyddai yn Nrws y Coed. Aelodau eraill gwerthfawr oedd Dafydd Hughes (aelod o TAC – Teledwyr Annibynnol Cymru) a Janet Prydderch (a'n helpodd i gofrestru'r cwmni yn 1995). Un rheswm dros lwyddiant ein prosiect oedd fod pawb yn mwynhau hwyl a chwmni'i gilydd, a threfnwyd sawl cyngerdd i godi arian yn Nrws y Coed yng nghwmni

Rolant Hughes. Roedd y freuddwyd yn dechrau cael ei thraed dani!

Rhaid oedd dewis enw addas i'r cwmni embryonig – enw fuasai'n rhoi stamp clir ar ein bwriad. Yn 1992, fel y soniais eisoes, bu farw un o'r cyfansoddwyr mwyaf a welodd Cymru erioed, William Mathias, oedd â'i gartref ym Mhorthaethwy. Fi gafodd y cyfrifoldeb o ofyn i Yvonne Mathias am gael enwi'r cwmni newydd er cof am ei diweddar ŵr. Ces ymateb cadarnhaol ac emosiynol, a chafodd y cwmni gefnogaeth frwd y teulu byth ers hynny. Rhoddai hyn gyfrifoldeb ar ein hysgwyddau i sicrhau bod y gwaith yn deilwng o enw William Mathias – tipyn o her.

Y cam nesaf oedd gwneud cais i Gyngor Celfyddydau Cymru i ariannu astudiaeth dichonolrwydd i droi Drws y Coed yn ganolfan gerdd. I dorri stori hir yn fyr, ar ôl llawer iawn o gyfarfodydd, llenwi ffurflenni, breuddwydio, trafod a chodi cestyll yn yr awyr, chafwyd dim arian loteri i'n cynlluniau ar gyfer Drws y Coed, ond roeddwn i a'r cyfarwyddwyr eraill yn benderfynol o droi pob carreg i wireddu'r freuddwyd – ac yn ôl i drafod â ni!

Un diwrnod yn ystod gwyliau'r Nadolig 1998, wrth fynd am dro yn nhre'r Cofis, sylwais fod y tŷ agosaf at Eglwys y Santes Fair ar gael i'w rentu gan Gwmni Tref Caernarfon. Perswadiais y Bwrdd i rentu'r adeilad er mwyn profi bod galw am wersi cerdd, ac yno ym Medi 1999 yr agorwyd drysau Canolfan Gerdd William Mathias am y tro cyntaf. Roedd wedi cymryd dros bum mlynedd i gael y maen i'r wal. Cafwyd nawdd gan Gyngor y Celfyddydau i dalu cyflog gweinyddydd rhan-amser yn ogystal â rhent yr adeilad am flwyddyn. Dim ond rhyw ugain o ddisgyblion oedd yno ar y cychwyn, sef disgyblion Annette a minnau, ond ymunodd ychwaneg o athrawon hefo ni'n fuan iawn.

Peryn Clement-Evans oedd y gweinyddydd cyntaf. Dilynwyd ef gan ferch William Mathias, y Dr Rhiannon Mathias, ac yna apwyntiwyd Gareth Hughes Jones am rai misoedd. Meinir Llwyd Jones sydd wedi bod wrth y llyw ers 2001, gan sicrhau llwyddiant rhyfeddol i'r Ganolfan. Mae ei hynawsedd naturiol, ei doethineb a'i phersonoliaeth hyfryd wedi bod yn aruthrol o bwysig wrth roi'r Ganolfan ar ei thraed, a datblygu'r busnes wrth i'r galw am wersi gynyddu. Gwnaeth John Hywel gymwynas fawr trwy ffurfio Cymdeithas Cyfeillion y Ganolfan, corff o garedigion cerdd sydd wedi bod yn rhoi cefnogaeth ymarferol a threfnu cymorth ariannol i'r myfyrwyr. Roedd y dyddiau cynnar hynny'n llawn cyffro ac erbyn hyn mae dros bedwar cant o blant a phobl o bob oed yn cael gwersi wythnosol yn rheolaidd yn y Ganolfan, a llawer mwy yn dod i gymryd rhan mewn prosiectau amrywiol – ac mae'r niferoedd yn dal i gynyddu!

Ysgrifennydd Gwladol Cymru yn 1994 oedd David Hunt. Lluniodd ddeddf i ad-drefnu llywodraeth leol yng Nghymru, ond John Redwood (gŵr nad oedd yn rhyw annwyl iawn gan lawer ohonom!) gafodd y dasg o wireddu'r cynlluniau. Creu unedau bychain amlbwrpas yn hytrach na chynghorau mawr fel hen Gyngor Sir Gwynedd oedd y nod, ond byddai'r awdurdodau newydd yn rhy fychan i gynnal y system gerdd beripatetig oedd wedi'i sefydlu yn hen sir Gwynedd.

Bûm i ac eraill o Fwrdd y Ganolfan Gerdd yn cynnal trafodaethau gyda swyddogion cynghorau arfaethedig Gwynedd a Môn i geisio darganfod ffordd o achub y gwasanaeth cerdd yn yr ysgolion a'r cerddorfeydd ieuenctid pan ddôi'r drefn newydd i fodolaeth. Ein cwmni ni enillodd y cytundeb i redeg y system beripatetig yn 1996 yn y ddwy sir, a'n cyfrifoldeb ni wedyn oedd trefnu gwersi cerdd offerynnol a lleisiol yn yr ysgolion, ynghyd â'r holl fandiau a'r cerddorfeydd.

Roedd yn weithred ddewr a mentrus ar ran y Bwrdd ac yn gambl ariannol enfawr! Cafwyd cefnogaeth ymarferol a gwerthfawr iawn gan Richard Parry Jones o Ynys Môn, Gwynn Jarvis a'r diweddar Dafydd Whittall o Wynedd. Arbedwyd y gwasanaeth, ac apwyntiwyd Dennis Williams (un o diwtoriaid offerynnau pres y sir dan y drefn flaenorol) yn drefnydd y gwasanaeth newydd. Ar y dechrau roedd ei swyddfa yn adeiladau'r Cyngor Sir, ond pan agorwyd y Ganolfan Gerdd symudodd Dennis Williams a'i staff, Ann Pritchard Jones a Llywela Jones, i 23 Stryd yr Eglwys, Caernarfon. Er mwyn gwahaniaethu rhwng gwaith yr ysgolion a'r Ganolfan Gerdd newydd, ffurfiwyd cwmni arall dielw o dan warant a'i alw'n 'Gwasanaeth Ysgolion William Mathias' i drefnu cerddoriaeth yn yr ysgolion. Mae'r dywediad 'Deuparth gwaith yw ei ddechrau' mor wir! Roedd gennym bellach rywbeth i afael ynddo a'i ddatblygu.

Ar ôl i'r Ganolfan fod mewn bodolaeth am rai misoedd, clywsom fod Cwmni Tref Caernarfon am godi canolfan gelfyddydol yn Noc Fictoria. Roedd dau o'n cyfarwyddwyr, Dafydd Hughes a Howel Roberts, hefyd ar fwrdd Cwmni Tref Caernarfon ac yn gallu mynegi dymuniadau'r cerddorion wrth iddynt gynllunio i'r dyfodol. Canolfan Gerdd William Mathias oedd yr unig gwmni celfyddydol i fod yn rhan o gynllunio Galeri Caernarfon. Ar lawr uchaf 23 Stryd yr Eglwys roeddwn i'n dysgu mewn ystafell a chanddi olygfa wych, ac wrth gynllunio cartref newydd y Ganolfan yn y Galeri sicrhawyd bod pob ystafell ddysgu â'r un olygfa hyfryd dros afon Menai i gyfeiriad Môn. Ond y delyn sy'n hawlio'r 'Nefoedd' – ie wir, dyna enw swyddogol yr ystafell lle byddaf i ac eraill yn rhoi gwersi!

Bu'r gwaith a wnaethai Dafydd fel aelod o'r Cynulliad Cenedlaethol yn allweddol i sicrhau arian digonol i godi'r Galeri. Perswadiodd Edwina Hart (y Gweinidog Cyllid) i roi arian sylweddol tuag at y prosiect yn y gogledd orllewin fel *quid pro quo* am yr arian cyhoeddus sylweddol a wariwyd ar Ganolfan y Mileniwm yng Nghaerdydd. Roedd chwe miliwn yn swm bychan iawn o'i gymharu â'r hyn a wariwyd ar y ganolfan honno, ac mae'r Galeri wedi bod yn arf gwych i godi ysbryd ac adfywio ardal gyfan.

Yn Ionawr 2003 ces fy mhenodi'n Gyfarwyddwraig Artistig i'r Ganolfan Gerdd, ac roeddwn yn hapus iawn i dderbyn y swydd a bod yn rhannol gyfrifol am fagu'r 'babi' newydd. Hon oedd yr unig swydd barhaol i mi ei chael erioed – ar wahân i'r ffiasgo o weithio mewn swyddfa twrne yn Llundain yn fy ieuenctid ffôl. Cerddor llawrydd ydw i o ran anian ac roedd swydd wrth ddesg yn dipyn o her, yn enwedig gan nad oeddwn yn gallu defnyddio cyfrifiadur. Rhyw ddysgu'r sgiliau hynny wrth fynd ymlaen wnes i, wrth weithio efo Meinir (y rheolwraig) a Mari (y cynorthwyydd) yn y Ganolfan – a'u mwydro'n lân yn y broses. Dwi'n siŵr eu bod wedi hen 'laru ar gwestiynau elfennol fel 'Sut wyt ti'n ychwanegu atodiad?' Ond roedd fy mhlant fy hun wedi gadael y nyth, a fedrwn i ddim ffonio Eluned ym Mrwsel na Hywel yn Llundain i ofyn am help! Roedd Dafydd, hefyd, ar ôl ymddeol o wleidyddiaeth wedi gorfod mynd ar gwrs i ddysgu sut i yrru ebyst ac ati, gan ei fod heb ysgrifenyddes am y tro cyntaf erioed. Dwi'n meddwl bod llawer iawn o'n cenhedlaeth ni wedi mynd trwy sawl artaith cyfrifiadurol. Dwi wedi dod trwyddi'n rhyfeddol, ac wedi trefnu sawl gŵyl a chyngerdd ar fy ngliniadur Mac!

Fy ngwaith oedd cynllunio tuag at symud i mewn i'r Galeri yn Noc Fictoria, a llunio gweithgareddau megis cyngherddau a dosbarthiadau meistr i gantorion ac offerynwyr – gwaith grêt, fel y gellwch ddychmygu! Mae'r cysyniad o ganolfan gerdd yn anarferol; doedd yna 'run ganolfan yng Nghymru (na Phrydain, am wn i) inni seilio'n cynlluniau arni. Ond gwyddwn fod canolfannau cerdd mewn trefi ledled Ffrainc, yn rhan o rwydwaith o *conservatoires* rhanbarthol a chenedlaethol ers amser Napoleon. Dyna hoffwn i ei weld trwy Gymru. Ond – ac mae o'n 'ond' mawr! – yn Ffrainc, does yna ddim gwersi cerddorol yn yr ysgolion. Credaf fod ein cyfundrefn ni'n amhrisiadwy gan ei bod yn sicrhau y gall plentyn ddysgu canu offeryn ochr yn ochr â dysgu iaith a phynciau eraill.

Ymunodd Awdurdod Addysg Sir Ddinbych â chwmni Gwasanaeth Ysgolion William Mathias i greu sefyllfa unigryw yng Nghymru, ac ymfalchïaf fod plant yn cael cyfle i ddechrau canu offerynnau yn yr ysgolion. Ochr yn ochr â hyn mae'r Ganolfan Gerdd yn atgyfnerthu gwaith y tiwtoriaid peripatetig trwy gynnig hyfforddiant arbenigol pellach yn y Galeri.

Pan benderfynodd Eric Sunderland ymddeol fel cadeirydd y ddau Fwrdd, cytunodd Dafydd Whittall i gymryd ei le, a bu'r ddau gadeirydd yn gefn aruthrol a pharod iawn eu cyngor a'u cymwynas. Achosodd eu marwolaeth dristwch a gagendor anferth. Daeth Dafydd Roberts (Sain ac Ar Log) i sefyll yn y bwlch i'r Ganolfan, a daeth William Roger Jones o Ben Llŷn at y Gwasanaeth Ysgolion. Mae'r gwasanaeth hwnnw bellach yn cyflogi wyth deg o gerddorion, ac mae dros dri deg o gerddorion proffesiynol yn gweithio ar delerau llawrydd yn y Ganolfan Gerdd, yn cynnwys enwogion fel Mary Lloyd Davies a Rhys Meirion. Dychwelodd sawl cerddor ifanc i ogledd Cymru i weithio ar ôl dilyn cyrsiau cerdd mewn colegau yn Llundain a Manceinion, gan sicrhau dilyniant a chael bywoliaeth wrth gyfoethogi eu broydd.

Wedi i mi roi'r gorau i fod yn Gyfarwyddwr Artistig, daeth Sioned Webb i lenwi'r swydd honno, ac mae Sioned yn eithriadol o brysur fel athrawes piano ac yn cynnal cyrsiau megis Sgiliau Cerdd Uwch yn y Ganolfan. Rydw innau'n dal i fod yn un o ymddiriedolwyr cwmni'r Gwasanaeth Ysgolion, sy'n cyflawni gwaith mor werthfawr dan gyfarwyddyd Mari Pritchard a'i thîm.

Am wn i mai'r hyn a roddodd fwyaf o foddhad i mi'n bersonol oedd sefydlu'r grŵp Doniau Cudd. Gyda chymorth trefniadau trylwyr Meinir Llwyd Jones, dechreuwyd cynnal gweithdai wythnosol yn y Ganolfan i ddeg ar hugain o bobl ag anableddau dysgu difrifol, gyda'r anghymharol Arfon Wyn wrth yr helm. Mae rhai o gyfeillion Alun a Geraint ymhlith y criw, ac mae eu gweld yn cael hwyl wrth berfformio yn falm i'r enaid – yn therapiwtig iddynt hwy a minnau!

Symudodd staff ac athrawon Canolfan Gerdd William Mathias i Galeri Caernarfon yn Noc Fictoria ar brynhawn y 5ed o Chwefror 2005, ond doeddwn i ddim yno. Bu farw fy mam-yng-nghyfraith, Myfanwy Wigley, yn frawychus o sydyn o ganlyniad i drawiad ar y galon wrth godi o'i gwely'r bore hwnnw. Hyd hynny, doedd hi ddim wedi dioddef na phoen nac anabledd.

Gwraig gref, benderfynol iawn – *femme formidable* – oedd Nain Wern. Gweithiodd yn ddygn yn ei chymdeithas efo mudiadau fel yr NSPCC a Sefydliad y Merched. Roedd hi'n gadarn ei barn a doedd ganddi ddim rhyw lawer o amynedd gydag ambell un y dôi ar ei draws, ond gan ei bod yn ddi-flewyn ar dafod roeddech chi'n gwybod yn union lle roeddech chi'n sefyll efo hi. Bu'n gefn amhrisiadwy i mi trwy amser cythryblus ac anodd, a dwi'n dal i'w cholli fel ffrind. Gadawodd agendor anferth ar ei hôl yn y teulu. Roedd wedi prynu dillad yn barod ar gyfer priodas Eluned y Medi canlynol ond chafodd hi ddim byw i'w gwisgo ac roedd hyn yn dristwch mawr inni i gyd. Rywsut, mae'r ddwy nain yn gref iawn yn Eluned – y naill yn rhoi anwyldeb amyneddgar a'r llall yn ei gwneud yn berson egnïol a gwydn!

Fedrwn i ddim credu fy llygaid pan ddaeth llythyr trwy'r post o Balas Buckingham ddiwedd 2005 yn cynnig OBE i mi! Treuliais oriau'n pendroni a fyddwn yn ei dderbyn ai peidio. Yn y diwedd, penderfynais fod yr anrhydedd yn cael ei roi, mewn gwirionedd, i'r criw bach fu'n ymdrechu mor galed i sefydlu Canolfan Gerdd William Mathias a'r Gwasanaeth Ysgolion, ac ar y sail hwnnw y'i derbyniais.

Ddeuddydd wedyn roeddwn yn mynd i Wlad Thai i gynnal cyngherddau a dosbarthiadau. Pan gyrhaeddais yn ôl, synnais glywed fod cyfeillion yn y Blaid yn dweud pethau cas amdanaf, ac yn bwrw'u sen arnaf. Fedrwn i ddim credu bod y weithred o roi 'gong' i mi'n haeddu'r fath sylw! Dydw i ddim yn ymddiheuro am ei dderbyn er i Dafydd gael amser caled ar *Hawl i Holi* am fod ei wraig wedi bod mor haerllug â derbyn anrhydedd Prydeinig.

Eluned, Hywel a Catrin ddaeth efo fi i Balas Buckingham!

Dwi wrth fy modd yn crwydro'r byd, ac un o bleserau bywyd ydi cael cynnig ychydig o gyngor i delynorion ifanc. Dwi wedi rhoi dosbarthiadau meistr mewn llawer dinas a gwlad, gan gynnwys y Mozarteum yn Salzburg, y Conservatoire yn Utrecht, Hochschule für Musik Graz, yr Academi Gerdd ym Moscow, Prifysgol Canberra a Chanolfan Ryngwladol y Delyn yn Tokyo. Lwcus, 'de! Bûm hefyd yn 'athrawes ar ymweliad' am gyfnodau hwy yn yr Academi Gerdd yn Llundain (fy *alma mater*!), y Guildhall yn Llundain a Chanolfan y Delyn, Bangkok.

Rhaid cyfaddef fy mod yn cael llawer o bleser wrth ddysgu fel hyn, ac wrth berfformio fel artist gwadd mewn gwyliau telyn rhyngwladol. Fy mraint ydi gallu cyflwyno cerddoriaeth o Gymru – o gerddoriaeth gynnar Ap Huw i geinciau'r delyn deires, cerdd dant, alawon gwerin a cherddoriaeth gan gyfansoddwyr yr ugeinfed ganrif. Trysoraf ein hetifeddiaeth, a gwerthfawrogaf i'r eithaf y cyfleon a gaf i'w chyflwyno i gynulleidfaoedd ym mhedwar ban byd. Dwi'n gwir obeithio nad ydw i'n swnio'n ymffrostgar, ond hwn ydi fy *ngwaith* i a'm bywoliaeth! Dwi eisiau dweud wrth y byd mawr fod ganddon ni draddodiadau amhrisiadwy yn ein gwlad fechan ni, a bod y cyfan yn dal yn fyw ac yn ffynnu o gwmpas yr iaith Gymraeg. Mae llais y delyn a'i cherddoriaeth yn rhyngwladol, ac yn ddealladwy o Brâg i Amsterdam, o Fecsico i Siapan.

Cymerodd flynyddoedd imi berswadio S4C i gynhyrchu rhaglen ar hanes y delyn o safbwynt Cymreig. Ym mharti pen-blwydd fy nghyfeilles Eirlys Parri, ddiwedd y nawdegau, ces sgwrs hir am hyn efo Huw Eirug, un o uwch-swyddogion S4C ar y pryd. Cefais yr argraff y gallasai comisiwn ddilyn yn weddol fuan ond bu raid aros tan 2006 cyn y rhoddodd y Comisiynydd Cerdd sêl ei fendith i'r syniad.

Y Gwyddel Philip King, perchennog cwmni Hummingbird o Cork a Dulyn, oedd cynhyrchydd rhaglen *Y Delyn*, gŵr â phrofiad helaeth o gynhyrchu rhaglenni llwyddiannus iawn am gerddoriaeth draddodiadol Iwerddon. Gethin Scourfield oedd y cyfarwyddwr a finnau'n ymgynghorydd cerdd, a Catrin (Finch) yn cyflwyno. Cafodd Catrin deithio i sawl man difyr i holi telynorion, gan gynnwys Venezuela; y lle pella ces *i* fynd iddo oedd Llundain pan oedd Catrin yn cyf-weld Andrew Lawrence-King (arbenigwr ar y delyn gynnar) a Sioned Williams am ei gwaith ar gerddoriaeth gyfoes! Llwyddodd Gethin i berswadio'r BBC i dalu am fersiwn Saesneg o'r rhaglen, ac addaswyd y gwreiddiol ar gyfer BBC4.

Cyfres arall y mwynheais fod yn rhan ohoni oedd *Y Cyfansoddwyr* gyda Ffilmiau'r Bont yn 1998. Comisiynwyd y gyfres gan y diweddar annwyl Andrew O'Neill, a bwriad y chwe rhaglen oedd ymdrin â gweithiau prif gyfansoddwyr Cymru ar ôl yr Ail Ryfel Byd. Angharad Anwyl oedd y cynhyrchydd, a ches innau'r cyfle i'w cyflwyno a bod yn ymgynghorydd cerdd. Ymdriniwyd â llawer gwaith na chawsai ei glywed ar y radio na'r teledu cyn hynny, a chafwyd cyfweliadau gyda llawer o'r cyfansoddwyr. Mae'r cyfan wedi'i gadw mewn archif ar gyfer y dyfodol gan Angharad.

Ces brofiad rhyfedd ar ddiwedd y diwrnod cyntaf o ffilmio. Wedi bod yn holi cyfansoddwyr yng Nghaerdydd oeddwn i – John Metcalf ac Alun Hoddinott yn eu plith – ac yn cael pryd o fwyd hwyr mewn bwyty yn y ddinas, pan ddechreuais deimlo'n sâl. Bu ond y dim imi lewygu ac fe'm cefais fy hun yn gorwedd mewn gwely yn Ysbyty'r Waun yn cael profion, gydag Andrew ac Angharad yn cadw cwmni imi. I godi f'ysbryd, dechreuodd Andrew ganu 'O fryniau Caersalem' a darllen y *last rites*! Dechreuais chwerthin cymaint nes aeth y peiriant darllen pyls yn wyllt a nyrsys yn rhedeg ataf o bob cyfeiriad! Diolch i'r drefn, ar ôl dwy noson o'm monitro ces adael yr ysbyty'n holliach, a heb fath o esboniad beth oedd yr achos yr holl banig. Drannoeth roeddwn yn ôl wrth fy ngwaith ar y gyfres.

Mewn llawer ffordd, y radio ydi fy hoff gyfrwng a ches gyfle i gyflwyno dwy gyfres o *Cymharu Nodiadau* i Radio Cymru. Sgwrsio a holi artistiaid eraill am eu gwaith roeddwn i – pobl fel yr arlunwyr Gwyneth Tomos a Rob Piercy, y cerflunydd John Meirion Morris a'r bardd Nesta Wyn Jones. Roedd hyn cyn i'r BBC newid ei bolisi i ffafrio slicrwydd dros sylwedd.

Cyfres arall oedd yr un o'm dewis personol o fiwsig clasurol i Radio Wales. Peth amheuthun oedd cael fy *nhalu* am wrando ar gerddoriaeth wych, a meddwl am rywbeth difyr i'w ddweud wrth ei chyflwyno!

Cainc a chwlwm

Adref roeddem ni i groesawu'r mileniwm newydd, ond ar ddydd Calan 2000 roeddwn yn un o gant o delynorion Coleg Telyn Cymru a ymddangosodd ar raglen *Songs of Praise* y BBC yn chwarae 'Jesu, Joy of Man's Desiring' gan Bach. Recordiwyd y rhaglen ymlaen llaw yn Stadiwm y Mileniwm, Caerdydd, a'r sain wedi'i recordio cyn hynny yn stiwdio HTV yng Nghroes Cwrlwys, gan y buasai'n amhosib i gant o delynorion chwarae efo'i gilydd mewn tiwn yn yr awyr agored! Aeth yr achlysur i'r *Guinness World Records* ac ailadroddwyd y gamp yn 2007 pan aeth dros gant ohonom i chwarae yng nghyntedd Canolfan y Mileniwm yn ystod y Symposiwm Telynau Ewropeaidd, gyda rhaglen o hanner awr y tro yma. Fy ngorchwyl i oedd sicrhau bod y can telyn mewn tiwn ac roeddwn fel sarjant mejor yn cyfarwyddo'r tîm o diwn-wragedd. Fe gymerodd yr orchwyl bedair awr i gyd, ac roedd fy mysedd yn llawn blistyrs!

On'd ydi o'n rhyfeddod fod gwlad fach fel Cymru'n gallu cynhyrchu cynifer o delynorion?

Profiad newydd iawn oedd mynd i ginio yng Nghastell Powys gyda'r Tywysog Charles ym mis Gorffennaf 1999. Dafydd oedd arweinydd y Blaid ar y pryd ac roedd y Tywysog yn awyddus i ddod i adnabod pobl oedd yng nghanol y broses ddatganoli yng Nghymru. Efallai fod fy nghysylltiad â'r teulu brenhinol yn achosi syndod ymhlith fy nghyfeillion. Erbyn y mileniwm newydd, teimlwn ei bod yn hen bryd i ni'r Cymry roi'r gorau i wastraffu amser yn cynhyrfu dros y frenhiniaeth gan fod llawer o faterion eraill pwysicach i boeni amdanynt.

Roeddwn yn eistedd wrth ochr 'HRH' yn ystod y cinio, a chefais fy rhyfeddu gan ei ddawn sgwrsio ddifyr, ei sensitifrwydd hynod wrth holi am Alun a Geraint, ac am ei gariad mawr at gerddoriaeth – yn arbennig Bach. Cyfaddefodd na wyddai lawer am y delyn, ac wrth roi amlinelliad byr o'i hanes dywedais fod sawl brenin yn Lloegr yn y gorffennol wedi penodi telynorion i'w difyrru. Buasai Robert ap Huw o Fôn yn llys Iago I; daeth y telynor Edward Jones o'r Henblas, Llandderfel, yn 'Fardd y Brenin' i Siôr III yn y ddeunawfed ganrif, ac roedd Pencerdd Gwalia'n delynor swyddogol i'r Frenhines Fictoria. Plennais y syniad yn ei feddwl y gallai wneud cymwynas fawr â cherddoriaeth yng Nghymru trwy atgyfodi'r swydd. Ei ymateb oedd: 'Please write to me and I will see what can be done.' Wedi llythyru a thrafod ymhellach, cytunodd y Tywysog i gael telynor swyddogol. Awgrymais yn fy llythyr y dylid hysbysebu'n agored a chynnal gwrandawiadau ar gyfer swydd ac iddi broffeil mor uchel, ond rhoddwyd fi yn fy lle gan ei ysgrifenyddes, Elizabeth Buchanan: 'Elinor, in these circles, appointments are made by *consensus*, not competitions – as when the Poet Laureate is appointed!'

Bwriad y swydd ydi codi proffeil telynorion ifanc o Gymru ar ddechrau eu gyrfa. Roedd dau gerddor arall o Gymru ar y panel dewis, ac ym Mawrth 2001 penodwyd Catrin Finch yn delynores gyntaf Tywysog Cymru. (Gyda llaw, roedd hyn gryn ddwy flynedd cyn i Catrin ddod yn ferch-yng-nghyfraith i mi!) Roedd Catrin yn meddwl bod rhywun yn tynnu ei choes pan gafodd alwad o Balas Buckingham, a chwerthin mewn anghredinedd wnaeth hi! Cafodd estyniad i'w chyfnod gan i'r Tywysog weld bod ei delynores swyddogol yn gerddor anarferol iawn, a doedd o ddim eisiau'i cholli. Gyda'r angen i fod yn agored a chynhwysol yn y mileniwm newydd sefydlwyd panel penodi i'r swydd, ac mae Catrin yn aelod ohono a minnau'n gadeirydd.

Erbyn y flwyddyn 2000 roedd Hywel yn gweithio i gwmni teledu Hon yn Aberystwyth. Tua diwedd y flwyddyn, un o'i orchwylion oedd mynd i eglwys fechan Llandanwg, ger Harlech, i recordio Catrin Finch yn chwarae. Roedd y ddau'n adnabod ei gilydd ers y dyddiau pan ddôi'r Catrin wyth oed acw am wersi – er na welai hi ryw lawer arno bryd hynny gan y byddai Hywel yn dod adref ar ôl diwrnod llai na braf yn yr ysgol gan fangio drws y tŷ, yna'n mynd ar ei union i'r garej i fangio mwy ar set o ddrymiau!

Beth bynnag, gan fod Hywel yn byw yn Llanfarian, ger Aberystwyth, ac felly'n agos at gartref Catrin yn Llan-non, fe gafodd lifft adref ganddi o Harlech y noson honno ddiwedd 2000. Mae'r gweddill, fel y dywedir, yn hanes! Wyddwn i ddim am y berthynas oedd yn datblygu rhwng y ddau tan y parti a roddwyd i Dafydd pan oedd yn ffarwelio â San Steffan yn Chwefror 2001. 'Pam mae Catrin Finch yma?' gofynnais yn syn wrth ei gweld yn cerdded i mewn. Aeth yn syth at Hywel a sylweddolais yn fuan iawn fod yna rywbeth mawr yn mynd ymlaen. Roedd fy annwyl Hywi mewn cariad dros ei ben a'i glustiau! Dyweddïodd y ddau y diwrnod y cafodd Dafydd ei ddoethuriaeth gan Brifysgol Cymru yn Aberystwyth – dyna ichi anrheg wych!

Yn dilyn ei phenodiad fel telynores y Tywysog, cafodd

Catrin syniad y buasai'n dda cael gwaith newydd i'r delyn, a thrwy gymorth y Tywysog Charles derbyniwyd nawdd hael gan y Peter Moores Foundation i gomisiynu Karl Jenkins i gyfansoddi consierto i ddwy delyn a cherddorfa. Dyna sut y daeth consierto 'Tros y Garreg' i fod. Mae Karl yn adnabyddus iawn yn sgil ei waith *Adiemus* a'r *Offeren Heddwch*, a bwriad Catrin oedd cael gwaith poblogaidd newydd sbon i *repertoire* y delyn. Catrin a minnau roddodd y perfformiad cyntaf ohono yn Neuadd Dewi Sant, Caerdydd, ar ddydd Gŵyl Dewi 2002 gyda Cherddorfa Genedlaethol y BBC a Grant Llewellyn yn arwain, a'r Tywysog yn bresennol.

Ond yr hyn a erys flaenaf yn fy nghof o'r achlysur oedd y ffaith i mi dreulio gweddill y noson (tan y bore) mewn ysbyty yng Nghaerdydd. Wrth i Dafydd fynd i gasglu'i gôt ar ddiwedd y cyngerdd, trawodd ei ben mewn bachyn siarp ac roedd gwaed yn pistyllio o'i ben. Galwyd ambiwlans a sicrhaodd Dafydd y prif benawdau yn y *Western Mail* y bore wedyn.

Dyna ni – *upstaged* unwaith eto, meddyliais!

Y prif reswm dros benderfyniad Dafydd i adael gwleidyddiaeth yn 2003 oedd fod ei dad yn dioddef o gancr. Gan ei fod yn unig blentyn, teimlai y dylai fod ar gael i'w rieni. Pan glywais gyntaf am salwch Taid Wern ym mis Ionawr 1999, roeddwn yn teimlo na allwn wynebu cyfnod arall o anabledd a salwch ar fy mhen fy hun ar ôl colli dau fab a'm rhieni. Dywedais hyn wrth Dafydd mewn sgwrs ffôn yn hwyr un noson. Dwi'n dal i deimlo'n gyfrifol ac yn euog am ddylanwadu arno ac achosi iddo roi'r gorau i'w yrfa'n rhy fuan. Ond cyn hyn roedd Dafydd wedi bod yn dioddef anhwylder ei hun, ac yn ansicr beth oedd yr achos. Bu'n cwyno ei fod yn brin o anadl, ac un bore yng Nghaerdydd wrth helpu Eluned i drwsio'i char, cafodd boen drwg yn ei frest a gwelodd Eluned ei fod wedi troi ei liw, a mynnu ei fod yn mynd am brofion yn syth. Ysgrifennodd lythyr at ei thad yn ymbilio arno i edrych ar ôl ei iechyd fel y byddai fyw i weld ei wyrion – ryw dro!

Cafodd Daf brofion yn Ysbyty Gwynedd ar ddydd Iau ym mis Tachwedd 1999, a chyn iddo gyrraedd adref ces alwad o'r Royal Infirmary ym Manceinion yn dweud fod gwely ar ei gyfer y Sul canlynol. Roedd hyn yn sioc i mi – wyddwn i ddim ei fod yn fater o gymaint o frys. Dangosodd y profion ym Manceinion fod angen triniaeth frys i osod tiwb bychan (*stent*) mewn arteri yn ei galon i arbed iddi gau – yr un math o driniaeth ag y byddai Rhodri Morgan yn ei chael yn 2007. Erbyn i mi gyrraedd Manceinion i'w weld, roedd wedi cael y driniaeth.

Trwy gyd-ddigwyddiad, tra oedd Dafydd yn yr ysbyty cynhaliwyd cynhadledd Plaid Cymru yng Nghaernarfon i ddewis ymgeisydd i olynu Dafydd fel Aelod Seneddol. Teimlad swreal ac emosiynol iawn i mi oedd bod mewn cyfarfod o'r fath, a Daf mewn ysbyty ym Manceinion. Hywel Williams, wrth gwrs, oedd yr aelod gweithgar a hynaws a gariodd y gwaith yn ei flaen. Bu'n rhaid i Dafydd orffwys dros y Nadolig hwnnw a darganfod ffordd o fyw fyddai'n llai o straen arno. Roedd patrwm bywyd yn llawer rhy gymhleth a thrwm gan ei fod hyd hynny'n Llywydd y Blaid, yn aelod yn senedd Llundain, yn aelod o'r Cynulliad Cenedlaethol newydd ac yn arweinydd y Blaid yn y Cynulliad.

Daethpwyd â'r cyfan i ben yn llawer rhy sydyn, yn fy nhyb i. Daeth Ieuan Wyn Jones a Karl Davies (Prif Weithredwr y Blaid) i'r Hen Efail i'w weld, a chofiaf yn dda i Ieuan addo y byddai'n ymgymryd â'r arweinyddiaeth tra byddai Dafydd yn gwella. Trefniant dros dro oedd hwn i fod, ond pan aeth Dafydd yn ôl i'r Cynulliad ar ôl egwyl y Nadolig teimlodd ar unwaith fod pethau wedi newid. Siom fawr i mi oedd deall nad oedd Ieuan am roi'r gorau i fod yn arweinydd. Er bod dros hanner grŵp y Blaid yn cefnogi Dafydd, roedd hi'n amlwg y byddai'n hollti'r Blaid pe bai'n parhau fel arweinydd. Gwelodd ambell un o aelodau'r Blaid yn y Cynulliad ei gyfle yn ystod gwendid Dafydd – o leiaf, dyna fel roeddwn i'n gweld pethau, ac o siarad â staff y Blaid a llawer o sylwebyddion gwleidyddol, dwi'n ofni 'mod i'n agos i'm lle. Roedd sibrydion fod 'cynllwyn' o fewn y Blaid yn y Cynulliad i gael gwared â Dafydd fel arweinydd. Hen fusnes creulon ac ansicir ydi gwleidyddiaeth.

Digon diflas ac annifyr oedd pethau i Dafydd ar ôl hyn. Er bod ganddo gefnogaeth mwyafrif grŵp y Blaid, penderfynodd ymddeol o'r llywyddiaeth ar ddydd olaf Mai 2000. Diolch i'r drefn am ei benderfyniad, oherwydd fe allai'r straen o arwain y Blaid yn y Cynulliad o dan amgylchiadau pan nad oedd yn cael cefnogaeth lawn y grŵp fod wedi rhoi ergyd farwol iddo. Buasai'n Llywydd o 1991 tan 2000, ac yn etholiad cyntaf y Cynulliad Cenedlaethol yn 1999 gwelwyd y bleidlais i Blaid Cymru'n codi'n syfrdanol trwy Gymru, gan sicrhau seddi na fuasem wedi breuddwydio'u hennill rai blynyddoedd ynghynt – fel y Rhondda, Islwyn a Llanelli. Dagrau pethau ydi fod Dafydd wedi rhoi popeth i mewn i'r ymgyrch yma – hyd yn oed ei iechyd – ond ei fod wedi rhoi'r gorau iddi cyn cael cyfle i fod yn rhan o Lywodraeth Cymru.

Bedair blynedd yn ddiweddarach, yn 2007, fi oedd fwyaf brwdfrydig dros weld Dafydd yn mynd yn ôl i'r Cynulliad gan ei fod yn well ei iechyd. Teimlwn hefyd, fel llawer un arall, fod angen ei weledigaeth a'i arweiniad. Ail ar restr Gogledd Cymru oedd Dafydd gan fod y Blaid yn mynnu mai merch fyddai yn safle rhif un er mwyn sicrhau bod mwy o ferched yn y Cynulliad. Roedd pleidlais Plaid Cymru'n ddigon uchel i ennill sedd ychwanegol yn y Gogledd, yn sgil y ffaith fod Dafydd yn denu pleidleisiau o gyfeiriadau annisgwyl – ond doedd hi ddim yn ddigon i sicrhau sedd iddo fo yn ogystal â Janet Ryder, a hi gafodd ei hethol. Profiad annymunol iawn oedd mynd i'r cyfrif mewn neuadd wag yn oriau mân y bore ar ôl yr etholiad, gyda dim ond aelodau UKIP yno hefo ni i ddisgwyl am y canlyniad. Doedd y rhan fwyaf o'r ymgeiswyr eraill ddim wedi trafferthu i ddod yno, yn cynnwys rhai Plaid Cymru! Wrth wrando ar ganlyniadau'r seddi unigol daeth yn glir na fyddai Dafydd yn cael ei ethol. Roeddwn yn drist a digalon wrth sylweddoli'i fod wedi'i drechu gan reolau ei blaid ei hun. Roedd rhai'n disgwyl y byddai Janet Ryder yn sefyll i lawr, gan roi lle i Dafydd – roedd ffôn yr Hen Efail yn boeth gydag aelodau cyffredin yn datgan rhwystredigaeth – ond gwyddwn i na fyddai hynny byth yn digwydd.

Dwi'n hollol argyhoeddedig fod angen nifer cyfartal o ferched a dynion yn y Cynulliad ond, yn fy marn i, bu'r drefn a fabwysiadodd Plaid Cymru yn un andwyol. O ganlyniad, collodd Dafydd y cyfle i fod yn rhan o lywodraeth Cymru'n Un; collodd Cymru hefyd un o'i gwleidyddion grymusaf a mwyaf carismataidd – er mai fi sy'n dweud!

Diwedd cyfnod yn wir.

Cyd-ddigwyddiad rhyfedd oedd fod Dafydd yn ymddeol o'i waith fel gwleidydd proffesiynol yn 2003, dri mis ar ol i mi ddechrau ar waith newydd fel Cyfarwyddwraig Canolfan Gerdd William Mathias. I ni fel teulu roedd y flwyddyn honno'n un llawn digwyddiadau – dathlu pen-blwydd Dafydd a minnau'n chwe deg, Nain Wern yn naw deg, a phriodas Hywel a Catrin ar y 6ed o Fedi yn Eglwys Llandanwg.

Ar ddiwrnod gwych o haul tanbaid, roedd bae Ceredigion ar ei harddaf a'r ferch ifanc a fagwyd yn Llan-non yn dod yn rhan o'n teulu ni. Roedd Taid yn rhy wael i fod yno er iddo ymdrechu i fynd i weld yr eglwys efo Dafydd a minnau rai dyddiau ynghynt. Ond fe ddaeth Nain Wern i'r seremoni ac i'r wledd briodas ym Mhlas Boduan, ger Pwllheli, ei thref enedigol. Roedd gweddill y teulu'n aros yno a chawsom noson i'w chofio, ar waetha'r ffaith fod gêm bêl-droed yn torri ar draws pethau a Daf yn mynnu cael sgrin fawr i'w gwylio!

Roeddwn newydd fynd i gysgu ar ôl bod yn dawnsio tan doriad gwawr pan ddaeth cnoc ar ddrws ein llofft yn y plas yn dweud bod galwad ffôn inni. Mam Dafydd oedd ar ben arall y ffôn yn gofyn inni fynd adref ar unwaith gan fod Taid Wern wedi'i daro'n wael iawn. Erbyn i ni gyrraedd y Wern, roedd hi'n rhy hwyr. Doedd gan neb syniad fod Taid mor wael, a daeth y diwedd yn sydyn. Dwi'n argyhoeddedig iddo lynu at fywyd i weld diwrnod priodas ei ŵyr – heb darfu arno – a dwi'n sicr ei fod yn bresennol yn yr ysbryd yn Llandanwg. Gorchwyl cyntaf Catrin fore trannoeth oedd dweud y newyddion torcalonnus wrth ei gŵr ar fore cyntaf eu mis mêl.

Ddwy flynedd yn ddiweddarach roeddem ym mhriodas Eluned a David (Dai) Williams o Donteg, Pontypridd, yng Nghapel Glanrhyd, Llanwnda. Cawsom ddiwrnod bythgofiadwy a dathlu gyda theulu a ffrindiau yn Neuadd Hendre, Tal-y-Bont, ger Bangor. Am bedair blynedd cyn hynny, bu Eluned yn gweithio yn Senedd Ewrop ym Mrwsel fel swyddog y wasg i Blaid Cymru a'r Blaid Werdd (swydd yr oedd ei gallu i siarad Sbaeneg, Eidaleg a Ffrangeg yn ogystal â Chymraeg a Saesneg yn ddefnyddiol iawn ar ei chyfer), a Dai'n gyfrifol am drefnu gweithgareddau cymdeithasol yn Swyddfa'r Alban ym Mrwsel. Ar ôl y cyfnod ym Mrwsel sefydlodd Eluned ei chwmni ei hun yn Nghaerdydd i feithrin cysylltiadau diwylliannol i Gymru yng ngwledydd eraill Ewrop, cyn ei phenodi i'w swydd bresennol fel Cyfarwyddwraig Celfyddydau Rhyngwladol Cymru – swydd y cewch fwy o'i hanes yn nes ymlaen!

Agorodd penodiad Catrin fel telynores i'r Tywysog Charles lawer iawn o ddrysau iddi ledled byd – cyn belled â Gwlad Thai a'i theulu brenhinol! Gwahoddwyd Catrin yno gan wraig o'r enw Sunida Kitiyakara i roi datganiad ar hen delyn roedd hi wedi'i hetifeddu gan ei thaid, y Tywysog Chudadhuj Dharadilok, un o saith deg o feibion y Brenin Rama V a anfarwolwyd gan Yul Brynner yn y ffilm *The King and I.*

Chudadhuj oedd wedi prynu'r delyn (o waith y cwmni Morley gwreiddiol) yn 1917, pan oedd yn fyfyriwr yng Nghaergrawnt. Bu'r delyn yn segur mewn cornel byth ers i Chudadhuj farw yn y tridegau, ond roedd Sunida yn awyddus i glywed ei 'llais' a threfnodd iddi gael ei hatgyweirio. Gofynnodd i Catrin fynd i Bangkok i ganu'r delyn mewn 'inaugural concert' yng ngwesty enwog yr Oriental. Bu'r cyngerdd yn un hynod o lwyddiannus – yn gymaint felly fel y penderfynodd Sunida agor canolfan i'r delyn yn y ddinas. Ond roedd angen cymorth a chyngor arni!

Gan imi fod yn rhan o sefydlu Canolfan Gerdd William Mathias, gofynnwyd i mi fod yn ymgynghorydd answyddogol, ac yn 2002 agorwyd Canolfan Delynau Tamnak Prathom (y gyntaf yn y wlad) yn hen gartref y tywysog Chudadhuj gan ei wyres Sunida.

Erbyn hyn mae llawer mwy o delynorion yng Ngwlad Thai, a phleser pur ydi ymweld â'r ganolfan a gwrando ar bobl ifanc y wlad yn canu'r delyn, er nad oes cefndir hanesyddol na thraddodiad o ganu'r delyn yn y wlad. Y drws nesaf i ganolfan Tamnak Prathom mae canolfan i gerddoriaeth hynafol Gwlad Thai.

Dod o hyd i athrawon oedd fy nyletswydd gyntaf a llwyddais i berswadio fy nghyn-ddisgybl disglair Eleri Darkins o Dredegar i fynd o Fangor i Bangkok i osod y ganolfan ar ei thraed. Rhoddais innau ambell awgrym artistig a thechnegol i'w chefnogi yn y dasg, a ches y fraint o berfformio yn y cyngerdd agoriadol yng Nghanolfan Tamnak Prathom o flaen y dywysoges Galyani Vadhana. Chwaer hŷn brenin Gwlad Thai oedd hi, a chafodd delyn fechan yn anrheg gan Sunida a threulio nosweithiau di-gwsg yn ceisio dysgu'i chanu!

Anghofia i byth mo'r tro cyntaf y cwrddais â'r dywysoges Galyani Vadhana pan ddaeth i de yn nhŷ Sunida. Doeddwn i erioed wedi gweld neb yn gwneud y *kowtow* o'r blaen, a synnais o weld Sunida a phawb arall ar eu gliniau o flaen y dywysoges oedrannus, â'u hwynebau'n cyffwrdd y llawr. Yn ei hangladd yn ddiweddar roedd telynorion o'r ganolfan yn canu'u telynau – gan godi proffeil y delyn ymhellach yn y wlad. Mae gen i barch mawr iawn i'w traddodiadau, er i mi wneud y *faux pax* ofnadwy o wisgo trowsus mewn cyngerdd o flaen y dywysoges – gwnaeth Sunida hi'n glir imi nad oedd hynny'n dderbyniol *o gwbl*!

Mae llawer o broblemau economaidd a chymdeithasol yn y wlad, a phrotestiadau di-baid yn Bangkok. Y brenin oedrannus sy'n cadw'r wlad at ei gilydd, ac mae llawer yn gofidio beth fydd y sefyllfa ar ôl ei ddyddiau o. Dwi wedi bod yng Ngwlad Thai lawer gwaith yn cynnal cyngherddau, gwersi unigol, dosbarthiadau meistr, yn feirniad a chyfarwyddwraig artistig yng Ngŵyl Delynau 2009, ac ar wyliau. Bydd yr ŵyl nesaf yn 2012 a chaf y fraint o gyfarwyddo unwaith eto, a mwynhau cwmni'r bobl annwyl a chroesawgar yma.

Mae gen i stori fach hyfryd am fy nghyfarfyddiad cyntaf â Sunida. Es i, Catrin a Hywel i gwrdd â hi yng nghaffi Fortnum & Mason yn Llundain (ble arall?!). Wrth sgwrsio, soniodd Sunida iddi gael ei gwahardd o ysgol yn Lloegr am gamfihafio pan oedd yn ferch ifanc. Roeddwn yn ysu am gael mwy o'r hanes ond brathais fy nhafod. Pan ddaeth yr un datganiad ganddi ychydig yn ddiweddarach, aeth fy chwilfrydedd yn drech na mi. Mewn ateb i'm cwestiwn, 'Pa ysgol oeddech chi ynddi?', atebodd mai yn Cheltenham Ladies' College y buodd hi. Meddwn innau wrthi, 'The only person I know who's been there is my great friend Gwen Aaron from Aberystwyth.' Trodd ataf mewn syndod gan ddweud, 'She was my best friend there!' Roeddwn innau'n cofio i Gwen ddod adref i Aberystwyth yn 1962, a dweud na chawsai gyfle i ffarwelio â thywysoges ifanc *flamboyant* oedd wedi'i gwahardd o'r ysgol am aros allan trwy'r nos! Ces y pleser digymar o ddod â Gwen a Sunida at ei gilydd yn yr Hen Efail ddeugain mlynedd yn ddiweddarach! Yn ddiddorol iawn, clywais fod Frances Dominica, sefydlydd hosbis Helen House yn Rhydychen, hefyd yn yr ysgol yn Cheltenham yr un pryd â'r ddwy.

'Tydi'r byd 'ma'n fach?

Mae Bangkok, wrth gwrs, yn lle cyfleus i dorri'r daith hir i ochr arall y byd, a dyna'n union wnes i yn 2004. Cynheliais gyngerdd a gwersi yno cyn mynd ymlaen i ŵyl delynau gyntaf Seland Newydd yn Wellington fel artist gwadd. Carolyn Mills, telynores cerddorfa symffoni'r wlad, oedd yn trefnu'r ŵyl. Rhyw flwyddyn neu ddwy ynghynt, daethai Carolyn i'r Ganolfan Gerdd yng Nghaernarfon i astudio cerddoriaeth y delyn yng Nghymru – o Ap Huw i Guto Puw! Ganed Carolyn yn Texas; credai fod ei theulu'n dod yn wreiddiol o Bath, ond lled-dybiai y gallai fod yna gysylltiad Cymreig yn rhywle. Pan oedd acw ffoniodd ei modryb yn yr Unol Daleithiau i holi mwy am ei thras, ac er syndod mawr i bawb darganfu mai o'r Borth, Ceredigion, yr hanai ei theulu – mae 'Bâth' a 'Bôrth' yn swnio'n debyg wrth eu hynganu ag acen Americanaidd!

Taid Carolyn oedd prif arddwr Gerddi Ynys-las, ger y Borth, cyn iddo ymfudo dros yr Iwerydd tuag 1890. Es â hi i Ynys-las i weld y gerddi, a chawsom baned yn nhŷ'r perchennog – tŷ oedd yn llawn stêm wrth iddo fo a'i wraig ferwi a lliwio cannoedd o gynfasau! Sylweddolais yn sydyn fy mod wedi bod yn ei gwmni o'r blaen, ac mi wnaeth yntau f'adnabod innau pan ddywedais wrtho 'mod i'n delynores. Roedd y ddau'n lliwio'r cynfasau ar gyfer 'Colourscape' – prosiect sy'n cyfuno lliw, sain a gofod. Caiff twnelau eu creu allan o gyfres o bebyll lliwgar, a bydd cynulleidfaoedd yn gwrando ar gerddoriaeth o bob math wrth grwydro trwyddynt. Seiniau fy nhelyn drydan i oedd y rhai cyntaf i atseinio trwy dwnelau lliwgar Colourscape ar Gomin Clapham ym Medi 1995. *Dyna* lle roeddem ni wedi gweld ein gilydd o'r blaen, felly!

Dwi'n meddwl mai ym mis Mai 2002 yr aeth Eluned a finnau i ffair therapïau amgen ym Mhentrefelin, Cricieth. Roeddwn yn cynnal cyngerdd bach yn y pnawn i gynulleidfa o ymarferwyr therapïau amgen, yn cynnwys sawl un oedd â'r gallu i iacháu ac oedd yn meddu ar ddoniau cyfathrebu anarferol. Tynnodd rhywun lun camera o'm *aura*, oedd yn fflamgoch ar ôl perfformio, yna daeth gŵr o Fangor ataf gan ddweud bod ganddo neges imi 'o'r ochr draw'. Honnodd iddo weld dau fachgen bach yn sefyll yn fy ymyl tra oeddwn yn canu'r delyn, a merch ifanc â gwallt golau yn gafael yn eu dwylo. Wyddai o ddim pwy oedden nhw, ond gofynnodd y ferch ifanc iddo ddweud wrthyf am beidio poeni am y bechgyn: 'Dwi'n edrych ar eu holau nhw.'

Ai fy nychymyg sydd wedi fy mherswadio mai Gwen Heulyn oedd hi, ac Alun a Geraint oedd y ddau fachgen bach a ddaeth i wrando ar delyn Mam fel y gwnaethant ganwaith o'r blaen? Dychymyg, ffantasi, nonsens, ffaith – pwy a ŵyr? Ar ôl dod dros y sioc, daeth y profiad â llawer o gysur i mi.

Roeddwn wrth fy modd pan ges wahoddiad gan Josef Molnar, y telynor o dras Awstraidd, a sefydlydd Canolfan Ryngwladol y Delyn yn Tokyo, i fynd i berfformio a rhoi gwersi yng Ngŵyl Delynau Soka yn Siapan. Mae gan un o ddisgyblion Molnar, fy nghyfeilles Namiko Ikeda, delyn deires a bu'n astudio gyda mi am ychydig yng Nghymru. Rhoddodd Namiko fenthyg ei thelyn i mi i berfformio arni yn yr ŵyl. Cyflwynodd Molnar fi i weithgareddau amheus iawn y ffawd-chwarae *pachinko* (sydd, ar ôl hynny, wedi'i amlygu'i hun fel un o weithgareddau'r 'Mob' yn y wlad!). Ar ôl ennill tua dau gan punt ar y 'peiriannau' *pachinko*, telais am ginio hyfryd i'r telynorion mewn bwyty lleol!

Bûm yn Tokyo wedyn i berfformio mewn Gŵyl Geltaidd (peth rhyfedd iawn i'w wneud yn yr Orient), ac i fod yn artist gwadd mewn cinio i feithrin mwy o gysylltiadau busnes a diwylliannol rhwng Cymru a Siapan o dan nawdd y WDA (Awdurdod Datblygu Cymru, cyn i'r corff hwnnw gael ei ddileu gan Rhodri Morgan). Ymwelais hefyd â ffatri delynau Aoyama yn Fukui a gweld, er syndod imi, hen delyn deires o Gymru yn oriel arddangos y cwmni. Doedd arni 'run tant ond roedd plac pres arni'n dweud mai Basset Jones, Caerdydd, oedd wedi'i llunio fel gwobr ar gyfer cystadleuaeth y delyn yn Eisteddfod y Fenni tuag 1849. Yn ôl Roy Saer, mae'n debygol nad oedd yr un cystadleuydd wedi'i haeddu'r flwyddyn honno. Beth, tybed, ddywedai'r hen 'Ledi Llanofer' pe gwyddai fod yr offeryn yn segur mewn amgueddfa fechan yn Siapan?

Fy ngreddf, pan welais hi gyntaf, oedd ceisio meddwl am ffordd i'w chael yn ôl i Gymru, ond buan y sylweddolais pa mor addas oedd gweld y delyn hynafol hon yn cynrychioli'n traddodiadau ni'r Cymry ar y llwyfan rhyngwladol, ochr yn ochr â hen delynau o Ffrainc, Awstria, Sbaen a'r Affrig.

Dal i ganu

Wel, wel! Dyma fi bron wedi cyrraedd diwedd fy stori a heb sôn am y 'bobl bach' pwysicaf yn fy mywyd! Mae gan Dafydd a finnau bedwar o wyrion – dwy ferch Hywel a Catrin, a dau efaill bach Eluned a Dai. Mae bywyd yn garedig iawn wrthym.

Mae'n debyg mai fi ydi matriarch y teulu erbyn hyn ond mae'n baradocs rhyfedd fy mod yn credu'n siŵr mai plentyn ydw i wrth chwarae efo nhw! Dwi'n ymwybodol iawn o'r ddyletswydd sydd arnaf i sicrhau bod y gwerthoedd a dderbyniais i trwy fy rhieni yn cael eu trosglwyddo i'm plant ac i'm hwyrion – yn arbennig felly gyfiawnder a chwarae teg o fewn cymdeithas, goddefgarwch, parch at hawliau pobl sy'n wahanol i mi fy hun, caredigrwydd at eraill, a gwerthfawrogiad o'u hetifeddiaeth.

Yn ogystal â'ch galluogi chi'r darllenwyr i gael cip bach ar 'pwy ydw i', rhaid imi gyfaddef bod yr hunangofiant hwn wedi'i ysgrifennu hefyd i'r hen blantos – gan obeithio y byddant, ryw ddiwrnod, yn awyddus i ddod i wybod mwy am eu gwreiddiau.

Dros Nadolig 2006 bu Dafydd a minnau gyda Hywel a Catrin yn 'aros i bethau ddigwydd', a thridiau ar ôl y Nadolig ganwyd ein hwyres gyntaf, Ana Gwen, yn Ysbyty Llantrisant. Cawsom fagu'r ferch fach yn ein côl lai nag awr wedi iddi gael ei geni. Mae'r holl ystrydebau am y cariad sy'n llifo trwoch wrth ichi afael yn eich ŵyr neu'ch wyres yn hollol wir. Catrin a lwyddodd orau i grynhoi'r cyfan – 'Mae e'n *dipyn* o beth, on'd yw e!' Ie, 'babi Dolig' ydi Ana Gwen, a daeth i'r byd gan leddfu'r atgof i Dafydd a minnau o golli Alun ar y 29ain o Ragfyr ddwy flynedd ar hugain ynghynt. Syrthiais mewn cariad dros fy mhen a'm clustiau â'r un fach.

Dyma wirioni'n lân wedyn ar yr 28ain o Chwefror 2009 pan anwyd yr efeilliaid, Jac Ben a Cai Dafydd Williams (eto yn Ysbyty Llantrisant) – ac enw'r ddau daid yn enwau canol iddynt. Does gen i ddim gobaith o ddisgrifio'r wefr a gefais wrth weld y ddau faban bach newydd-anedig ym mreichiau Eluned a Dai – ac wedyn yn glòs gyda'i gilydd mewn un cot bach. Mewn ffordd anesboniadwy, ystyriaf fod bywyd y ddau fach yma wedi parhau'r gadwyn a ddaeth i ben, dros dro, pan fu farw eu dau ewythr. Gwelaf elfennau cryf o bersonoliaeth hwyliog ac addfwyn Geraint yn y ddau ond yn arbennig yn anwyldeb Jac, ac mae agweddau o gymeriad Alun yn amlwg yn Cai – mae o'n annibynnol, yn benderfynol ac yn llawn cariad. Diolch amdanynt! Bu'n fraint cael bod yn rhan o'u magwraeth hwythau o'r dechrau cyntaf. Doedd gen i ddim syniad y byddai cymaint o lawenydd yn dod wrth weld dau fabi bach yr un ffunud â'i gilydd yn datblygu personoliaethau mor wahanol.

Cwblhawyd y pedwarawd o wyrion flwyddyn yn ddiweddarach pan anwyd chwaer fach i Ana Gwen – Pegi Wyn – ar yr 8fed o Chwefror 2010. Dwi'n siŵr y bydd yn mynd trwy fywyd yn gwenu, canu a chwerthin! Mae ganddi'r ddawn i ddenu pawb ati ac mae'n siarad fel melin bupur! Duw a ŵyr a ddaw yna chwaneg o wyrion, ond yr hyn a wn ydi fod pob un yn dod â gobaith, cariad a bendithion rif y gwlith i Dafydd a minnau. Y fendith fwyaf oll ydi fod y pedwar bach yn iach ac yn abl. Dwi'n gobeithio y byddaf wedi gallu helpu eu rhieni i osod sylfeini cadarn iddynt. Dyna, yn fy marn i, y pethau pwysicaf y gall 'Naini a Taidi' ei wneud.

Cyrhaeddodd Ana Gwen garreg filltir bwysig ym Medi 2011 pan gafodd ddechrau mynd yn 'llawn amser' i Ysgol Gwaelod y Garth, ger Caerdydd. Ysgol bentref ydi hi, gyda ffrwd Gymraeg gref o dan gyfarwyddyd y pennaeth, Iwan Humphreys o'r Waunfawr, ger Caernarfon, a chaiff pob plentyn yno gyfle i ddysgu'r iaith Gymraeg. Mae Pegi fach yn cael hwyl fawr wrth fynd i'r uned feithrin yn Ysgol Gartholwg yn ddim ond deunaw mis oed! I ysgol Gymraeg ym Mro Morgannwg yr aiff Jac a Cai pan ddaw'r amser. Gan fod Eluned a Dai ill dau'n gweithio, mae Jac a Cai wedi bod yn cael gofal dyddiol mewn meithrinfa. Er bod sawl *creche* Saesneg ei hiaith yn agos at Southerndown, gwnaed ymdrechion rhyfeddol i fynd â nhw i feithrinfa Miri Mawr yn Llandaf er mwyn sicrhau mai Cymraeg fydd y ddau'n ei siarad â'i gilydd.

Un o'r pethau sy'n rhoi'r mwyaf o foddhad i mi ydi fod fy mab-yng-nghyfraith a'm merch-yng-nghyfraith yn magu eu plant i siarad iaith y nefoedd, er bod y ddau ohonyn nhw'n dod o gartrefi cwbl ddi-Gymraeg. O Sunderland y daw Ann Williams, mam Dai, yn wreiddiol, a ganwyd ei dad, Ben, i deulu di-Gymraeg o orllewin Morgannwg – ond derbyniodd Dai a'i frawd eu haddysg yn Ysgol Gymraeg Llanhari. Daw Chris Finch, tad Catrin, o swydd Efrog; ar ôl bod yn gweithio yn Nhrawsgoed, Aberystwyth, aeth ar ei liwt ei hun fel ymgynghorydd amaethyddol. Roedd mam Marianne Finch (Pateman erbyn hyn) yn hanu o'r Almaen a'i thad yn dod o dde Lloegr. Mae stori ryfeddol sut y daeth y ddau at ei gilydd. Roedd taid Catrin yn un o uchel-swyddogion yr RAF oedd yn gyfrifol am yr *air-lift* o Berlin ar ddiwedd yr Ail Ryfel Byd, a nain Catrin oedd ei athrawes Almaeneg. Mae'r teipiadur a ddefnyddiodd hi i ysgrifennu llythyr at yr Arlywydd Roosevelt ynglŷn â'r trefniadau ym meddiant Catrin, ac yn drysor yn ei golwg.

Dyn camera a golygydd rhaglenni ydi Dai a'i waith gan fwyaf ydi ffilmio chwaraeon, yn cynnwys Cwpan Rygbi'r Byd 2011 yn Seland Newydd. Cafodd wisgo'r 'strip' wrth deithio ar yr awyren hefo tîm Cymru. Dyna ichi *dream job* i rywun sydd wrth ei fodd efo chwaraeon! Bu hefyd yn ffilmio taith Richard Parks, y cyn-chwaraewr rygbi o Gasnewydd, i begwn uchaf pob cyfandir (gan gynnwys Everest a Kilimanjaro) i godi arian tuag at yr ymchwil i gancr. Syrffio ydi un o brif ddiddordebau Dai ac Eluned; maent yn ffodus eu bod yn byw'n agos iawn at y traeth syrffio gorau ym Morgannwg.

'Cyfarwyddwraig Celfyddydau Rhyngwladol Cymru' ydi teitl swydd Eluned. Mae'n gweithio yng Nghanolfan y Mileniwm gyda Chyngor y Celfyddydau a'r Cyngor Prydeinig. Ei gwaith, ymhlith pethau eraill, ydi datblygu cyfleon yn rhyngwladol i artistiaid o Gymru. Yn naturiol, dwi'n eithriadol o falch o'r gwaith mae hi'n ei gyflawni yn y maes yma sydd mor agos at fy nghalon. Eluned a'i thîm sy'n gyfrifol am ddenu'r arddangosfa ryngwladol WOMEX i Gaerdydd yn 2013 – y farchnad broffesiynol bwysicaf ar gyfer cerddoriaeth byd.

Sefydlodd Hywel ei fusnes ei hun ym myd cerddoriaeth yn sgil prynu capel ym Mhen-tyrch i'w addasu'n stiwdio recordio a neuadd gyngerdd hyfryd. Bu datblygu Acapela'n waith caled iawn i'r ddau, er i aelodau eraill o'r teulu dorchi llewys i'w helpu. Wn i ddim sawl tro y gwelais Catrin yn tynnu'i menig rwber ar ôl bod yn peintio neu grafu paent i fynd at y delyn i recordio darn o gerddoriaeth astrus! Wrth brynu'r capel daeth y fynwent hefyd yn gyfrifoldeb i Hywel, ac fe'i hadferodd i safon arbennig o dda. Dwi'n hollol siŵr fod yr eneidiau ymadawedig yn bendithio'r gerddoriaeth sy'n llifo o'r capel ac yn cymeradwyo'r gwaith a wnaed i sicrhau bod yr hen adeilad yn berthnasol i'n cyfnod ni.

Daeth Catrin a minnau at ein gilydd i recordio CD o gerddoriaeth ar gyfer plant bach ifanc iawn pan oedd hi'n disgwyl Ana Gwen. Cyflwynwyd *Angylion Bach* (sy'n cynnwys llawer o hwiangerddi Cymraeg a chlasuron) i'r fechan, ond y CD yma sydd wedi suo Jac, Cai a Pegi hefyd i gysgu bob nos o'u bywydau.

Mae'n siŵr fod pob nain a thaid yn poeni beth sydd gan y dyfodol i'w gynnig i'w hwyrion. Does bosib y gall pethau fod lawer gwaeth na'r hyn a wynebodd genhedlaeth ein rhieni – dau Ryfel Byd erchyll, tlodi mawr y dirwasgiad, Hitler, Stalin ac ansicrwydd niwclear y Rhyfel Oer. Dwi wedi dod i'r casgliad mai'r gorau y gallwn ei wneud ydi rhoi cymaint â phosib o gariad a chynhaliaeth i'r plantos i'w harfogi i wynebu unrhyw anhawster, yn ogystal â mwynhau'r bendithion a ddaw i'w rhan.

Mae fy chwaer, Menna (Bennett Joynson), a'i gŵr, David, yn dal i fyw yn Abertawe, ac yn mwynhau teithio'r byd yn ogystal â golffio a dysgu plant i ganu. Gweithio ym myd bancio ac yswiriant yn Zurich mae Nia, eu merch hynaf; mae ganddi hi a'i gŵr, Peter, ddwy ferch – Rebecca a Caterina. Deintydd yn y Barri ydi Owain, brawd Nia, ac mae ganddo yntau a'i wraig, Sian, ddau o blant – Rhys a Ceri Megan.

Cyfreithiwr ydi Heledd, fy nith ieuengaf, ac mae hi a'i gŵr Lee (sy'n dod o Awstralia) yn byw ger Birmingham gyda'u dwy ferch, Ellen a Sofia Gwenllian.

Felly, mae'r hil yn parhau, a'r cwbl yn siarad Cymraeg. Cofiwch, mae rhan o'r diolch am hynny i'r ffaith fod rhaglenni ardderchog fel *Cyw* (S4C) i'w gweld hyd yn oed yn y Swistir a Birmingham!

Dwi'n gwerthfawrogi'n fawr yr anrhydeddau a gefais dros y blynyddoedd gan golegau a mudiadau yng Nghymru. Nid canu fy utgorn fy hun ydi fy mwriad wrth nodi hynny ond manteisio ar y cyfle hwn i ddweud yn syml, 'Diolch!'

O sôn am 'fy utgorn fy *hun*', tybed wyddech chi nad 'Elinor Bennett' y buoch chi o bosib yn gwrando arni'n perfformio o dro i dro ond, yn hytrach, '*gwraig Dafydd Wigley*'? Do, ymddangosodd hynny mewn un papur newydd hyd yn oed wrth sôn amdanaf yn recordio hefo Cerys Matthews a Catatonia! Ac nid yn unig yn y wasg y bydd yn digwydd, chwaith – ces fy nghyflwyno felly ar lwyfan, hefyd, fwy nag unwaith. On'd oes isio gras?

I mi, mae cymaint eto i'w wneud. Bydd trydedd Gŵyl Delynau Ryngwladol Cymru yng Nghaernarfon yn y flwyddyn 2014, a bydd angen hogi arfau go iawn i godi arian mewn cyfnod o gyni economaidd. Her arall ydi datblygu canolfannau cerdd megis yr un yng Nghaernarfon mewn mannau eraill yng Nghymru, a phwy a ŵyr na allai hynny fod o help i'm hwyrion fy hunan?

I ni fel teulu daeth tro ar fyd unwaith yn rhagor yn Ionawr 2011 wrth i Dafydd gymryd ei sedd yn Nhŷ'r Arglwyddi. Mae'n fendith gymysg iawn gan fod y gwaith yn drwm ar ei ysgwyddau ar yr union adeg yn ei fywyd y disgwylid i'r pwysau ysgafnhau. Mae gofyn iddo fod yn Llundain bedwar diwrnod yr wythnos; i raddau helaeth, mae hynny oherwydd mai Dafydd yn unig gafodd sedd yno yn hytrach na thri chynrychiolydd o'r Blaid fel yr addawyd yn 2008 pan roddwyd eu henwau gerbron.

Yn y blynyddoedd diwethaf cafodd y ddau ohonom lawer o bleser yn garddio a thyfu gwahanol fathau o lysiau, ffrwythau a blodau. Mae gennym hefyd y dasg ddymunol dros ben o edrych ar ôl corgi bach o'r enw Gelert sy'n warchodwr o fri yma yn yr Hen Efail ond yn hapus iawn i deithio ar yr A470 i Gaerdydd. Mae'r siwrneiau mynych ar hyd honno, ynghyd â theithio wythnosol Dafydd i Lundain, yn sicrhau bod hen driongl Bontnewydd/ Caerdydd/Llundain yn dal a'i afael sicr arnom! Yn bersonol, gallaf rag-weld y byddaf yn dal i dreulio llawer o f'amser yn y de efo'r teulu ac yn Llundain efo Dafydd – ond yr Hen Efail fydd 'adra'.

Gobeithio, hefyd, y caf ddal i 'dynnu mêl o'r tannau mân' cyhyd ag y bydd y bysedd yn ystwyth, y meddwl yn glir, y gân yn fy nghalon a chynulleidfa'n awyddus i wrando arnaf! Fy nymuniad o hyd ydi parhau i fynd â cherddoriaeth telyn Cymru allan i'r byd, ysgogi cyfansoddwyr cyfoes, a meithrin plant a phobl ifanc i fod yn delynorion.

Agorodd ysgrifennu hanes fy mywyd sawl craith boenus ond bu hefyd yn gyfrwng catharsis. Mae'r 'hon ydw i' wedi'i mowldio o brofiadau cymysg iawn. Mae'r *ying* a'r *yang* yma – y llawenydd a'r trallod, yr hwyl a'r dagrau – a cherddoriaeth, rywsut neu'i gilydd, yn ganolog i'r cyfan. Bûm mor onest ag y gallwn wrth adrodd fy stori ond mae yna rai pethau yng nghuddfannau dirgel y galon sy'n well o'u gadael yno'n dawel.

A dyna fi wedi cyrraedd y diwedd! Be 'di'r peth nesa ar y rhestr, 'dwch?!